D1531757

La bibliothèque Gallimard

Note sur la présente édition

Cette édition propose un choix des *Lettres persanes*. On a choisi de ne pas retenir les lettres de lecture trop difficile, et qui n'illustrent pas les aspects essentiels du roman. Les lettres non retenues sont indiquées dans la table des matières, ainsi que dans le cours de l'œuvre, en leur lieu et place, grâce au résumé emprunté à cette table des matières.

Source des illustrations

Couverture : d'après Jean-Léon Gérôme, *Markos Botsaris*. Collection particulière. Ph. © ACR/D.R.

6 : Ph. Roger-Viollet. 69 : Ph. RMN – J.G. Borizzi. 70 : Ph. BNF, Paris. 167, 172, 218 : Ph. Roger-Viollet. 223 : Ph. RMN – G. Blot. 312, 345, 371 : Ph. Roger-Viollet.

© Éditions Gallimard, 1973 pour le texte établi par Jean Starobinski (« Folio classique », n° 475), 1999 pour l'accompagnement pédagogique de la présente édition.

Montesquieu

Lettres persanes

Choix de lettres

Lecture accompagnée par
Catherine Volpilhac-Auger
ancienne élève de l'École normale supérieure (Sèvres)
agrégée de lettres classiques
professeur à l'Université de Grenoble 3

La bibliothèque Gallimard

Florilège

« [En Italie] les femmes jouissent d'une grande liberté : elles peuvent voir les hommes à travers certaines fenêtres, qu'on nomme jalousies ; elles peuvent sortir tous les jours avec quelques vieilles, qui les accompagnent : elles n'ont qu'un voile. »

« Paris est aussi grand qu'Ispahan : les maisons y sont si hautes, qu'on jurerait qu'elles ne sont habitées que par des astrologues. »

« Le roi de France est le plus puissant prince de l'Europe [...] il tire [ses richesses] de la vanité de ses sujets, plus inépuisable que les mines. »

« Ce magicien s'appelle le pape : tantôt il lui fait croire que trois ne sont qu'un ; que le pain qu'on mange n'est pas du pain, ou que le vin qu'on boit n'est pas du vin ; et mille autres choses de cette espèce. »

« Ah ! ah ! monsieur est persan ? C'est une chose bien extraordinaire ! Comment peut-on être persan ? »

« Les femmes de Perse sont plus belles que celles de France ; mais celles de France sont plus jolies. »

« Il en est, des manières et des façons de vivre, comme des modes : les Français changent de mœurs, selon l'âge de leur roi. »

« Nous étions tous deux heureux : tu me croyais trompée, et je te trompais. »

Ouvertures

Depuis la mort de Louis XIV (1715), la France respire : après des années de guerres, de famines, d'autorité monarchique crispée sur une religion sévère et intolérante (le protestantisme a été interdit en 1685 par la révocation de l'édit de Nantes), la Régence est marquée par une libération des mœurs et des esprits. Dans une France rajeunie, agitée de tentatives de réformes économiques et politiques, se manifeste un nouvel appétit de vivre et de penser – mais les structures sociales n'ont pas véritablement changé. De ce décalage naît une insatisfaction, qui remet en cause les fondements mêmes de l'ordre monarchique. Les *Lettres persanes* (1721) en sont la première manifestation.

La Régence, « joli temps » ?

Le temps du plaisir

Le Régent, Philippe d'Orléans, est l'oncle du futur roi Louis XV, qui ne doit atteindre l'âge de régner qu'en 1723 (il est né en 1710). Grand travailleur, intelligent et cultivé, c'est aussi un libertin décidé à jouir de tous les plaisirs de la vie. Et quand l'exemple vient d'en haut... Toute la vie sociale et culturelle s'en ressent : on rappelle les Comédiens-Italiens chassés sous Louis XIV, on met un terme aux persécutions religieuses, tandis que se donnent à l'Opéra des bals masqués ; les hôtels particuliers, où l'on dépense des fortunes au jeu, s'ornent

des courbes gracieuses de l'art rococo* et s'enrichissent de luxueux boudoirs. Frivolité ? Goût de l'ostentation ? En fait ce qui s'amorce ici est une des tendances essentielles du XVIIIe siècle : la réhabilitation du bonheur individuel, du plaisir, et par là même celle du corps et de la sensibilité, en réaction contre la rigueur de l'époque précédente.

Le temps de la liberté

Cette liberté nouvelle consiste aussi à remettre en cause, au nom de la raison, les traditions qui emprisonnaient les esprits. Au fur et à mesure que progressent les connaissances scientifiques, l'émerveillement devant la complexité de la nature s'accroît, pour la plus grande gloire de l'esprit humain, qui s'avère capable de percer tous les jours de nouveaux mystères (sur l'apparition de la vie, le cosmos…). Mais cela ne se fait pas sans inquiétude : car plus l'esprit humain progresse, plus il prend conscience des préjugés et des erreurs qui l'aveuglaient jusqu'alors. N'est-il pas toujours susceptible de faiblesse ? Et comment s'en garantir à l'avenir ?

L'esprit critique est roi désormais, et rien ne lui échappe, y compris la Bible : malgré les protestations de l'Église qui la considère comme l'expression de la voix divine révélée aux hommes, on tend de plus en plus à y voir un texte historiquement daté, empli de contradictions et marqué par la grossièreté des temps reculés où il a été écrit. Les miracles, grands ou petits, les hauts faits qui jalonnent l'histoire (et font la gloire des nations), sont autant de légendes qui suscitent l'indignation ou la moquerie tout au long du siècle. Dès la Régence, sous l'influence durable de Bayle (1647-1706), protestant et par là même formé à la critique des textes et au libre examen, et grâce à l'activité de Fontenelle (1657-1757), homme de lettres et habile vulgarisateur de la pensée scientifique, s'affirme l'idée qu'il faut constamment faire appel à la raison.

* Les mots signalés par un astérisque sont définis dans le glossaire.

La Régence est donc loin de se caractériser par le seul goût des plaisirs et de la facilité. Si désinvolture il y a, c'est pour mieux refuser l'autorité de la tradition ou du préjugé. C'est en fait l'époque où l'esprit humain, bien décidé à prendre son indépendance, s'affranchit du poids de la religion, remet en question le pouvoir politique et conteste le joug des mœurs et des habitudes.

Les *Lettres persanes*, un coup de maître

« Y a-t-il rien de plus fort que les *Lettres persanes* ? Y a-t-il un livre où l'on ait traité le gouvernement et la religion avec moins de ménagements ? **»**

Quand Voltaire écrit cela, il y a déjà plus de dix ans que les *Lettres persanes* (1721) ont été publiées ; il est lui-même à la veille de connaître les pires ennuis pour ses *Lettres philosophiques* (1734), et il consacrera sa vie à combattre les abus dont souffre la société. On ne saurait donc trouver meilleur juge. Il est clair que les *Lettres persanes*, dont le succès a été immense dans l'Europe entière, sont apparues très vite comme une machine de guerre contre l'ordre ancien, tout en ayant le charme d'un véritable roman.

Charles-Louis de Secondat, baron de La Brède et de Montesquieu – Pourtant leur auteur n'était en rien prédisposé à connaître un tel triomphe. Ce noble provincial, né en 1689 à La Brède (près de Bordeaux), a une formation de juriste. Mais il s'ennuie sur ses livres de droit ; un de ses amis, l'Italien Guasco, rapporte « qu'obligé par son père de passer toute la journée sur le Code, il s'en trouvait le soir si excédé que, pour s'amuser, il se mettait à composer une lettre persane, et que cela coulait de sa plume, sans une étude ». Mais faut-il croire qu'il ait commencé si jeune à penser aux *Lettres persanes* ? Ayant hérité de son oncle, en 1716, la charge de président à mortier au parlement de Bordeaux (ce qui signifie qu'il doit siéger

Portrait de Montesquieu. Ce portrait à la romaine correspond bien à l'auteur de *L'esprit des lois*, qui admirait tant la République romaine.

dans une cour de justice), il ne la garde que dix ans, et d'ailleurs les archives montrent qu'il y a finalement peu travaillé. Il a compris qu'il pouvait faire œuvre plus utile ailleurs.

Une histoire mouvementée – L'ouvrage était dangereux. Montesquieu en est fort conscient : il envoie son secrétaire porter le manuscrit en Hollande, car en France la censure est sévère. Il est imprimé à Amsterdam sans nom d'auteur, avec une fausse localisation et un faux nom d'imprimeur, « chez Pierre Marteau, à Cologne », selon un usage habituel à l'époque pour déjouer les soupçons (Pierre Marteau, chez qui sont censés avoir été imprimés des dizaines d'ouvrages, n'a jamais existé !). Il est introduit clandestinement en France, où il est d'abord vendu discrètement – les

sanctions contre les libraires pour vente de livres interdits vont à cette époque jusqu'à l'emprisonnement, voire la condamnation aux galères.

Le succès en est aussitôt immense : tout Paris s'arrache les *Lettres persanes*, qui bientôt font rire l'Europe entière. Dans les années qui suivent, on voit fleurir, sur le même modèle, des *Lettres turques* ou des *Lettres péruviennes*…

Une œuvre de combat

Quelles sont les raisons de cet engouement ? Un simple effet de mode, comme Montesquieu en dépeint les effets à la lettre 99 ? En plein XIXe siècle, le grand écrivain libéral Michelet le juge encore ainsi : « Il faudrait être bien étourdi et bien léger soi-même pour trouver ce livre léger. » Et, de nos jours, n'avez-vous pas entendu cette expression énigmatique (que vous trouverez à la lettre 30) : « Comment peut-on être persan ? » ? C'est dire que si mode il y eut, celle-ci dure encore !

Les thèmes favoris de Montesquieu
La critique de la société française – Deux Persans partis découvrir l'Europe séjournent à Paris et échangent des lettres avec leurs amis restés en Perse ou dispersés de par le monde. Cela leur permet de comparer les systèmes politiques (la Perse vit sous le pouvoir d'un prince despotique qui fait régner la crainte), les religions (ils sont musulmans), les modes de vie (le personnage principal, Usbek, a plusieurs femmes enfermées dans son harem).

C'est surtout l'occasion de faire le portrait satirique de la société parisienne, dont sont dénoncés les manies et les ridicules (la coquetterie des femmes, la folie d'un alchimiste, la vanité générale), grâce à de malicieuses caricatures, à de véritables petites scènes de théâtre

et à des portraits au vitriol. On reconnaîtra au passage des institutions ou des usages qui aujourd'hui sont encore d'actualité : les cafés où l'on discute pendant des heures, les critiques qui se disputent sur des sujets fort minces, les Parisiens qui courent sans cesse et bousculent tout le monde sur leur passage, l'Académie française où se rencontrent régulièrement quelques messieurs qui légifèrent sur la langue française…

Mais Montesquieu ne se borne pas à dépeindre d'amusants ou d'innocents travers, il repère aussi les vices et les absurdités de cette société : est-il normal qu'un grand seigneur ne soit estimé que s'il fait des dettes ? que l'on parle sans cesse de la religion, et qu'on l'observe si mal ? que la justice soit exercée de manière injuste ? De là on en arrive aux questions les plus graves, posées sur le ton le plus souriant : pourquoi chacun de nous est-il si sûr de détenir la vérité, comme les Français qui, d'emblée, s'estiment supérieurs aux Persans et jugent de tout sans rien connaître ? Comment admettre autrui, avec ses différences ? Sur ce plan-là, en chaque pays, dans chaque religion, règne la même intolérance. Tels sont les sujets qu'Usbek et Rica, les deux principaux personnages du roman, abordent avec une impertinence calculée.

Les aspirations profondes – L'audace règne partout dans les *Lettres persanes* : dans l'évocation du pape (« une vieille idole, qu'on encense par habitude ») ; dans la défense du suicide, interdit par l'Église, à une époque où celle-ci représente une force considérable ; dans la comparaison établie entre Louis XIV, mort depuis à peine six ans, et le roi de Perse, ce despote sanguinaire. Mais aussi dans la dénonciation des femmes européennes sans vertu, et des hommes qui s'en accommodent trop bien. Enfin, et ce n'est pas le plus négligeable, dans l'aspiration des femmes à la liberté, dans leur revendication de leur droit au bonheur et au plaisir, qui se manifestent au sein même du harem (le « sérail ») d'Usbek.

La question fondamentale, à laquelle Montesquieu s'attachera

d'ailleurs dans chacune de ses œuvres ultérieures, est en effet celle de la liberté humaine : comment la garantir ? La liberté est fondamentale car elle est « ce bien qui fait jouir des autres biens », comme l'écrira Montesquieu dans *L'esprit des lois* (1748) ; sans elle, pas de bonheur sur terre. C'est ce qu'il faut déchiffrer derrière les spirituels portraits des vieilles coquettes asservies au regard d'autrui, des élégants soumis à la mode, de tous ceux qui veulent se donner l'air important pour avoir l'air d'exister ; c'est la question qui obsède Usbek quand il observe les injustices de la société européenne, alors qu'il se refuse à accorder la moindre liberté à ses propres femmes.

S'y ajoute l'inquiétude que provoque chez Montesquieu le spectacle de phénomènes inexpliqués ; ainsi il est persuadé, comme la plupart de ses contemporains, que le monde entier connaît un affaiblissement démographique continu depuis l'Antiquité. L'humanité est-elle vouée à disparaître ? Dans une dizaine de lettres (que nous n'avons pas toutes reproduites), il cherche de manière systématique les raisons de cette évolution qu'il n'est pas impossible de corriger. On est donc bien loin de ce qu'un critique peu aimable, J. Bainville (1931), a appelé « mauvais roman, pamphlet attardé, satire superficielle ».

La méthode

Le rôle de l'observateur – Le principe sera exploité tout au long du siècle : il s'agit de jeter sur la société française un regard extérieur (un regard « perçant » ?), de considérer avec une feinte naïveté ce qui paraît évident et d'en demander les raisons. Ainsi la lettre 28 décrit une soirée au théâtre comme si le spectacle était dans la salle – et de fait, au XVIIIe siècle, la bonne société va au théâtre ou à l'Opéra pour se faire voir, souvent sans prêter beaucoup d'attention aux acteurs ou aux chanteurs. Pourrait-on mieux illustrer l'idée selon laquelle la vie sociale est une vaste comédie que l'on donne aux autres et à soi-même ? Chacun joue un rôle sans s'apercevoir qu'il

est ridicule, comme ces jeunes gens qui virevoltent d'une loge à une autre. Le Persan observe tout cela sans le comprendre, note les détails, propose des interprétations, en se référant implicitement ou explicitement aux usages de son pays. L'absurdité devient alors évidente.

Mais la société parisienne n'est pas la seule à être livrée au regard impitoyable des deux voyageurs : il est aussi question de Russes, de Turcs, d'Italiens. Et, au bout de quelque temps de séjour parisien, c'est la Perse qui leur devient parfois étrangère : la religion musulmane ne répond plus à leurs questions, ils doutent de ce qui jusquelà avait fait leur vie. C'est donc une leçon de *relativisme* qu'ils tirent de ces correspondances qui se croisent : chacun est amené à *relativiser* sa propre position, ses propres certitudes ; nul ne doit se croire supérieur à autrui au point de lui imposer ses usages et ses croyances ; c'est donc la tolérance qui se trouve ainsi affirmée.

Des leçons claires – Mais faut-il pour autant considérer que toutes les sociétés se valent ? Certaines se caractérisent par leurs excès (la Perse, la Russie), et semblent vouées au despotisme ; en revanche la France, qui offre souvent matière à moquerie, est peut-être capable de corriger les abus dont elle souffre. Le pire n'est-il pas derrière elle ? Le règne catastrophique du Roi-Soleil, les erreurs du début de la Régence, notamment le système mis en place par le financier Law, qui a favorisé une spéculation éhontée et s'est achevé par un véritable naufrage, ruinant des centaines de particuliers (lettre 138), tout cela appartient au passé. La critique ne doit pas s'exercer de manière indifférenciée : telle est la leçon qu'il faut retenir de la comparaison entre divers systèmes politiques.

Les *Lettres persanes* ne sont donc pas seulement un ouvrage à l'ironie destructrice : Montesquieu veut suggérer qu'une fois le mal identifié on peut lui trouver un remède. « Je n'ai pas naturellement l'esprit désapprobateur », écrit-il dans *L'esprit des lois*. Il aurait pu avoir recours à d'autres formes, par exemple l'essai ou le traité, qui

auraient démontré rationnellement tout ce qu'il entend faire comprendre à son lecteur. Il a choisi une voie entièrement différente, celle de la fiction, qui lui permet d'adopter des tons très variés, et notamment de faire appel à l'ironie. Mais surtout la forme romanesque lui permet de mettre en scène de véritables personnages et de rendre sensibles des idées qui auraient risqué de demeurer abstraites.

Un roman véritable

On a longtemps considéré les *Lettres persanes* comme un recueil de morceaux qui pouvaient aisément être détachés les uns des autres : une lettre sur la mode, une autre sur les cafés, une sur les vieilles coquettes… On avait tendance à oublier les personnages. Et ce, d'autant plus que l'intrigue paraissait désuète : un mari maître de plusieurs femmes qui se révoltent contre l'autorité des eunuques qui les tiennent enfermées, voilà qui ne pouvait plus avoir de sens pour les lecteurs. De nombreux critiques considéraient, jusque vers les années 1960, que Montesquieu n'avait choisi des personnages orientaux que pour appâter des lecteurs quelque peu égrillards, grâce à la peinture des émois et des désirs d'une troupe de femmes enfermées dans un sérail – thème fort à la mode dans le roman libertin du XVIIIe siècle. Les auteurs de morceaux choisis à l'usage des lycées y trouvaient leur compte : les passages scabreux étaient ainsi facilement éliminés.

Un roman d'actualité – Il est clair aujourd'hui que le thème principal du roman, qui repose sur la sujétion des femmes (même si celle-ci ne prend plus exactement la forme décrite dans les *Lettres persanes*), n'est pas périmé. L'actualité de la fin des années 1990 montre même que, dans certains pays, la condition des femmes les réduit à une situation bien pire encore que celle que connaissent les épouses d'Usbek. Au-delà même de la domination masculine, c'est toute domination injustifiée qui est en cause. Dans la dernière lettre du roman, Roxane, l'épouse favorite d'Usbek, reprend le vocabu-

laire caractéristique de la tragédie classique (ce n'est pas un hasard si elle porte le même nom que l'héroïne de *Bajazet*, de Racine, qui incarne la passion amoureuse la plus brûlante) ; néanmoins son cri de révolte (« J'ai pu vivre dans la servitude : [...] mais j'ai toujours été libre ») vaut celui des personnages qui ont proclamé que la prison ou la torture n'avaient d'emprise que sur les corps, pas sur les esprits, comme en témoignent les romans de Jean-Paul Sartre ou d'Alexandre Soljenitsyne.

Un roman exotique – Faut-il considérer pour autant que Montesquieu n'use des références à l'Orient que de manière artificielle, pour dénoncer l'Occident ? qu'il s'agit d'une sorte de déguisement, permettant d'évoquer la Perse ou l'islam pour mieux désigner la France (ainsi, sous la plume de Rica ou d'Usbek, il est question de « mollahs » et de « dervis » pour désigner les prêtres de la religion catholique) ? En fait, l'éloignement géographique a une double utilité : il définit la structure spatiale et temporelle du roman.

Nous avons là un roman épistolaire, c'est-à-dire un roman par lettres. Feuilletez-le : vous remarquerez que toutes les lettres portent des indications (en en-tête et à la fin), par exemple pour la lettre 1 : « Usbek à son ami Rustan. À Ispahan », et « De Tauris, le 15 de la lune de Saphar, 1711 ». Cela, à première vue, paraît simplement relever du goût de l'exotisme. Or, bien au contraire, ces précisions donnent au roman tout son sens. D'abord elles identifient l'auteur de la lettre, et généralement son destinataire (qui quelquefois restera anonyme), ce qui permet peu à peu de « construire » plusieurs personnages. Grâce à elles, on suit la marche des voyageurs, d'Ispahan à Paris, en passant par la Turquie et l'Italie, et on distingue leurs différents correspondants, en Perse, mais aussi en Russie ou à Venise : en définitive, Paris, où résident les Persans à partir de la lettre 24, est loin d'être l'unique sujet d'intérêt. Montesquieu tire ainsi parti des ressources et des contraintes du genre particulier qu'est le roman épistolaire, où interviennent plusieurs correspondants ; chaque fois, c'est une voix particulière qui s'exprime.

Mais le plus surprenant est l'usage du calendrier musulman, quelque peu adapté aux habitudes européennes (ainsi les années sont annoncées selon l'ère chrétienne, et non pas selon l'usage musulman). Tous les noms des mois lunaires utilisés par Montesquieu sont exacts :

Zilcadé : janvier
Zilhagé : février
Maharram : mars
Saphar : avril
Rebiab 1 : mai
Rebiab 2 : juin
Gemmadi 1 : juillet
Gemmadi 2 : août
Rhegeb : septembre
Chahban : octobre
Rhamazan : novembre
Chalval : décembre

On peut ainsi suivre aisément la chronologie du roman, qui va d'avril 1711 à mai 1720. C'est important pour la composition de l'ouvrage, et pour les références aux événements historiques qui rythment les lettres (c'est ce qu'on appelle la chronologie externe) : fin du règne de Louis XIV (sa mort, le 1er septembre 1715, est annoncée à la lettre 92) et période de la Régence, secouée de crises graves. Mais cela éclaire aussi l'évolution des personnages (chronologie interne) : en neuf ans d'absence, le sérail a le temps d'oublier le maître, et Usbek de se former à la vie européenne ; le voyage lui-même dure treize mois et demi.

La durée joue même parfois un très grand rôle. Combien faut-il de temps à une lettre pour parvenir de Perse en France ? En moyenne six mois. Autrement dit, quand Usbek est informé des

Histoire et culture au temps de Montesquieu

	Histoire	Culture	Vie et œuvre de Montesquieu
1685	Révocation de l'édit de Nantes.		
1687		Querelle des Anciens et des Modernes.	
1688		La Bruyère : *Les Caractères*.	
1689			Naissance à La Brède, près de Bordeaux, de Charles-Louis de Secondat.
1699		Fénelon : *Les Aventures de Télémaque*.	
1700			Études chez les Oratoriens de Juilly (→1705).
1701	Guerre de succession d'Espagne (→1714).		
1705			Études de droit à Bordeaux (→1708).
1710	Naissance du futur Louis XV.		
1713		Salon de Mme de Lambert (→1733).	Séjour à Paris, où il fréquente les milieux érudits et cultivés (académies).
1715	Mort de Louis XIV. Régence de Philippe d'Orléans.	Lesage : *Gil Blas de Santillane*.	Épouse une protestante, Jeanne Lartigue. Rédige à l'adresse du Régent un *Mémoire sur les dettes de l'État*.
1716	Système financier de Law.		Hérite de son oncle le titre de baron de Montesquieu et la charge de président au parlement de Bordeaux.
1717		Marivaux : *Homère travesti*. Watteau : *L'Embarquement pour Cythère*.	
1720			
1721	Chute du Système de Law.		Publie anonymement les *Lettres persanes*. Partage son temps entre Bordeaux et Paris ; fréquente les milieux aristocratiques et intellectuels.
1723	Avènement de Louis XV. Le duc de Bourbon est nommé Premier ministre. Mort du Régent.	Saint-Simon commence à rédiger ses *Mémoires* (publ. 1788).	
1726		Swift : *Voyages de Gulliver*. Édition des *Lettres de Mme de Sévigné*. Salon de Mme de Tencin (→1749).	Vend sa charge de président.

1727			Élu à l'Académie française.
1728			Voyage en Autriche, Hongrie, Italie, Allemagne, Hollande, Angleterre (→1731).
1730		Marivaux : *Le Jeu de l'amour et du hasard*.	
1731		Prévost : *Manon Lescaut*. Marivaux : commence à rédiger *La Vie de Marianne*.	Séjour à Bordeaux. Première rédaction de chapitres de *L'esprit des lois* (analyse de la constitution anglaise) (→1733).
1734		Voltaire : *Lettres philosophiques*.	*Réflexions sur la monarchie universelle en Europe* (en détruit tous les exemplaires, sauf un). Publication anonyme à Amsterdam des *Considérations sur les causes de la grandeur des Romains et de leur décadence*.
1736		Crébillon : *Les Égarements du cœur et de l'esprit*.	
1738		Fouilles d'Herculanum.	
1740		Salon de Mme du Deffand (→1780).	
1741	Guerre de succession d'Autriche (→1748).		
1747		Boucher : *L'Enlèvement d'Europe*. Mme de Graffigny : *Lettres péruviennes*.	
1748			Publication anonyme à Genève de *L'esprit des lois*.
1749		Diderot : *Lettre sur les aveugles*.	Début de la querelle de *L'esprit des lois*, bientôt mis à l'Index.
1751		Début de la publication de l'*Encyclopédie*.	
1753			Compose pour l'*Encyclopédie* l'article « Goût », qui deviendra l'*Essai sur le goût* (publ. 1757). Montesquieu, atteint de cataracte, devient progressivement aveugle. *Lysimaque*.
1754	Naissance de Louis-Auguste, futur Louis XVI.		
1755		Fouilles de Pompéi. Crébillon : *La Nuit et le Moment*.	Mort à Paris.

troubles qui agitent sa maison et qu'il lance un ordre, celui-ci arrive un an après les faits… dans le meilleur des cas. La Perse et la France, de par l'espace et le temps qui les séparent, sont donc bien deux mondes différents. C'est en jouant de l'écart entre ces deux mondes que le roman se développe.

Un dangereux succès

Telles sont quelques-unes des raisons qui ont permis aux *Lettres persanes* d'être le seul ouvrage de Montesquieu aisément accessible aujourd'hui. Elles ont fait sa réputation dès leur publication – au point même que lorsqu'il se présente à l'Académie française, en 1727, on lui tient rigueur (pour peu de temps, il est vrai) des attaques mordantes qu'il lui a portées (nous en reparlons dans nos Bilans, p. 357).

Mais surtout elles font de lui un auteur dont on attend désormais de brillantes satires. Quand en 1734 il publie un ouvrage qui analyse l'histoire de Rome (*Considérations sur les causes de la grandeur des Romains et de leur décadence*), le public est déçu, alors qu'il s'agit d'un des plus grands textes de la pensée politique du XVIIIe siècle. Il faut attendre *L'esprit des lois* et la réédition des *Considérations* (1748) pour que la France et l'Europe découvrent en Montesquieu un esprit capable de concevoir le système le plus complexe (celui qui permet d'expliquer la législation de toutes les nations) tout en restant soucieux des moindres nuances. Est-il alors si différent du spirituel auteur des *Lettres persanes* ? À vous de juger.

Lettres persanes

Édition de 1758

QUELQUES RÉFLEXIONS
SUR
LES LETTRES PERSANES

Rien n'a plu davantage dans les lettres persanes, que d'y trouver, sans y penser, une espèce de roman. On en voit le commencement, le progrès, la fin : les divers personnages sont placés dans une chaîne qui les lie. À mesure qu'ils font un plus long séjour en Europe, les mœurs de cette partie du monde prennent, dans leur tête, un air moins merveilleux et moins bizarre : et ils sont plus ou moins frappés de ce bizarre et de ce merveilleux, suivant la différence de leurs caractères. D'un autre côté, le désordre croît dans le sérail[1] d'Asie, à proportion de la longueur de l'absence d'Usbek ; c'est-à-dire, à mesure que la fureur[2] augmente, et que l'amour diminue.

D'ailleurs, ces sortes de romans réussissent ordinairement, parce que l'on rend compte soi-même de sa situation actuelle ; ce qui fait plus sentir les passions, que tous les récits qu'on en pourrait faire. Et c'est une des causes du succès de quelques ouvrages charmants qui ont paru depuis les lettres persanes.

1. Sérail : lieu où étaient enfermées les femmes chez les peuples musulmans (on dit plutôt harem aujourd'hui).
2. Fureur : au sens classique de folie.

Enfin, dans les romans ordinaires, les digressions ne peuvent être permises que lorsqu'elles forment elles-mêmes un nouveau roman. On n'y saurait mêler de raisonnements, parce qu'aucun des personnages n'y ayant été assemblé pour raisonner, cela choquerait le dessein et la nature de l'ouvrage. Mais, dans la forme de lettres, où les acteurs ne sont pas choisis, et où les sujets qu'on traite ne sont dépendants d'aucun dessein ou d'aucun plan déjà formé, l'auteur s'est donné l'avantage de pouvoir joindre de la philosophie, de la politique et de la morale, à un roman ; et de lier le tout par une chaîne secrète et, en quelque façon, inconnue.

Les lettres persanes eurent d'abord un débit si prodigieux, que les libraires mirent tout en usage pour en avoir des suites. Ils allaient tirer par la manche tous ceux qu'ils rencontraient. *Monsieur,* disaient-ils, *faites-moi des lettres persanes.*

Mais ce que je viens de dire suffit pour faire voir qu'elles ne sont susceptibles d'aucune suite, encore moins d'aucun mélange avec des lettres écrites d'une autre main, quelque ingénieuses qu'elles puissent être.

Il y a quelques traits que bien des gens ont trouvés trop hardis. Mais ils sont priés de faire attention à la nature de cet ouvrage. Les Persans, qui devaient y jouer un si grand rôle, se trouvaient tout à coup transplantés en Europe, c'est-à-dire, dans un autre univers. Il y avait un temps où il fallait nécessairement les représenter pleins d'ignorance et de préjugés. On n'était attentif qu'à faire voir la génération et le progrès de leurs idées. Leurs premières pensées devaient être singulières : il semblait qu'on n'avait rien à faire qu'à leur donner l'espèce de singularité qui peut compatir avec de l'esprit. On n'avait à peindre que le sentiment qu'ils avaient eu à chaque chose qui leur avait paru extraor-

dinaire. Bien loin qu'on pensât à intéresser quelque principe de notre religion, on ne se soupçonnait pas même d'imprudence. Ces traits se trouvent toujours liés avec le sentiment de surprise et d'étonnement, et point avec l'idée d'examen, et encore moins avec celle de critique. En parlant de notre religion, ces Persans ne devaient pas paraître plus instruits que lorsqu'ils parlaient de nos coutumes et de nos usages. Et, s'ils trouvent quelquefois nos dogmes singuliers, cette singularité est toujours marquée au coin de la parfaite ignorance des liaisons qu'il y a entre ces dogmes et nos autres vérités.

On fait cette justification par amour pour ces grandes vérités, indépendamment du respect pour le genre humain, que l'on n'a certainement pas voulu frapper par l'endroit le plus tendre. On prie donc le lecteur de ne pas cesser un moment de regarder les traits dont je parle comme des effets de la surprise de gens qui devaient en avoir, ou comme des paradoxes faits par des hommes qui n'étaient pas même en état d'en faire. Il est prié de faire attention que tout l'agrément consistait dans le contraste éternel entre les choses réelles, et la manière singulière, naïve, ou bizarre, dont elles étaient aperçues. Certainement la nature et le dessein des lettres persanes sont si à découvert, qu'elles ne tromperont jamais que ceux qui voudront se tromper eux-mêmes.

INTRODUCTION

Je ne fais point ici d'épître dédicatoire [1], et je ne demande point de protection pour ce livre : on le lira, s'il est bon ; et, s'il est mauvais, je ne me soucie pas qu'on le lise.

J'ai détaché ces premières lettres, pour essayer le goût du public : j'en ai un grand nombre d'autres dans mon porte-feuille, que je pourrai lui donner dans la suite.

Mais, c'est à condition que je ne serai pas connu : car, si l'on vient à savoir mon nom, dès ce moment je me tais. Je connais une femme qui marche assez bien, mais qui boite dès qu'on la regarde. C'est assez des défauts de l'ouvrage, sans que je présente encore à la critique ceux de ma personne. Si l'on savait qui je suis, on dirait : « Son livre jure avec son caractère ; il devrait employer son temps à quelque chose de mieux ; cela n'est pas digne d'un homme grave. » Les critiques ne manquent jamais ces sortes de réflexions, parce qu'on les peut faire sans essayer beaucoup son esprit.

Les Persans qui écrivent ici étaient logés avec moi ; nous passions notre vie ensemble. Comme ils me regardaient comme un homme d'un autre monde, ils ne me cachaient

1. Épître dédicatoire : les auteurs avaient pour habitude de dédier leur œuvre à un grand personnage, pour obtenir sa protection.

rien. En effet, des gens transplantés de si loin ne pouvaient plus avoir de secrets. Ils me communiquaient la plupart de leurs lettres ; je les copiai. J'en surpris même quelques-unes dont ils se seraient bien gardés de me faire confidence, tant elles étaient mortifiantes pour la vanité et la jalousie persane.

Je ne fais donc que l'office de traducteur : toute ma peine a été de mettre l'ouvrage à nos mœurs. J'ai soulagé le lecteur du langage asiatique, autant que je l'ai pu, et l'ai sauvé d'une infinité d'expressions sublimes, qui l'auraient ennuyé [1] jusque dans les nues.

Mais ce n'est pas tout ce que j'ai fait pour lui. J'ai retranché les longs compliments, dont les Orientaux ne sont pas moins prodigues que nous ; et j'ai passé un nombre infini de ces minuties, qui ont tant de peine à soutenir le grand jour, et qui doivent toujours mourir entre deux amis.

Si la plupart de ceux qui nous ont donné des recueils de lettres avaient fait de même, ils auraient vu leurs ouvrages s'évanouir.

Il y a une chose qui m'a souvent étonné ; c'est de voir ces Persans quelquefois aussi instruits que moi-même des mœurs et des manières de la nation, jusqu'à en connaître les plus fines circonstances, et à remarquer des choses qui, je suis sûr, ont échappé à bien des Allemands qui ont voyagé en France. J'attribue cela au long séjour qu'ils y ont fait : sans compter qu'il est plus facile à un Asiatique de s'instruire des mœurs des Français dans un an, qu'il ne l'est à un Français de s'instruire des mœurs des Asiatiques dans quatre ; parce que les uns se livrent autant que les autres se communiquent peu.

1. Ennuyé : il faut sans doute plutôt lire « envoyé ». Les nues : au ciel.

L'usage a permis à tout traducteur, et même au plus barbare commentateur, d'orner la tête de sa version, ou de sa glose, du panégyrique [1] de l'original, et d'en relever l'utilité, le mérite et l'excellence. Je ne l'ai point fait : on en devinera facilement les raisons. Une des meilleures est que ce serait une chose très ennuyeuse, placée dans un lieu déjà très ennuyeux de lui-même, je veux dire une préface.

1. Panégyrique : éloge excessif.

Usbek à son ami Rustan.

À Ispahan.

Nous n'avons séjourné qu'un jour à Com[1]. Lorsque nous eûmes fait nos dévotions sur le tombeau de la vierge qui a mis au monde douze prophètes, nous nous remîmes en chemin ; et hier, vingt-cinquième jour de notre départ d'Ispahan, nous arrivâmes à Tauris.

Rica et moi sommes peut-être les premiers, parmi les Persans, que l'envie de savoir ait fait sortir de leur pays, et qui aient renoncé aux douceurs d'une vie tranquille, pour aller chercher laborieusement la sagesse.

Nous sommes nés dans un royaume florissant ; mais nous n'avons pas cru que ses bornes fussent celles de nos connaissances, et que la lumière orientale dût seule nous éclairer.

Mande-moi ce que l'on dit de notre voyage ; ne me flatte

1. Com : aujourd'hui Qom ou Qum, au nord d'Ispahan, alors capitale de la Perse. Tauris est aujourd'hui Tabriz.

point : je ne compte pas sur un grand nombre d'approbateurs. Adresse ta lettre à Erzeron, où je séjournerai quelque temps. Adieu, mon cher Rustan, sois assuré qu'en quelque lieu du monde où je sois, tu as un ami fidèle.

De Tauris, le 15 de la lune
de Saphar 1711.

LETTRE 2

Usbek au Premier Eunuque[1] noir.

À son sérail d'Ispahan.

Tu es le gardien fidèle des plus belles femmes de Perse : je t'ai confié ce que j'avais dans le monde de plus cher : tu tiens en tes mains les clefs de ces portes fatales, qui ne s'ouvrent que pour moi. Tandis que tu veilles sur ce dépôt précieux de mon cœur, il se repose et jouit d'une sécurité entière. Tu fais la garde dans le silence de la nuit, comme dans le tumulte du jour. Tes soins infatigables soutiennent la vertu, lorsqu'elle chancelle. Si les femmes que tu gardes voulaient sortir de leur devoir, tu leur en ferais perdre l'espérance. Tu es le fléau du vice, et la colonne de la fidélité.

Tu leur commandes, et leur obéis ; tu exécutes aveuglément toutes leurs volontés, et leur fais exécuter de même les lois du sérail : tu trouves de la gloire à leur rendre les services les plus vils : tu te soumets, avec respect et avec crainte, à leurs ordres légitimes : tu les sers comme l'esclave de leurs esclaves. Mais, par un retour d'empire, tu com-

1. Eunuque : homme castré, gardien du sérail. Les eunuques blancs ont un statut supérieur aux eunuques noirs.

mandes en maître comme moi-même, quand tu crains le relâchement des lois de la pudeur et de la modestie.

Souviens-toi toujours du néant d'où je t'ai fait sortir, lorsque tu étais le dernier de mes esclaves, pour te mettre en cette place, et te confier les délices de mon cœur : tiens-toi dans un profond abaissement auprès de celles qui partagent mon amour, mais fais-leur, en même temps, sentir leur extrême dépendance. Procure-leur tous les plaisirs qui peuvent être innocents : trompe leurs inquiétudes : amuse-les par la musique, les danses, les boissons délicieuses : persuade-leur de s'assembler souvent. Si elles veulent aller à la campagne, tu peux les y mener : mais fais faire main basse sur tous les hommes qui se présenteront devant elles. Exhorte-les à la propreté, qui est l'image de la netteté de l'âme : parle-leur quelquefois de moi. Je voudrais les revoir dans ce lieu charmant qu'elles embellissent. Adieu.

De Tauris, le 18 de la lune
de Saphar 1711.

LETTRE 3

Zachi à Usbek.

À Tauris.

Nous avons ordonné au chef des eunuques de nous mener à la campagne ; il te dira qu'aucun accident ne nous est arrivé. Quand il fallut traverser la rivière et quitter nos litières, nous nous mîmes, selon la coutume, dans des boîtes[1] : deux esclaves nous portèrent sur leurs épaules, et nous échappâmes à tous les regards.

1. Boîtes : des sortes de cuves qui pouvaient être fermées.

Comment aurais-je pu vivre, cher Usbek, dans ton sérail d'Ispahan? dans ces lieux qui, me rappelant sans cesse mes plaisirs passés, irritaient tous les jours mes désirs avec une nouvelle violence? J'errais d'appartements en appartements, te cherchant toujours, et ne te trouvant jamais; mais rencontrant partout un cruel souvenir de ma félicité passée. Tantôt je me voyais en ce lieu où, pour la première fois de ma vie, je te reçus dans mes bras; tantôt dans celui où tu décidas cette fameuse querelle entre tes femmes : chacune de nous se prétendait supérieure aux autres en beauté : nous nous présentâmes devant toi, après avoir épuisé tout ce que l'imagination peut fournir de parures et d'ornements : tu vis avec plaisir les miracles de notre art; tu admiras jusqu'où nous avait emportées l'ardeur de te plaire. Mais tu fis bientôt céder ces charmes empruntés à des grâces plus naturelles; tu détruisis tout notre ouvrage : il fallut nous dépouiller de ces ornements, qui t'étaient devenus incommodes; il fallut paraître à ta vue dans la simplicité de la nature. Je comptai pour rien la pudeur; je ne pensai qu'à ma gloire. Heureux Usbek! que de charmes furent étalés à tes yeux! Nous te vîmes longtemps errer d'enchantements en enchantements : ton âme incertaine demeura longtemps sans se fixer : chaque grâce nouvelle te demandait un tribut : nous fûmes en un moment toutes couvertes de tes baisers : tu portas tes curieux regards dans les lieux les plus secrets : tu nous fis passer, en un instant, dans mille situations différentes : toujours de nouveaux commandements, et une obéissance toujours nouvelle. Je te l'avoue, Usbek; une passion encore plus vive que l'ambition me fit souhaiter de te plaire. Je me vis insensiblement devenir la maîtresse de ton cœur : tu me pris, tu me quittas; tu revins à moi, et je sus te retenir : le triomphe fut tout pour moi, et le désespoir pour mes rivales :

il nous sembla que nous fussions seuls dans le monde ; tout ce qui nous entourait ne fut plus digne de nous occuper. Plût au ciel que mes rivales eussent eu le courage de rester témoins de toutes les marques d'amour que je reçus de toi ! Si elles avaient bien vu mes transports, elles auraient senti la différence qu'il y a de mon amour au leur ; elles auraient vu que, si elles pouvaient disputer avec moi de charmes, elles ne pouvaient pas disputer de sensibilité... Mais où suis-je ? Où m'emmène ce vain récit ? C'est un malheur de n'être point aimée ; mais c'est un affront de ne l'être plus. Tu nous quittes, Usbek, pour aller errer dans des climats barbares. Quoi ! tu comptes pour rien l'avantage d'être aimé ? Hélas ! tu ne sais pas même ce que tu perds. Je pousse des soupirs qui ne sont point entendus ; mes larmes coulent, et tu n'en jouis pas ; il semble que l'amour respire dans le sérail, et ton insensibilité t'en éloigne sans cesse ! Ah ! mon cher Usbek, si tu savais être heureux !

Du sérail de Fatmé, le 21 de la lune
de Maharram 1711.

LETTRE 4

Zéphis à Usbek.

À Erzeron.

Enfin ce monstre noir a résolu de me désespérer. Il veut, à toute force, m'ôter mon esclave Zélide, Zélide qui me sert avec tant d'affection, et dont les adroites mains portent partout les ornements et les grâces. Il ne lui suffit pas que cette séparation soit douloureuse ; il veut encore qu'elle soit déshonorante. Le traître veut regarder comme criminels les motifs de ma confiance : et, parce qu'il s'ennuie derrière la

porte, où je le renvoie toujours, il ose supposer qu'il a entendu ou vu des choses, que je ne sais pas même imaginer. Je suis bien malheureuse ! Ma retraite, ni ma vertu, ne sauraient me mettre à l'abri de ses soupçons extravagants : un vil esclave vient m'attaquer jusque dans ton cœur, et il faut que je m'y défende. Non, j'ai trop de respect pour moi-même, pour descendre jusques à des justifications : je ne veux d'autre garant de ma conduite, que toi-même, que ton amour, que le mien ; et, s'il faut te le dire, cher Usbek, que mes larmes.

Du sérail de Fatmé, le 29 de la lune
de Maharram 1711.

LETTRE 5

Rustan à Usbek.

À Erzeron.

Tu es le sujet de toutes les conversations d'Ispahan ; on ne parle que de ton départ. Les uns l'attribuent à une légèreté d'esprit, les autres à quelque chagrin : tes amis seuls te défendent, et ils ne persuadent personne. On ne peut comprendre que tu puisses quitter tes femmes, tes parents, tes amis, ta patrie, pour aller dans des climats inconnus aux Persans. La mère de Rica est inconsolable ; elle te demande son fils, que tu lui as, dit-elle, enlevé. Pour moi, mon cher Usbek, je me sens naturellement porté à approuver tout ce que tu fais : mais je ne saurais te pardonner ton absence ; et, quelques raisons que tu m'en puisses donner, mon cœur ne les goûtera jamais. Adieu. Aime-moi toujours.

D'Ispahan, le 28 de la lune
de Rebiab, 1, 1711.

LETTRE 6

Usbek à son ami Nessir.

À Ispahan.

À une journée d'Érivan, nous quittâmes la Perse, pour entrer dans les terres de l'obéissance des Turcs. Douze jours après, nous arrivâmes à Erzeron, où nous séjournerons trois ou quatre mois.

Il faut que je te l'avoue, Nessir : j'ai senti une douleur secrète, quand j'ai perdu la Perse de vue, et que je me suis trouvé au milieu des perfides Osmanlins. À mesure que j'entrais dans les pays de ces profanes, il me semblait que je devenais profane moi-même.

Ma patrie, ma famille, mes amis, se sont présentés à mon esprit : ma tendresse s'est réveillée : une certaine inquiétude a achevé de me troubler, et m'a fait connaître que, pour mon repos, j'avais trop entrepris.

Mais ce qui afflige le plus mon cœur, ce sont mes femmes. Je ne puis penser à elles, que je ne sois dévoré de chagrins.

Ce n'est pas, Nessir, que je les aime : je me trouve, à cet égard, dans une insensibilité qui ne me laisse point de désirs. Dans le nombreux sérail où j'ai vécu, j'ai prévenu l'amour, et l'ai détruit par lui-même : mais, de ma froideur même, il sort une jalousie secrète qui me dévore. Je vois une troupe de femmes laissées presque à elles-mêmes ; je n'ai que des âmes lâches qui m'en répondent. J'aurais peine à être en sûreté, si mes esclaves étaient fidèles : que sera-ce, s'ils ne le sont pas ? Quelles tristes nouvelles peuvent m'en venir dans les pays éloignés que je vais parcourir ! C'est un mal où mes amis ne peuvent porter de remède : c'est un lieu dont ils doivent ignorer les tristes secrets ; et qu'y pour-

raient-ils faire ? N'aimerais-je pas mille fois mieux une obscure impunité, qu'une correction éclatante ? Je dépose en ton cœur tous mes chagrins, mon cher Nessir : c'est la seule consolation qui me reste, dans l'état où je suis.

D'Erzeron, le 10 de la lune
de Rebiab, 2,1711.

LETTRE 7

Fatmé à Usbek.

À Erzeron.

Il y a deux mois que tu es parti, mon cher Usbek ; et, dans l'abattement où je suis, je ne puis pas me le persuader encore. Je cours tout le sérail, comme si tu y étais ; je ne suis point désabusée. Que veux-tu que devienne une femme qui t'aime ; qui était accoutumée à te tenir dans ses bras ; qui n'était occupée que du soin de te donner des preuves de sa tendresse ; libre par l'avantage de sa naissance, esclave par la violence de son amour ?

Quand je t'épousai, mes yeux n'avaient point encore vu le visage d'un homme : tu es le seul encore dont la vue m'ait été permise * : car je ne mets pas au rang des hommes ces eunuques affreux, dont la moindre imperfection est de n'être point hommes. Quand je compare la beauté de ton visage avec la difformité du leur, je ne puis m'empêcher de m'estimer heureuse. Mon imagination ne me fournit point d'idée plus ravissante, que les charmes enchanteurs de ta personne. Je te le jure, Usbek ; quand il me serait permis de

* Les femmes persanes sont beaucoup plus étroitement gardées, que les femmes turques et les femmes indiennes. [Note de Montesquieu.]

sortir de ce lieu, où je suis enfermée par la nécessité de ma condition ; quand je pourrais me dérober à la garde qui m'environne ; quand il me serait permis de choisir parmi tous les hommes qui vivent dans cette capitale des nations ; Usbek, je te le jure, je ne choisirais que toi. Il ne peut y avoir que toi dans le monde qui mérite d'être aimé.

Ne pense pas que ton absence m'ait fait négliger une beauté qui t'est chère. Quoique je ne doive être vue de personne, et que les ornements dont je me pare soient inutiles à ton bonheur, je cherche cependant à m'entretenir dans l'habitude de plaire : je ne me couche point que je ne me sois parfumée des essences les plus délicieuses. Je me rappelle ce temps heureux, où tu venais dans mes bras ; un songe flatteur, qui me séduit, me montre ce cher objet de mon amour ; mon imagination se perd dans ses désirs, comme elle se flatte dans ses espérances. Je pense quelquefois que, dégoûté d'un pénible voyage, tu vas revenir à nous : la nuit se passe dans des songes, qui n'appartiennent ni à la veille ni au sommeil : je te cherche à mes côtés, et il me semble que tu me fuis : enfin le feu, qui me dévore, dissipe lui-même ces enchantements et rappelle mes esprits. Je me trouve pour lors si animée… Tu ne le croirais pas, Usbek ; et il est impossible de vivre dans cet état ; le feu coule dans mes veines. Que ne puis-je t'exprimer ce que je sens si bien ! et comment sens-je si bien ce que je ne puis t'exprimer ? Dans ces moments, Usbek, je donnerais l'empire du monde pour un seul de tes baisers. Qu'une femme est malheureuse d'avoir des désirs si violents, lorsqu'elle est privée de celui qui peut seul les satisfaire ; que, livrée à elle-même, n'ayant rien qui puisse la distraire, il faut qu'elle vive dans l'habitude des soupirs et dans la fureur d'une passion irritée ; que, bien loin d'être heureuse, elle n'a pas

même l'avantage de servir à la félicité d'un autre ; ornement inutile d'un sérail, gardée pour l'honneur, et non pas pour le bonheur de son époux !

Vous êtes bien cruels, vous autres hommes ! Vous êtes charmés que nous ayons des passions que nous ne puissions pas satisfaire : vous nous traitez comme si nous étions insensibles ; et vous seriez bien fâchés que nous le fussions : vous croyez que nos désirs, si longtemps mortifiés, seront irrités à votre vue. Il y a de la peine à se faire aimer ; il est plus court d'obtenir du désespoir de nos sens ce que vous n'osez attendre de votre mérite.

Adieu, mon cher Usbek, adieu. Compte que je ne vis que pour t'adorer : mon âme est toute pleine de toi ; et ton absence, bien loin de te faire oublier, animerait mon amour, s'il pouvait devenir plus violent.

Du sérail d'Ispahan, le 12 de la lune
de Rebiab, 1, 1711.

LETTRE 8

Usbek à son ami Rustan.

À Ispahan.

Ta lettre m'a été rendue à Erzeron, où je suis. Je m'étais bien douté que mon départ ferait du bruit ; je ne m'en suis point mis en peine. Que veux-tu que je suive ? la prudence de mes ennemis, ou la mienne ?

Je parus à la cour dès ma plus tendre jeunesse. Je le puis dire, mon cœur ne s'y corrompit point : je formai même un grand dessein, j'osai y être vertueux. Dès que je connus le vice, je m'en éloignai ; mais je m'en approchai ensuite, pour le démasquer. Je portai la vérité jusques aux pieds du trône,

j'y parlai un langage jusqu'alors inconnu : je déconcertai la flatterie, et j'étonnai en même temps les adorateurs et l'idole.

Mais, quand je vis que ma sincérité m'avait fait des ennemis ; que je m'étais attiré la jalousie des ministres, sans avoir la faveur du prince ; que, dans une cour corrompue, je ne me soutenais plus que par une faible vertu, je résolus de la quitter. Je feignis un grand attachement pour les sciences ; et, à force de le feindre, il me vint réellement. Je ne me mêlai plus d'aucunes affaires ; et je me retirai dans une maison de campagne. Mais ce parti même avait ses inconvénients : je restais toujours exposé à la malice de mes ennemis, et je m'étais presque ôté les moyens de m'en garantir. Quelques avis secrets me firent penser à moi sérieusement : je résolus de m'exiler de ma patrie ; et ma retraite même de la cour m'en fournit un prétexte plausible. J'allai au roi ; je lui marquai l'envie que j'avais de m'instruire dans les sciences de l'occident ; je lui insinuai qu'il pourrait tirer de l'utilité de mes voyages : je trouvai grâce devant ses yeux ; je partis, et je dérobai une victime à mes ennemis.

Voilà, Rustan, le véritable motif de mon voyage. Laisse parler Ispahan ; ne me défends que devant ceux qui m'aiment. Laisse à mes ennemis leurs interprétations malignes : je suis trop heureux que ce soit le seul mal qu'ils me puissent faire.

On parle de moi à présent : peut-être ne serai-je que trop oublié, et que mes amis… Non, Rustan, je ne veux point me livrer à cette triste pensée : je leur serai toujours cher ; je compte sur leur fidélité, comme sur la tienne.

D'Erzeron, le 20 de la lune
de Gemmadi, 2, 1711.

LETTRE 9

Le Premier Eunuque à Ibbi.

À Erzeron.

Tu suis ton ancien maître dans ses voyages ; tu parcours les provinces et les royaumes ; les chagrins ne sauraient faire d'impression sur toi : chaque instant te montre des choses nouvelles ; tout ce que tu vois te récrée, et te fait passer le temps sans le sentir.

Il n'en est pas de même de moi, qui, enfermé dans une affreuse prison, suis toujours environné des mêmes objets, et dévoré des mêmes chagrins. Je gémis, accablé sous le poids des soins et des inquiétudes de cinquante années ; et, dans le cours d'une longue vie, je ne puis pas dire avoir eu un jour serein, et un moment tranquille.

Lorsque mon premier maître eut formé le cruel projet de me confier ses femmes, et m'eut obligé, par des séductions soutenues de mille menaces, de me séparer pour jamais de moi-même ; las de servir dans les emplois les plus pénibles, je comptai sacrifier mes passions à mon repos et à ma fortune. Malheureux que j'étais ! mon esprit préoccupé me faisait voir le dédommagement, et non pas la perte : j'espérais que je serais délivré des atteintes de l'amour, par l'impuissance de le satisfaire. Hélas ! on éteignit en moi l'effet des passions, sans en éteindre la cause ; et, bien loin d'en être soulagé, je me trouvai environné d'objets qui les irritaient sans cesse. J'entrai dans le sérail, où tout m'inspirait le regret de ce que j'avais perdu : je me sentais animé à chaque instant : mille grâces naturelles semblaient ne se découvrir à ma vue, que pour me désoler : pour comble de malheurs,

j'avais toujours devant les yeux un homme heureux. Dans ce temps de trouble, je n'ai jamais conduit une femme dans le lit de mon maître, je ne l'ai jamais déshabillée, que je ne sois rentré chez moi la rage dans le cœur, et un affreux désespoir dans l'âme.

Voilà comme j'ai passé ma misérable jeunesse. Je n'avais de confident que moi-même. Chargé d'ennuis et de chagrins, il me les fallait dévorer : et ces mêmes femmes, que j'étais tenté de regarder avec des yeux si tendres, je ne les envisageais qu'avec des regards sévères : j'étais perdu, si elles m'avaient pénétré ; quel avantage n'en auraient-elles pas pris ?

Je me souviens qu'un jour que je mettais une femme dans le bain, je me sentis si transporté, que je perdis entièrement la raison, et que j'osai porter ma main dans un lieu redoutable. Je crus, à la première réflexion, que ce jour était le dernier de mes jours : je fus pourtant assez heureux pour échapper à mille morts : mais la beauté, que j'avais faite confidente de ma faiblesse, me vendit bien cher son silence ; je perdis entièrement mon autorité sur elle ; et elle m'a obligé depuis à des condescendances qui m'ont exposé mille fois à perdre la vie.

Enfin, les feux de la jeunesse ont passé ; je suis vieux, et je me trouve, à cet égard, dans un état tranquille : je regarde les femmes avec indifférence ; et je leur rends bien tous leurs mépris, et tous les tourments qu'elles m'ont fait souffrir. Je me souviens toujours que j'étais né pour les commander ; et il me semble que je redeviens homme, dans les occasions où je leur commande encore. Je les hais, depuis que je les envisage de sens froid[1], et que ma raison me laisse voir toutes leurs faiblesses. Quoique je les garde pour un

1. Sens froid : graphie originale de l'expression : de sang froid.

autre, le plaisir de me faire obéir me donne une joie secrète : quand je les prive de tout, il me semble que c'est pour moi, et il m'en revient toujours une satisfaction indirecte : je me trouve dans le sérail comme dans un petit empire ; et mon ambition, la seule passion qui me reste, se satisfait un peu. Je vois avec plaisir que tout roule sur moi, et qu'à tous les instants je suis nécessaire : je me charge volontiers de la haine de toutes ces femmes, qui m'affermit dans le poste où je suis. Aussi n'ont-elles pas affaire à un ingrat : elles me trouvent au-devant de tous leurs plaisirs les plus innocents : je me présente toujours à elles comme une barrière inébranlable : elles forment des projets, et je les arrête soudain : je m'arme de refus ; je me hérisse de scrupules ; je n'ai jamais dans la bouche que les mots de devoir, de vertu, de pudeur, de modestie : je les désespère, en leur parlant sans cesse de la faiblesse de leur sexe, et de l'autorité du maître : je me plains ensuite d'être obligé à tant de sévérité ; et je semble vouloir leur faire entendre que je n'ai d'autre motif que leur propre intérêt, et un grand attachement pour elles.

Ce n'est pas qu'à mon tour je n'aie un nombre infini de désagréments, et que tous les jours ces femmes vindicatives ne cherchent à renchérir sur ceux que je leur donne. Elles ont des revers[1] terribles. Il y a, entre nous, comme un flux et un reflux d'empire et de soumission : elles font toujours tomber sur moi les emplois les plus humiliants ; elles affectent un mépris qui n'a point d'exemple ; et, sans égard pour ma vieillesse, elles me font lever la nuit dix fois pour la moindre bagatelle : je suis accablé sans cesse d'ordres, de commandements, d'emplois, de caprices : il semble qu'elles se relayent pour m'exercer, et que leurs fantaisies se succè-

1. Revers : vengeances.

dent : souvent elles se plaisent à me faire redoubler de soins ; elles me font faire de fausses confidences : tantôt on vient me dire qu'il a paru un jeune homme autour de ces murs ; une autre fois, qu'on a entendu du bruit, ou bien qu'on doit rendre une lettre : tout ceci me trouble, et elles rient de ce trouble : elles sont charmées de me voir ainsi me tourmenter moi-même. Une autre fois, elles m'attachent derrière leur porte, et m'y enchaînent nuit et jour. Elles savent bien feindre des maladies, des défaillances, des frayeurs : elles ne manquent pas de prétexte pour me mener au point où elles veulent. Il faut, dans ces occasions, une obéissance aveugle et une complaisance sans bornes : un refus, dans la bouche d'un homme comme moi, serait une chose inouïe ; et, si je balançais à leur obéir, elles seraient en droit de me châtier. J'aimerais autant perdre la vie, mon cher Ibbi, que de descendre à cette humiliation.

Ce n'est pas tout : je ne suis jamais sûr d'être un instant dans la faveur de mon maître : j'ai autant d'ennemies dans son cœur, qui ne songent qu'à me perdre : elles ont des quarts d'heure où je ne suis point écouté, des quarts d'heure où l'on ne refuse rien, des quarts d'heure où j'ai toujours tort. Je mène dans le lit de mon maître des femmes irritées : crois-tu que l'on y travaille pour moi, et que mon parti soit le plus fort ? J'ai tout à craindre de leurs larmes, de leurs soupirs, de leurs embrassements, et de leurs plaisirs mêmes : elles sont dans le lieu de leurs triomphes ; leurs charmes me deviennent terribles ; les services présents effacent, dans un moment, tous mes services passés ; et rien ne peut me répondre d'un maître qui n'est plus à lui-même.

Combien de fois m'est-il arrivé de me coucher dans la faveur, et de me lever dans la disgrâce ? Le jour que je fus fouetté si indignement autour du sérail, qu'avais-je fait ? Je

laisse une femme dans les bras de mon maître : dès qu'elle le vit enflammé, elle versa un torrent de larmes ; elle se plaignit, et ménagea si bien ses plaintes, qu'elles augmentaient, à mesure de l'amour qu'elle faisait naître. Comment aurais-je pu me soutenir dans un moment si critique ? je fus perdu, lorsque je m'y attendais le moins ; je fus la victime d'une négociation amoureuse, et d'un traité que les soupirs avaient fait. Voilà, cher Ibbi, l'état cruel dans lequel j'ai toujours vécu.

Que tu es heureux ! tes soins se bornent uniquement à la personne d'Usbek. Il t'est facile de lui plaire, et de te maintenir dans sa faveur jusques au dernier de tes jours.

Du sérail d'Ispahan, le dernier
de la lune de Saphar 1711.

LETTRE 10

Mirza à son ami Usbek.

À Erzeron.

Tu étais le seul qui pût me dédommager de l'absence de Rica ; et il n'y avait que Rica qui pût me consoler de la tienne. Tu nous manques, Usbek ; tu étais l'âme de notre société. Qu'il faut de violence pour rompre les engagements que le cœur et l'esprit ont formés !

Nous disputons ici beaucoup ; nos disputes roulent ordinairement sur la morale. Hier on mit en question, si les hommes étaient heureux par les plaisirs et les satisfactions des sens, ou par la pratique de la vertu ? je t'ai souvent ouï dire que les hommes étaient nés pour être vertueux ; et que la justice est une qualité qui leur est aussi propre que l'existence. Explique-moi, je te prie, ce que tu veux dire.

J'ai parlé à des mollaks[1], qui me désespèrent avec leurs passages de l'Alcoran[2] : car je ne leur parle pas comme vrai croyant, mais comme homme, comme citoyen, comme père de famille. Adieu.

D'Ispahan, le dernier de la lune
de Saphar 1711.

LETTRE 11

Usbek à Mirza.

À Ispahan.

Tu renonces à ta raison, pour essayer la mienne ; tu descends jusqu'à me consulter ; tu me crois capable de t'instruire. Mon cher Mirza, il y a une chose qui me flatte encore plus que la bonne opinion que tu as conçue de moi ; c'est ton amitié, qui me la procure.

Pour remplir ce que tu me prescris, je n'ai pas cru devoir employer des raisonnements fort abstraits. Il y a de certaines vérités qu'il ne suffit pas de persuader, mais qu'il faut encore faire sentir ; telles sont les vérités de morale. Peut-être que ce morceau d'histoire te touchera plus qu'une philosophie subtile.

Il y avait, en Arabie, un petit peuple, appelé Troglodyte, qui descendait de ces anciens Troglodytes, qui, si nous en croyons les historiens, ressemblaient plus à des bêtes qu'à des hommes[3]. Ceux-ci n'étaient point si contrefaits, ils n'étaient point velus comme des ours, ils ne sifflaient point, ils avaient deux yeux : mais ils étaient si méchants et si

1. Mollaks : aujourd'hui «mollahs» : docteurs de la loi islamique.
2. Alcoran : graphie ordinaire au XVIIIᵉ siècle pour le Coran.
3. Les Troglodytes : habitants des cavernes ; ce n'est pas le sens que retient ici Montesquieu.

féroces, qu'il n'y avait parmi eux aucun principe d'équité, ni de justice.

Ils avaient un roi d'une origine étrangère, qui, voulant corriger la méchanceté de leur naturel, les traitait sévèrement : mais ils conjurèrent contre lui, le tuèrent, et exterminèrent toute la famille royale.

Le coup étant fait, ils s'assemblèrent, pour choisir un gouvernement ; et, après bien des dissensions, ils créèrent des magistrats. Mais, à peine les eurent-ils élus, qu'ils leur devinrent insupportables ; et ils les massacrèrent encore.

Ce peuple, libre de ce nouveau joug, ne consulta plus que son naturel sauvage. Tous les particuliers convinrent qu'ils n'obéiraient plus à personne ; que chacun veillerait uniquement à ses intérêts, sans consulter ceux des autres.

Cette résolution unanime flattait extrêmement tous les particuliers. Ils disaient : « Qu'ai-je affaire d'aller me tuer à travailler pour des gens dont je ne me soucie point ? Je penserai uniquement à moi.

Je vivrai heureux ; que m'importe que les autres le soient ? Je me procurerai tous mes besoins ; et, pourvu que je les aie, je ne me soucie point que tous les autres Troglodytes soient misérables. »

On était dans le mois où l'on ensemence les terres ; chacun dit : « Je ne labourerai mon champ que pour qu'il me fournisse le blé qu'il me faut pour me nourrir ; une plus grande quantité me serait inutile : je ne prendrai point de la peine pour rien. »

Les terres de ce petit royaume n'étaient pas de même nature : il y en avait d'arides et de montagneuses ; et d'autres qui, dans un terrain bas, étaient arrosées de plusieurs ruisseaux. Cette année, la sécheresse fut très grande, de manière que les terres qui étaient dans les lieux élevés

manquèrent absolument, tandis que celles qui purent être arrosées furent très fertiles : ainsi les peuples des montagnes périrent presque tous de faim, par la dureté des autres, qui leur refusèrent de partager la récolte.

L'année d'ensuite fut très pluvieuse : les lieux élevés se trouvèrent d'une fertilité extraordinaire, et les terres basses furent submergées. La moitié du peuple cria une seconde fois famine ; mais ces misérables trouvèrent des gens aussi durs qu'ils l'avaient été eux-mêmes.

Un des principaux habitants avait une femme fort belle ; son voisin en devint amoureux, et l'enleva : il s'émut une grande querelle ; et, après bien des injures et des coups, ils convinrent de s'en remettre à la décision d'un Troglodyte, qui, pendant que la république subsistait, avait eu quelque crédit. Ils allèrent à lui, et voulurent lui dire leurs raisons. « Que m'importe, dit cet homme, que cette femme soit à vous, ou à vous ? J'ai mon champ à labourer ; je n'irai peut-être pas employer mon temps à terminer vos différends, et à travailler à vos affaires, tandis que je négligerai les miennes. Je vous prie de me laisser en repos, et de ne m'importuner plus de vos querelles. » Là-dessus, il les quitta, et s'en alla travailler sa terre. Le ravisseur, qui était le plus fort, jura qu'il mourrait plutôt que de rendre cette femme ; et l'autre, pénétré de l'injustice de son voisin et de la dureté du juge, s'en retournait désespéré, lorsqu'il trouva dans son chemin une femme jeune et belle, qui revenait de la fontaine : il n'avait plus de femme, celle-là lui plut ; et elle lui plut bien davantage, lorsqu'il apprit que c'était la femme de celui qu'il avait voulu prendre pour juge, et qui avait été si peu sensible à son malheur. Il l'enleva, et l'emmena dans sa maison.

Il y avait un homme qui possédait un champ assez fertile,

qu'il cultivait avec grand soin : deux de ses voisins s'unirent ensemble, le chassèrent de sa maison, occupèrent son champ : ils firent entre eux une union pour se défendre contre tous ceux qui voudraient l'usurper ; et effectivement ils se soutinrent par là pendant plusieurs mois. Mais un des deux, ennuyé de partager ce qu'il pouvait avoir tout seul, tua l'autre, et devint seul maître du champ. Son empire ne fut pas long : deux autres Troglodytes vinrent l'attaquer ; il se trouva trop faible pour se défendre, et il fut massacré.

Un Troglodyte presque tout nu vit de la laine qui était à vendre ; il en demanda le prix : le marchand dit en lui-même : « Naturellement je ne devrais espérer de ma laine qu'autant d'argent qu'il en faut pour acheter deux mesures de blé ; mais je la vais vendre quatre fois davantage, afin d'avoir huit mesures. » Il fallut en passer par-là, et payer le prix demandé. « Je suis bien aise, dit le marchand, j'aurai du blé à présent. – Que dites-vous ? reprit l'acheteur, vous avez besoin de blé ? J'en ai à vendre : il n'y a que le prix qui vous étonnera peut-être ; car vous saurez que le blé est extrêmement cher, et que la famine règne presque partout : mais rendez-moi mon argent, et je vous donnerai une mesure de blé ; car je ne veux pas m'en défaire autrement, dussiez-vous crever de faim. »

Cependant une maladie cruelle ravageait la contrée. Un médecin habile y arriva du pays voisin, et donna ses remèdes si à propos, qu'il guérit tous ceux qui se mirent dans ses mains. Quand la maladie eut cessé, il alla, chez tous ceux qu'il avait traités, demander son salaire ; mais il ne trouva que des refus : il retourna dans son pays, et il y arriva accablé des fatigues d'un si long voyage. Mais, bientôt après, il apprit que la même maladie se faisait sentir de nouveau, et affligeait plus que jamais cette terre ingrate. Ils allèrent à lui

cette fois, et n'attendirent pas qu'il vînt chez eux. « Allez, leur dit-il, hommes injustes, vous avez dans l'âme un poison plus mortel que celui dont vous voulez guérir ; vous ne méritez pas d'occuper une place sur la terre, parce que vous n'avez point d'humanité, et que les règles de l'équité vous sont inconnues : je croirais offenser les dieux qui vous punissent, si je m'opposais à la justice de leur colère. »

D'Erzeron, le 3 de la lune
de Gemmadi, 2, 1711.

LETTRE 12

Usbek au même.

À Ispahan.

Tu as vu, mon cher Mirza, comment les Troglodytes périrent par leur méchanceté même, et furent les victimes de leurs propres injustices. De tant de familles, il n'en resta que deux, qui échappèrent aux malheurs de la nation. Il y avait, dans ce pays, deux hommes bien singuliers : ils avaient de l'humanité ; ils connaissaient la justice ; ils aimaient la vertu : autant liés par la droiture de leur cœur, que par la corruption de celui des autres, ils voyaient la désolation générale, et ne la ressentaient que par la pitié : c'était le motif d'une union nouvelle. Ils travaillaient, avec une sollicitude commune, pour l'intérêt commun ; ils n'avaient de différends, que ceux qu'une douce et tendre amitié faisait naître ; et, dans l'endroit du pays le plus écarté, séparés de leurs compatriotes indignes de leur présence, ils menaient une vie heureuse et tranquille : la terre semblait produire d'elle-même, cultivée par ces vertueuses mains.

Ils aimaient leurs femmes, et ils en étaient tendrement chéris. Toute leur attention était d'élever leurs enfants à la vertu. Ils leur représentaient sans cesse les malheurs de leurs compatriotes, et leur mettaient devant les yeux cet exemple si triste : ils leur faisaient surtout sentir que l'intérêt des particuliers se trouve toujours dans l'intérêt commun; que vouloir s'en séparer, c'est vouloir se perdre; que la vertu n'est point une chose qui doive nous coûter; qu'il ne faut point la regarder comme un exercice pénible; et que la justice pour autrui est une charité pour nous.

Ils eurent bientôt la consolation des pères vertueux, qui est d'avoir des enfants qui leur ressemblent. Le jeune peuple qui s'éleva sous leurs yeux s'accrut par d'heureux mariages : le nombre augmenta, l'union fut toujours la même; et la vertu, bien loin de s'affaiblir dans la multitude, fut fortifiée, au contraire, par un plus grand nombre d'exemples.

Qui pourrait représenter ici le bonheur de ces Troglodytes? Un peuple si juste devait être chéri des dieux. Dès qu'il ouvrit les yeux pour les connaître, il apprit à les craindre; et la religion vint adoucir dans les mœurs ce que la nature y avait laissé de trop rude.

Ils instituèrent des fêtes en l'honneur des dieux. Les jeunes filles ornées de fleurs, et les jeunes garçons les célébraient par leurs danses, et par les accords d'une musique champêtre : on faisait ensuite des festins, où la joie ne régnait pas moins que la frugalité. C'était dans ces assemblées que parlait la nature naïve; c'est là qu'on apprenait à donner le cœur et à le recevoir; c'est là que la pudeur virginale faisait, en rougissant, un aveu surpris, mais bientôt confirmé par le consentement des pères; et c'est là que les tendres mères se plaisaient à prévoir de loin une union douce et fidèle.

On allait au temple pour demander les faveurs des dieux : ce n'était pas les richesses, et une onéreuse abondance ; de pareils souhaits étaient indignes des heureux Troglodytes ; ils ne savaient les désirer que pour leurs compatriotes. Ils n'étaient aux pieds des autels que pour demander la santé de leurs pères, l'union de leurs frères, la tendresse de leurs femmes, l'amour et l'obéissance de leurs enfants. Les filles y venaient apporter le tendre sacrifice de leur cœur ; et ne leur demandaient d'autre grâce, que celle de pouvoir rendre un Troglodyte heureux.

Le soir, lorsque les troupeaux quittaient les prairies, et que les bœufs fatigués avaient ramené la charrue, ils s'assemblaient ; et, dans un repas frugal, ils chantaient les injustices des premiers Troglodytes, et leurs malheurs, la vertu renaissante avec un nouveau peuple, et sa félicité : ils célébraient les grandeurs des dieux, leurs faveurs toujours présentes aux hommes qui les implorent, et leur colère inévitable à ceux qui ne les craignent pas : ils décrivaient ensuite les délices de la vie champêtre, et le bonheur d'une condition toujours parée de l'innocence. Bientôt, ils s'abandonnaient à un sommeil que les soins et les chagrins n'interrompaient jamais.

La nature ne fournissait pas moins à leurs désirs qu'à leurs besoins. Dans ce pays heureux, la cupidité était étrangère ; ils se faisaient des présents, où celui qui donnait croyait toujours avoir l'avantage. Le peuple Troglodyte se regardait comme une seule famille : les troupeaux étaient presque toujours confondus ; la seule peine qu'on s'épargnait ordinairement, c'était de les partager.

D'Erzeron, le 6 de la lune
de Gemmadi, 2, 1711.

LETTRE 13

Usbek au même.

Je ne saurais assez te parler de la vertu des Troglodytes. Un d'eux disait un jour : «Mon père doit demain labourer son champ : je me lèverai deux heures avant lui ; et, quand il ira à son champ, il le trouvera tout labouré.»

Un autre disait en lui-même : «Il me semble que ma sœur a du goût pour un jeune Troglodyte de nos parents ; il faut que je parle à mon père, et que je le détermine à faire ce mariage.»

On vint dire à un autre que des voleurs avaient enlevé son troupeau : «J'en suis bien fâché, dit-il ; car il y avait une génisse toute blanche, que je voulais offrir aux dieux.»

On entendait dire à un autre : «Il faut que j'aille au temple remercier les dieux ; car mon frère, que mon père aime tant, et que je chéris si fort, a recouvré la santé.»

Ou bien : «Il y a un champ qui touche celui de mon père, et ceux qui le cultivent sont tous les jours exposés aux ardeurs du soleil : il faut que j'aille y planter deux arbres, afin que ces pauvres gens puissent aller quelquefois se reposer sous leur ombre.»

Un jour que plusieurs Troglodytes étaient assemblés, un vieillard parla d'un jeune homme qu'il soupçonnait d'avoir commis une mauvaise action, et lui en fit des reproches. «Nous ne croyons pas qu'il ait commis ce crime, dirent les jeunes Troglodytes : mais, s'il l'a fait, puisse-t-il mourir le dernier de sa famille ! [1]»

On vint dire à un Troglodyte que des étrangers avaient

1. Mourir le dernier de sa famille : mourir sans descendance (formule de malédiction).

pillé sa maison, et avaient tout emporté. «S'ils n'étaient pas injustes, répondit-il, je souhaiterais que les dieux leur en donnassent un plus long usage qu'à moi.»

Tant de prospérités ne furent pas regardées sans envie : les peuples voisins s'assemblèrent; et, sous un vain prétexte, ils résolurent d'enlever leurs troupeaux. Dès que cette résolution fut connue, les Troglodytes envoyèrent au-devant d'eux des ambassadeurs, qui leur parlèrent ainsi :

«Que vous ont fait les Troglodytes? Ont-ils enlevé vos femmes, dérobé vos bestiaux, ravagé vos campagnes? Non : nous sommes justes, et nous craignons les dieux. Que demandez-vous donc de nous? Voulez-vous de la laine pour vous faire des habits? voulez-vous du lait pour vos troupeaux? ou des fruits de nos terres? Mettez bas les armes, venez au milieu de nous, et nous vous donnerons de tout cela. Mais nous jurons, par ce qu'il y a de plus sacré, que, si vous entrez dans nos terres comme ennemis, nous vous regarderons comme un peuple injuste, et que nous vous traiterons comme des bêtes farouches.»

Ces paroles furent renvoyées avec mépris; ces peuples sauvages entrèrent armés dans la terre des Troglodytes, qu'ils ne croyaient défendus que par leur innocence.

Mais ils étaient bien disposés à la défense. Ils avaient mis leurs femmes et leurs enfants au milieu d'eux. Ils furent étonnés de l'injustice de leurs ennemis, et non pas de leur nombre. Une ardeur nouvelle s'était emparée de leur cœur : l'un voulait mourir pour son père, un autre pour sa femme et ses enfants, celui-ci pour ses frères, celui-là pour ses amis, tous pour le peuple Troglodyte : la place de celui qui expirait était d'abord prise par un autre, qui, outre la cause commune, avait encore une mort particulière à venger.

Tel fut le combat de l'injustice et de la vertu. Ces peuples

lâches, qui ne cherchaient que le butin, n'eurent pas honte de fuir; et ils cédèrent à la vertu des Troglodytes, même sans en être touchés.

D'Erzeron, le 9 de la lune
de Gemmadi, 2, 1711.

LETTRE 14

Usbek au même.

Comme le peuple grossissait tous les jours, les Troglodytes crurent qu'il était à propos de se choisir un roi; ils convinrent qu'il fallait déférer la couronne à celui qui était le plus juste; et ils jetèrent tous les yeux sur un vieillard vénérable par son âge et par une longue vertu. Il n'avait pas voulu se trouver à cette assemblée; il s'était retiré dans sa maison, le cœur serré de tristesse.

Lorsqu'on lui envoya des députés pour lui apprendre le choix qu'on avait fait de lui : « À Dieu ne plaise, dit-il, que je fasse ce tort aux Troglodytes, que l'on puisse croire qu'il n'y a personne parmi eux de plus juste que moi. Vous me déférez la couronne; et, si vous le voulez absolument, il faudra bien que je la prenne : mais comptez que je mourrai de douleur, d'avoir vu, en naissant, les Troglodytes libres, et de les voir aujourd'hui assujettis. » À ces mots, il se mit à répandre un torrent de larmes. « Malheureux jour ! disait-il, et pourquoi ai-je tant vécu ? » Puis il s'écria d'une voix sévère : « Je vois bien ce que c'est, ô Troglodytes; votre vertu commence à vous peser. Dans l'état où vous êtes, n'ayant point de chef, il faut que vous soyez vertueux malgré vous; sans cela, vous ne sauriez subsister, et vous tomberiez dans le malheur de vos premiers pères. Mais ce joug

vous paraît trop dur : vous aimez mieux être soumis à un prince, et obéir à ses lois moins rigides que vos mœurs. Vous savez que, pour lors, vous pourrez contenter votre ambition, acquérir des richesses, et languir dans une lâche volupté ; et que, pourvu que vous évitiez de tomber dans les grands crimes, vous n'aurez pas besoin de la vertu. » Il s'arrêta un moment, et ses larmes coulèrent plus que jamais. « Et que prétendez-vous que je fasse ? Comment se peut-il que je commande quelque chose à un Troglodyte ? Voulez-vous qu'il fasse une action vertueuse, parce que je la lui commande, lui qui la ferait tout de même sans moi, et par le seul penchant de la nature ? Ô Troglodytes, je suis à la fin de mes jours, mon sang est glacé dans mes veines, je vais bientôt revoir vos sacrés aïeux ; pourquoi voulez-vous que je les afflige, et que je sois obligé de leur dire que je vous ai laissés sous un autre joug que celui de la vertu ? »

D'Erzeron, le 10 de la lune
de Gemmadi, 2, 1711.

LETTRE 15

Le Premier Eunuque à Jaron, eunuque noir.

À Erzeron.

Je prie le ciel qu'il te ramène dans ces lieux, et te dérobe à tous les dangers.

Quoique je n'aie guère jamais connu cet engagement qu'on appelle amitié, et que je me sois enveloppé tout entier dans moi-même, tu m'as cependant fait sentir que j'avais encore un cœur ; et, pendant que j'étais de bronze pour tous

ces esclaves qui vivaient sous mes lois, je voyais croître ton enfance avec plaisir.

Le temps vint où mon maître jeta sur toi les yeux. Il s'en fallait bien que la nature eût encore parlé, lorsque le fer te sépara de la nature. Je ne te dirai point si je te plaignis, ou si je sentis du plaisir à te voir élevé jusqu'à moi. J'apaisai tes pleurs et tes cris. Je crus te voir prendre une seconde naissance, et sortir d'une servitude où tu devais toujours obéir, pour entrer dans une servitude où tu devais commander. Je pris soin de ton éducation. La sévérité, toujours inséparable des instructions, te fit longtemps ignorer que tu m'étais cher. Tu me l'étais pourtant : et je te dirai que je t'aimais comme un père aime son fils, si ces noms de père et de fils pouvaient convenir à notre destinée.

Tu vas parcourir les pays habités par les chrétiens, qui n'ont jamais cru. Il est impossible que tu n'y contractes bien des souillures. Comment le prophète pourrait-il te regarder au milieu de tant de millions de ses ennemis ? Je voudrais que mon maître fît, à son retour, le pèlerinage de la Mecque : vous vous purifieriez tous dans la terre des anges.

Du sérail d'Ispahan, le 10 de la lune
de Gemmadi 1711.

LETTRE 16

Usbek au mollak Méhémet-Ali,
gardien des trois tombeaux.

À Com.

Pourquoi vis-tu dans les tombeaux, divin mollak ? Tu es bien plus fait pour le séjour des étoiles. Tu te caches, sans

doute, de peur d'obscurcir le soleil : tu n'as point de taches comme cet astre ; mais, comme lui, tu te couvres de nuages.

Ta science est un abîme plus profond que l'océan : ton esprit est plus perçant que Zufagar, cette épée d'Hali[1], qui avait deux pointes : tu sais ce qui se passe dans les neuf chœurs des puissances célestes : tu lis l'Alcoran sur la poitrine de notre divin prophète ; et, lorsque tu trouves quelque passage obscur, un ange, par son ordre, déploie ses ailes rapides, et descend du trône, pour t'en révéler le secret.

Je pourrais, par ton moyen, avoir avec les séraphins une intime correspondance : car enfin, treizième iman, n'es-tu pas le centre où le ciel et la terre aboutissent, et le point de communication entre l'abîme et l'empyrée[2] ?

Je suis au milieu d'un peuple profane. Permets que je me purifie avec toi : souffre que je tourne mon visage vers les lieux sacrés que tu habites : distingue-moi des méchants, comme on distingue, au lever de l'aurore, le filet blanc d'avec le filet noir : aide-moi de tes conseils : prends soin de mon âme : enivre-la de l'esprit des prophètes : nourris-la de la science du paradis ; et permets que je mette ses plaies à tes pieds. Adresse tes lettres sacrées à Erzeron, où je resterai quelques mois.

D'Erzeron, le 11 de la lune
de Gemmadi, 2,1711.

1. Hali : gendre et successeur de Mahomet.
2. Empyrée : le point le plus élevé du ciel.

LETTRE 17

Usbek au même.

Je ne puis, divin mollak, calmer mon impatience : je ne saurais attendre ta sublime réponse. J'ai des doutes, il faut les fixer : je sens que ma raison s'égare ; ramène-la dans le droit chemin : viens m'éclairer, source de lumière ; foudroie, avec ta plume divine, les difficultés que je vais te proposer ; fais-moi pitié de moi-même, et rougir de la question que je vais te faire.

D'où vient que notre législateur nous prive de la chair de pourceau, et de toutes les viandes qu'il appelle immondes ? D'où vient qu'il nous défend de toucher un corps mort ? et que, pour purifier notre âme, il nous ordonne de nous laver sans cesse le corps ? Il me semble que les choses ne sont en elles-mêmes ni pures, ni impures : je ne puis concevoir aucune qualité inhérente au sujet, qui puisse les rendre telles. La boue ne nous paraît sale, que parce qu'elle blesse notre vue, ou quelque autre de nos sens : mais, en elle-même, elle ne l'est pas plus que l'or et les diamants. L'idée de souillure, contractée par l'attouchement d'un cadavre, ne nous est venue que d'une certaine répugnance naturelle que nous en avons. Si les corps de ceux qui ne se lavent point ne blessaient ni l'odorat, ni la vue, comment aurait-on pu s'imaginer qu'ils fussent impurs ?

Les sens, divin mollak, doivent donc être les seuls juges de la pureté, ou de l'impureté des choses ? Mais, comme les objets n'affectent point les hommes de la même manière ; que ce qui donne une sensation agréable aux uns, en produit une dégoûtante chez les autres ; il suit que le témoignage des sens ne peut servir ici de règle : à moins qu'on ne dise

que chacun peut, à sa fantaisie, décider ce point, et distinguer, pour ce qui le concerne, les choses pures d'avec celles qui ne le sont pas.

Mais cela même, sacré mollak, ne renverserait-il pas les distinctions établies par notre divin prophète, et les points fondamentaux de la loi qui a été écrite de la main des anges ?

D'Erzeron, le 20 de la lune
de Gemmadi, 2, 1711.

LETTRE 18

Méhémet-Ali, serviteur des prophètes, à Usbek.

À Erzeron.

Vous nous faites toujours des questions qu'on a faites mille fois à notre saint prophète. Que ne lisez-vous les traditions des docteurs[1] ? Que n'allez-vous à cette source pure de toute intelligence ? Vous trouveriez tous vos doutes résolus.

Malheureux ! qui, toujours embarrassés des choses de la terre, n'avez jamais regardé d'un œil fixe celles du ciel, et qui révérez la condition des mollaks, sans oser ni l'embrasser, ni la suivre !

Profanes ! qui n'entrez jamais dans les secrets de l'Éternel, vos lumières ressemblent aux ténèbres de l'abîme ; et les raisonnements de votre esprit sont comme la poussière que vos pieds font élever, lorsque le soleil est dans son midi dans le mois ardent de chahban.

Aussi le zénith de votre esprit ne va pas au nadir[2] de celui

1. Traditions des docteurs : recueils de commentaires sur le Coran.
2. Nadir : le zénith est le point le plus élevé, le nadir représente l'inverse.

du moindre des immaums * : votre vaine philosophie est cet éclair, qui annonce l'orage et l'obscurité : vous êtes au milieu de la tempête, et vous errez au gré des vents.

Il est bien facile de répondre à votre difficulté : il ne faut, pour cela, que vous raconter ce qui arriva un jour à notre saint prophète, lorsque, tenté par les Chrétiens, éprouvé par les Juifs, il confondit également les uns et les autres.

Le Juif Abdias Ibesalon ** lui demanda pourquoi Dieu avait défendu de manger de la chair de pourceau. Ce n'est pas sans raison, répondit Mahomet : c'est un animal immonde ; et je vais vous en convaincre. Il fit sur sa main, avec de la boue, la figure d'un homme ; il la jeta à terre, et lui cria : «Levez-vous.» Sur-le-champ, un homme se leva, et dit : «Je suis Japhet, fils de Noé. – Avais-tu les cheveux aussi blancs quand tu es mort? lui dit le saint prophète. – Non, répondit-il : mais, quand tu m'as réveillé, j'ai cru que le jour du jugement était venu ; et j'ai eu une si grande frayeur, que mes cheveux ont blanchi tout à coup.

– Or çà, raconte-moi, lui dit l'envoyé de Dieu, toute l'histoire de l'arche de Noé.» Japhet obéit, et détailla exactement tout ce qui s'était passé les premiers mois ; après quoi, il parla ainsi :

«Nous mîmes les ordures de tous les animaux dans un côté de l'arche : ce qui la fit si fort pencher, que nous en eûmes une peur mortelle ; surtout nos femmes, qui se lamentaient de la belle manière. Notre père Noé ayant été au conseil de Dieu, il lui commanda de prendre l'éléphant, et de lui faire tourner la tête vers le côté qui penchait. Ce grand animal fit tant d'ordures, qu'il en naquit un cochon.» Croyez-vous, Usbek, que, depuis ce temps-là, nous nous en

* Ce mot est plus en usage chez les Turcs que chez les Persans.
** Tradition mahométane. [Notes de Montesquieu.]

soyons abstenus, et que nous l'ayons regardé comme un ani-
mal immonde ?

Mais, comme le cochon remuait tous les jours ces
ordures, il s'éleva une telle puanteur dans l'arche, qu'il ne
put lui-même s'empêcher d'éternuer ; et il sortit de son nez
un rat, qui allait rongeant tout ce qui se trouvait devant lui :
ce qui devint si insupportable à Noé, qu'il crut qu'il était à
propos de consulter Dieu encore. Il lui ordonna de donner
au lion un grand coup sur le front, qui éternua aussi, et fit
sortir de son nez un chat. Croyez-vous que ces animaux
soient encore immondes ? Que vous en semble ?

Quand donc vous n'apercevez pas la raison de l'impureté
de certaines choses, c'est que vous en ignorez beaucoup
d'autres, et que vous n'avez pas la connaissance de ce qui
s'est passé entre Dieu, les anges et les hommes. Vous ne
savez pas l'histoire de l'éternité ; vous n'avez point lu les
livres qui sont écrits au ciel ; ce qui vous en a été révélé n'est
qu'une petite partie de la bibliothèque divine : et ceux qui,
comme nous, en approchent de plus près, tandis qu'ils sont
en cette vie, sont encore dans l'obscurité et les ténèbres.
Adieu. Mahomet soit dans votre cœur.

De Com, le dernier de la lune
de Chahban 1711.

LETTRE 19

Usbek à son ami Rustan.

À Ispahan.

[*Voyage de Tocat à Smyrne ; décadence de l'empire turc.*]

LETTRE 20

Usbek à Zachi, sa femme.

Au sérail d'Ispahan.

Vous m'avez offensé, Zachi ; et je sens dans mon cœur des mouvements que vous devriez craindre, si mon éloignement ne vous laissait le temps de changer de conduite, et d'apaiser la violente jalousie dont je suis tourmenté.

J'apprends qu'on vous a trouvée seule avec Nadir, eunuque blanc, qui paiera de sa tête son infidélité et sa perfidie. Comment vous êtes-vous oubliée jusqu'à ne pas sentir qu'il ne vous est pas permis de recevoir dans votre chambre un eunuque blanc, tandis que vous en avez de noirs destinés à vous servir ? Vous avez beau me dire que des eunuques ne sont pas des hommes, et que votre vertu vous met au-dessus des pensées que pourrait faire naître en vous une ressemblance imparfaite : cela ne suffit, ni pour vous, ni pour moi : pour vous, parce que vous faites une chose que les lois du sérail vous défendent ; pour moi, en ce que vous m'ôtez l'honneur, en vous exposant à des regards ; que dis-je, à des regards ? peut-être aux entreprises d'un perfide, qui vous aura souillée par ses crimes, et plus encore par ses regrets, et le désespoir de son impuissance.

Vous me direz peut-être que vous m'avez été toujours fidèle. Eh ! pouviez-vous ne l'être pas ? Comment auriez-vous trompé la vigilance des eunuques noirs, qui sont si surpris de la vie que vous menez ? Comment auriez-vous pu briser ces verrous et ces portes qui vous tiennent enfermée ? Vous vous vantez d'une vertu qui n'est pas libre : et peut-être que vos désirs impurs vous ont ôté

mille fois le mérite et le prix de cette fidélité que vous vantez tant.

Je veux que vous n'ayez point fait tout ce que j'ai lieu de soupçonner ; que ce perfide n'ait point porté sur vous ses mains sacrilèges ; que vous ayez refusé de prodiguer à sa vue les délices de son maître ; que, couverte de vos habits, vous ayez laissé cette faible barrière entre lui et vous ; que, frappé lui-même d'un saint respect, il ait baissé les yeux ; que, manquant à sa hardiesse, il ait tremblé sur les châtiments qu'il se prépare. Quand tout cela serait vrai, il ne l'est pas moins que vous avez fait une chose qui est contre votre devoir. Et, si vous l'avez violé gratuitement, sans remplir vos inclinations déréglées, qu'eussiez-vous fait pour les satisfaire ? Que feriez-vous encore, si vous pouviez sortir de ce lieu sacré, qui est pour vous une dure prison, comme il est pour vos compagnes un asile favorable contre les atteintes du vice, un temple sacré où votre sexe perd sa faiblesse, et se trouve invincible, malgré tous les désavantages de la nature ? Que feriez-vous, si, laissée à vous-même, vous n'aviez, pour vous défendre, que votre amour pour moi, qui est si grièvement offensé, et votre devoir, que vous avez si indignement trahi ? Que les mœurs du pays où vous vivez sont saintes, qui vous arrachent aux attentats des plus vils esclaves ! Vous devez me rendre grâce de la gêne où je vous fais vivre, puisque ce n'est que par là que vous méritez encore de vivre.

Vous ne pouvez souffrir le chef des eunuques, parce qu'il a toujours les yeux sur votre conduite, et qu'il vous donne ses sages conseils. Sa laideur, dites-vous, est si grande, que vous ne pouvez le voir sans peine. Comme si, dans ces sortes de postes, on mettait de plus beaux objets. Ce qui

vous afflige est de n'avoir pas à sa place l'eunuque blanc qui vous déshonore.

Mais que vous a fait votre première esclave ? Elle vous a dit que les familiarités que vous preniez avec la jeune Zélide étaient contre la bienséance : voilà la raison de votre haine.

Je devrais être, Zachi, un juge sévère ; je ne suis qu'un époux, qui cherche à vous trouver innocente. L'amour que j'ai pour Roxane, ma nouvelle épouse, m'a laissé toute la tendresse que je dois avoir pour vous, qui n'êtes pas moins belle. Je partage mon amour entre vous deux ; et Roxane n'a d'autre avantage que celui que la vertu peut ajouter à la beauté.

De Smyrne, le 12 de la lune
de Zilcadé 1711.

LETTRE 21

Usbek au Premier Eunuque blanc.

Vous devez trembler à l'ouverture de cette lettre ; ou plutôt vous le deviez, lorsque vous souffrîtes la perfidie de Nadir. Vous qui, dans une vieillesse froide et languissante, ne pouvez sans crime lever les yeux sur les redoutables objets de mon amour : vous à qui il n'est jamais permis de mettre un pied sacrilège sur la porte du lieu terrible qui les dérobe à tous les regards ; vous souffrez que ceux dont la conduite vous est confiée aient fait ce que vous n'auriez pas la témérité de faire ; et vous n'apercevez pas la foudre toute prête à tomber sur eux, et sur vous ?

Et qui êtes-vous, que de vils instruments, que je puis briser à ma fantaisie ; qui n'existez qu'autant que vous savez obéir ; qui n'êtes dans le monde, que pour vivre sous mes

lois, ou pour mourir dès que je l'ordonne; qui ne respirez qu'autant que mon bonheur, mon amour, ma jalousie même ont besoin de votre bassesse; et enfin, qui ne pouvez avoir d'autre partage que la soumission, d'autre âme que mes volontés, d'autre espérance que ma félicité?

Je sais que quelques-unes de mes femmes souffrent impatiemment les lois austères du devoir; que la présence continuelle d'un eunuque noir les ennuie; qu'elles sont fatiguées de ces objets affreux, qui leur sont donnés pour les ramener à leur époux; je le sais. Mais vous qui vous prêtez à ce désordre, vous serez puni d'une manière à faire trembler tous ceux qui abusent de ma confiance.

Je jure par tous les prophètes du ciel, et par Hali[1] le plus grand de tous, que, si vous vous écartez de votre devoir, je regarderai votre vie comme celle des insectes que je trouve sous mes pieds.

De Smyrne, le 12 de la lune
de Zilcadé 1711.

LETTRE 22

Jaron au Premier Eunuque.

À mesure qu'Usbek s'éloigne du sérail, il tourne sa tête vers ses femmes sacrées : il soupire, il verse des larmes : sa douleur s'aigrit, ses soupçons se fortifient. Il veut augmenter le nombre de leurs gardiens. Il va me renvoyer, avec tous les noirs qui l'accompagnent. Il ne craint plus pour lui : il craint pour ce qui lui est mille fois plus cher que lui-même.

1. Hali : voir lettre 16.

Je vais donc vivre sous tes lois, et partager tes soins. Grand Dieu ! qu'il faut de choses pour rendre un seul homme heureux !

La nature semblait avoir mis les femmes dans la dépendance, et les en avoir retirées : le désordre naissait entre les deux sexes, parce que leurs droits étaient réciproques. Nous sommes entrés dans le plan d'une nouvelle harmonie : nous avons mis, entre les femmes et nous, la haine ; et, entre les hommes et les femmes, l'amour.

Mon front va devenir sévère. Je laisserai tomber des regards sombres. La joie fuira de mes lèvres. Le dehors sera tranquille, et l'esprit inquiet. Je n'attendrai point les rides de la vieillesse, pour en montrer les chagrins.

J'aurais eu du plaisir à suivre mon maître dans l'Occident mais ma volonté est son bien. Il veut que je garde ses femmes : je les garderai avec fidélité. Je sais comment je dois me conduire avec ce sexe, qui, quand on ne lui permet pas d'être vain, commence à devenir superbe ; et qu'il est moins aisé d'humilier, que d'anéantir. Je tombe sous tes regards.

De Smyrne, le 12 de la lune
de Zilcadé 1711.

Arrêt sur lecture 1

Un homme s'exile, la tristesse au cœur, « pour aller chercher laborieusement la sagesse » (lettre 1)… Ce personnage, Usbek, se dessine progressivement aux yeux du lecteur : face à ses femmes, ses serviteurs (les eunuques), ses amis, avant que la suite du texte nous le montre confronté à des idées et à des expériences nouvelles, en Europe. Comment nous apparaît-il dans la vingtaine de lettres qui préparent son arrivée dans un monde nouveau ? Pourquoi Montesquieu le présente-t-il ainsi ?

Les raisons du départ

L'histoire d'un homme

Officiellement, Usbek part pour accroître ses connaissances (lettre 1) ; en fait, il part pour échapper à une cour où règnent le vice et la flatterie, où sa vie même est menacée (8), et peut-être aussi par lassitude, devant les récriminations de ses femmes, enfermées dans le sérail, qui rivalisent de protestations d'amour pour lui. Il laisse des consignes sévères : l'ordre doit régner en son absence, par tous les

moyens. C'est là que réside la contradiction fondamentale d'Usbek : avide de liberté et de vertu, il soumet ses femmes, qu'il prétend aimer, à la servitude, tout en les forçant à la dissimulation.

C'est pourtant un homme sage, que l'on consulte sur des points de morale (10), et qui répond, non pas comme un pédant, mais par une fable, celle des Troglodytes ; c'est un homme inquiet, qui demande à la religion de répondre aux questions fondamentales qu'il se pose, et s'interroge notamment sur les interdits de l'islam (17 : manger du porc, toucher un cadavre). Ces questions, il les formule en philosophe, soucieux avant tout de raison ; il est attentif également au bien-être des populations, et la décadence de l'empire turc le navre. Il montre d'ores et déjà une de ses qualités principales – qui constitue la justification même du roman : l'intérêt pour autrui. Sans cela, pas d'observations, ni de lettres ! Il révèle aussi son bon sens : les affirmations des mollahs ne le satisfont pas. Ses raisonnements sont encore peu développés, mais ils le seront davantage au fur et à mesure que s'accroîtra son expérience.

On a donc affaire à un véritable personnage, doté d'une personnalité propre, dont on ne nous cache ni les qualités ni les faiblesses. Usbek serait-il alors le prête-nom de Montesquieu ? Si l'auteur a pu y mettre de lui-même (son goût de la nouveauté, son refus des traditions et de l'hypocrisie), cette assimilation serait cependant trop restrictive. En imaginant le personnage d'un Persan, venu d'une autre culture, Montesquieu veut montrer un homme chez qui vont s'opposer deux manières de penser, celle qu'il hérite de l'Orient et celle qu'il adopte progressivement au contact de l'Europe. Cette confrontation fera éclater autant ses préjugés que les nôtres : ils sont révélés par le regard « innocent » qu'Usbek portera sur les habitudes et les mœurs de la société parisienne.

Un personnage secondaire ?

À côté d'Usbek, un autre personnage joue un rôle important : son

Dessin réalisé avec sanguine et pierre noire par Jean-Antoine Watteau (1684-1721). Pour un Occidental d'alors, tous les symboles vestimentaires de l'Orient sont ici réunis. Ce portrait correspond-il à l'idée que Montesquieu donne de son voyageur persan ?

compagnon de voyage, Rica, auquel Montesquieu ne donne la parole qu'à partir de la lettre 24. Est-ce un hasard si sa voix impertinente ne se fait entendre que pour décrire les travers de la société française ? Montesquieu a voulu en fait d'abord camper son personnage principal, auquel il donne plusieurs correspondants qui permettent de faire ressortir différents traits de sa personnalité : ferme voire brutal avec ses eunuques (2), indifférent envers ses femmes auquel il ne répond pas, sinon de manière sévère (20), mélancolique avec son ami Nessir à qui il confie le fond de son cœur (6)… Comme dans tout roman épistolaire, chaque lettre doit être étudiée comme venant d'un personnage particulier et aussi comme

Palais du Roi de Perse à Ispahan. Gravure extraite des *Voyages de Jean Struys en Moscovie, en Tartarie, aux Indes et en d'autres pays étrangers* (Amsterdam, 1681). Le regard d'un Occidental sur un ailleurs bien différent.

étant écrite en fonction de son destinataire. C'est un moyen de faire apparaître la profondeur, la complexité d'Usbek… et ses contradictions, car son langage varie considérablement d'un correspondant à l'autre.

L'Orient

Un monde fascinant

Comment Montesquieu a-t-il eu l'idée de donner à son héros une origine orientale ? Depuis l'Antiquité, la fascination est grande pour ces pays lointains, décrits par d'innombrables « relations de voyage » et évoqués par maints romans. Dans sa bibliothèque du château de La Brède, Montesquieu possède toute la documentation

nécessaire, et il en fait grand usage. Les lecteurs du XVIIIᵉ siècle, amateurs d'exotisme, ne pouvaient qu'apprécier l'évocation des mœurs persanes, et même le « langage asiatique » que le prétendu traducteur de l'*Introduction* se plaît à souligner, pour renforcer le caractère authentique de l'ouvrage (« traduit du persan »). À vrai dire, cela constitue un clin d'œil au lecteur, qui n'est pas dupe car il retrouve là un procédé caractéristique du roman : prétendre qu'on a en main un manuscrit original qui relate des faits réels.

Qu'évoque l'Orient pour le lecteur du XVIIIᵉ siècle ? Un espace dangereux, fermé aux étrangers, soumis à l'autorité de la religion musulmane et surtout d'un prince tout-puissant – celui-là même que fuit Usbek. Mais aussi un lieu d'abondance et de délices, où fourmillent les images chatoyantes d'un luxe séduisant. L'imaginaire se plaît particulièrement à l'évocation de l'intimité du sérail : dans un pays soumis à la religion catholique, où le divorce est interdit, où les plaisirs physiques sont dénoncés comme autant de manquements à l'amour de Dieu, l'idée qu'un homme puisse être entouré de femmes, enfermées pour satisfaire ses plaisirs, fait évidemment rêver.

Un monde violent

Or si Montesquieu reprend ce thème, ce n'est pas pour développer complaisamment des fantasmes érotiques, c'est au contraire pour souligner ce que cette institution suppose d'hypocrisie, de violence et de frustration, tant chez les femmes que chez leur époux et maître. La tristesse d'Usbek, les appels parfois désespérés (ou hypocrites ?) de ses épouses esseulées, la fin tragique du roman, autant de signes révélant que l'ordre implacable instauré dans le sérail n'est en fait qu'un moyen inefficace de remédier à un déséquilibre fondamental et insupportable. D'autant plus que la garde est exercée par des eunuques : mutilés dès leur jeunesse, et réduits à la simple fonction d'instruments de pouvoir, ils s'affirment en écrasant de leur

autorité des femmes qui les méprisent et les haïssent. Victimes, ils croient se sauver en se faisant persécuteurs.

Les rapports entre hommes et femmes sont donc des rapports de force, d'où l'amour et l'harmonie sont bannis. On se doute qu'en l'absence d'Usbek les tensions vont se renforcer jusqu'à la crise… C'est ce que Montesquieu souligne d'emblée, montrant toute l'importance qu'il attache à l'intrigue du roman, dans ces « quelques réflexions » qu'il ajoute trente-trois ans après la première publication des *Lettres persanes*.

Pour une lecture : lettre 8

La **lecture méthodique** d'un passage permet de faire apparaître, de manière plus rapide et moins structurée que dans le commentaire composé, les axes essentiels du texte étudié. Elle est plus souvent pratiquée à l'oral. Elle doit s'appuyer à la fois sur l'étude des thèmes principaux et sur le repérage des traits stylistiques les plus importants.

Introduction

Roman épistolaire destiné à dénoncer les préjugés et à exalter la liberté de pensée, les *Lettres persanes* ont pour personnage principal le Persan Usbek, dont on a ici la quatrième lettre. Parti d'Ispahan, capitale de la Perse, depuis cinq mois, il se trouve en Turquie, sur le chemin de l'Europe. Ayant appris que son départ a fait scandale, il livre ici le fond de son cœur (la mention « à son ami Rustan » est importante) et révèle « le véritable motif de son voyage ». C'est un récit en forme (essentiellement au passé simple), encadré par la confidence à Rustan, où perce la tristesse.

Développement : les axes de lecture

1 – Les raisons du départ

Fuir la cour du roi de Perse : tel est le motif principal, « véritable », de ce voyage, ce qui dénonce en apparence comme purs prétextes « l'envie de savoir » et la quête de la « sagesse » qu'Usbek affichait à la lettre 1, au même Rustan, et qui lui ont permis d'obtenir du roi l'autorisation de partir (« J'allai au roi [...] devant ses yeux »). Le danger est réel : Usbek ne peut s'expliquer aussi clairement qu'une fois arrivé à Erzeron, en Turquie, donc hors de portée du roi de Perse ; il ne doit d'ailleurs son salut qu'à des « avis secrets ». Une telle initiative est ressentie comme surprenante, voire exceptionnelle (« Je m'étais bien douté... ») : ce royaume est donc fermé sur lui-même, ce qui est mauvais signe pour la liberté de pensée. Quant à la cour, elle est « corrompue ». Un honnête homme n'a donc rien à y espérer.

Usbek occupait à Ispahan un rang élevé, puisqu'il est présenté très tôt à la cour et qu'il a accès au roi ; mais un franc-parler dangereux lui ôte tout espoir de carrière, et même toute sûreté. Sa naïveté et sa bonne conscience le rendent d'autant plus sensible à la corruption de la cour, qu'il juge générale et irrémédiable. Nul doute qu'en Europe, Usbek s'intéressera aux mécanismes du pouvoir. Mais, pour le moment, il a du mal à s'abstraire de son propre cas : le pronom *je* est omniprésent, en tête de chaque proposition dans le deuxième et le troisième paragraphe.

Telles sont donc les informations livrées par ce passage : il témoigne qu'une lettre peut en « corriger » une autre, et jette un nouveau jour sur Usbek. Cependant celui-ci, sur le chemin de l'Occident, ne risque-t-il pas de se prendre au jeu, comme il l'a fait en feignant « un grand attachement pour les sciences » ? « À force de le feindre, il me vint réellement. » Cela constitue l'idée porteuse des *Lettres persanes* : le voyageur découvrant des manières de vivre et

de penser différentes des siennes prend goût à la comparaison et à la réflexion.

2 – Morale et politique

Usbek se définit lui-même d'abord et essentiellement comme ver-tueux ; il évoque avec une certaine complaisance son combat pour la vérité : « un grand dessein », pour ne pas dire un exploit, effet d'un courage exceptionnel (« j'osai »), qui produit un effet inouï (« langage jusqu'alors inconnu / je déconcertai / j'étonnai »). Notez qu'Usbek ne donne aucune précision sur cette affaire : d'une part il s'adresse à quelqu'un qui est censé connaître la situation, d'autre part il cherche surtout à tirer les leçons générales de son expérience.

Sa naïveté (voire son imprudence) a consisté à croire que cette démarche chevaleresque serait récompensée, parce que la vertu s'imposerait d'elle-même. Or elle s'est retournée contre lui. Il ne cherche pas les causes de cet échec ailleurs que dans la corruption de la cour, et dans sa propre inadaptation à celle-ci. Le vocabulaire qu'il emploie relève de la morale et de la subjectivité (cœur / cor-rompre / sincérité / jalousie / malice) : c'est la preuve qu'il interprète la situation comme un jeu de forces presque exclusivement psycho-logiques, qui se définissent par rapport aux notions de bien et de mal, de juste et d'injuste. Ces notions doivent rester à la base de tout jugement, mais leur application est souvent complexe.

Pour le moment, il lui apparaît que non seulement la vertu est sans effet, mais elle est dangereuse dans un monde corrompu : la retraite le laisse en fait sans défense contre ses ennemis. De même, l'histoire des Troglodytes montre d'abord que l'innocence est persé-cutée par la méchanceté générale (lettre 11), quand nul ne se sou-cie du bien commun. Le monde qu'il quitte, sa « patrie » pourtant (le mot est riche de connotations* affectives), est à ses yeux peuplé d'« ennemis » (le terme revient cinq fois, de manière obsédante),

donc définitivement perçu comme hostile. C'est un héros devenu « victime » qui s'exprime ici.

3 – Le mal secret

Cependant, pas de recours au pathétique* dans cette lettre ; la douleur d'Usbek est sans emphase (malgré la complaisance que nous avons signalée pour son « grand dessein ») : des phrases brèves, sans élan, scandées par la répétition du pronom *je*, beaucoup de verbes, au passé simple. Ce récit apparaît d'autant plus sobre qu'il est encadré par les lettres de Fatmé et du Premier eunuque, beaucoup plus expressives et chargées d'effets.

L'inquiétude déjà sensible dans la lettre 1 apparaît ici surtout dans le dernier paragraphe : peur d'être oublié même de ses amis, peur qu'il n'ose pas exprimer sinon par des points de suspension. Mais les véritables causes de son chagrin sont ailleurs, et ne seront révélées que progressivement dans les lettres suivantes : dans ses doutes d'ordre religieux où « [s]a raison s'égare » (lettre 17), dans sa jalousie qui s'accroît au fur et à mesure qu'il s'éloigne, et surtout dans le pessimisme qui se manifeste à travers l'histoire des Troglodytes : les hommes sont-ils toujours capables de vertu ? Même les Troglodytes sont un jour fatigués de la pratiquer ; et cela confirme son expérience en Perse.

Conclusion

En dotant son personnage d'un passé, en lui donnant la parole pour faire confidence de son malaise et évoquer une expérience douloureuse, Montesquieu lui donne consistance. Il l'a au préalable soigneusement ancré dans une réalité étrangère, en rappelant avec insistance l'existence du sérail ; mais, dans cette lettre, on ne trouve rien qui ne soit applicable à un Français : la déception d'un homme vertueux et courageux devant un système corrompu, le désir d'une retraite ou d'un départ n'ont rien d'exotique. Apparaissent ici moins

les contradictions d'Usbek que son ambiguïté : Persan venu d'ailleurs pour jeter un regard neuf sur la société française, ou Français déguisé en Persan ?

L'histoire des Troglodytes (lettres 11 à 14)

Conçue comme une réponse à la question « si les hommes [sont] heureux par les plaisirs et les satisfactions des sens, ou par la pratique de la vertu » (lettre 10), l'histoire des Troglodytes, qui s'étend sur quatre lettres, devient un récit autonome. Sa portée morale en fait une fable (ou apologue) plus qu'une utopie politique. Montesquieu se place ainsi dans la lignée de Fénelon qui, avec *Les Aventures de Télémaque* (1699), avait inventé un pays, la Bétique, où les rois et les hommes pratiquaient la vertu, pour le plus grand bonheur de tous.

La structure du récit

Comment les quatre étapes de cette histoire s'articulent-elles ? La première étape (11) montre un peuple caractérisé par sa « méchanceté », incapable de supporter une autorité et préférant vivre dans l'anarchie. La société n'est plus qu'une juxtaposition d'individus égoïstes, parmi lesquels règnent la violence et l'injustice. Conséquence de cette recherche frénétique de l'intérêt personnel : ce peuple disparaît – sauf deux familles, animées par l'amour de la vertu, qui travaillaient « pour l'intérêt commun » (12). Le bonheur et l'activité de ces nouveaux Troglodytes se traduisent par la plus grande prospérité (12 et 13), jusqu'à ce qu'ils décident de choisir un roi, ce qui est le signe infaillible que leur vertu s'est affaiblie : sinon, auraient-ils besoin d'une autre autorité que celle de leur

conscience ? (14). L'ordre de ces lettres semble chronologique, pour montrer une inévitable évolution. C'est ce qui apparaît surtout dans la dernière, où intervient le phénomène démographique : c'est parce que les Troglodytes deviennent trop nombreux que la vertu ne peut plus être pratiquée comme auparavant.

Les premières lettres permettent en fait de présenter deux hypothèses opposées, deux sociétés radicalement différentes, dont le fonctionnement est ainsi schématisé.

Les enseignements de la fable

Quelles leçons en tirer ? Des idées qui peuvent parfaitement s'appliquer à la société actuelle. D'abord la certitude que l'intérêt de l'individu ne doit jamais primer sur l'intérêt collectif. Dans une société juste, l'un et l'autre coïncident – mais quand la société est injuste, comment réagir ? Ne considérer que son intérêt personnel, c'est renforcer l'injustice générale. Dans une société juste (ou dont les principes se veulent justes, c'est-à-dire dans toute véritable démocratie), tout homme qui croira devoir préférer son propre bien est non seulement « méchant », mais aveugle : s'il est injuste et violent envers autrui, qui le protégera de l'injustice et de la violence qu'il risque de subir en retour ?

Montesquieu développe cette idée de différentes manières : on peut tirer d'une situation injuste, d'une pratique malfaisante, des avantages immédiats (un champ usurpé qui rapporte, des profits commerciaux démesurés), mais ceux-ci sont précaires et illusoires (le voleur est tué, le profiteur est victime d'un plus habile que lui). À long terme, c'est toujours la justice qui est payante. Cela peut s'appliquer aussi bien à l'économie qu'à la morale, à la politique qu'à la vie quotidienne, et tout particulièrement à l'idée de liberté. Faut-il enfermer les femmes dans un sérail ? En théorie, cela empêche les infidélités, mais suscite la haine, accroît les frustrations et les tentations ; la fidélité est subie, non pas choisie.

La rigueur du climat, les difficultés du travail rendent-elles nécessaire le recours aux esclaves (dans les plantations tropicales, dans les mines) ? À ses contemporains esclavagistes qui usent de cet argument fallacieux, Montesquieu répond dans *L'esprit des lois* (livre XV) que les rendements seraient plus élevés, la santé des travailleurs bien meilleure, et donc la rentabilité supérieure, s'ils faisaient travailler des hommes libres, et non des Noirs qu'ils traitent comme des bêtes de somme. Ce n'est pas l'impératif économique qui lui dicte ce raisonnement (Montesquieu se contente d'user d'un langage que peuvent comprendre ses adversaires, un langage du profit), mais la nécessité d'assurer le bonheur des hommes, fondé sur l'idée de leur dignité. L'égoïsme des premiers Troglodytes, marqué par le mépris des autres, se solde par la ruine ; le dévouement à autrui des suivants est récompensé par la prospérité.

Un antiportrait

L'harmonie sociale ainsi créée peut se lire comme une dénonciation de la société française : la frugalité contre le luxe qui règne à la cour de Louis XV ou chez les nouveaux riches ; l'absence de rivalités entre frères ou le souci d'aider ses parents, quand au XVIIIe siècle tant de familles se déchirent pour des questions d'héritage (qui constituent l'intrigue de tant de pièces de théâtre !) ; l'union fondée sur un goût réciproque, alors que les mariages arrangés sont le lot commun (avez-vous lu Marivaux ? vous y trouverez des exemples) ; l'absence du sentiment de vengeance ou de propriété, face à la cupidité générale. La religion même des Troglodytes, toute en usages simples et spontanés, offrant l'occasion de rassemblements qui renforcent la cohésion sociale, ne serait-elle pas l'antithèse du catholicisme officiel, de ses fastes et de son intolérance envers tout ce qui s'en écarte (religions juive ou musulmane, mais aussi protestantisme et jansénisme) ?

En guise de conclusion

Mais Montesquieu sait parfaitement que cette vision idyllique a ses limites : l'expansion démographique rend nécessaire le passage à un autre stade de la vie sociale, le stade politique, marqué par l'apparition de l'autorité monarchique. Son habileté aura été d'*annoncer* la décadence des Troglodytes, non de la dépeindre. Pourtant la monarchie – qu'il dénonce parce qu'elle met fin au règne de la vertu — est le régime politique qui a la faveur de Montesquieu : il est en effet persuadé qu'une démocratie ne peut survivre longtemps, tant le fonctionnement en est délicat (l'histoire ne lui en fournit alors guère d'exemples, sinon les républiques grecques ou la Suisse, ce qui tendait à prouver que seules des entités géographiques très réduites pouvaient en bénéficier). Dans *L'esprit des lois*, il montrera justement que sans vertu, sans désintéressement, une république ne peut fonctionner.

C'est une conception pessimiste dans la mesure où il pense que les hommes ont besoin d'une autorité (limitée cependant, pour éviter le despotisme), et une conception optimiste dans la mesure où il estime que les meilleurs des hommes sont capables d'assurer la survie d'une république.

à vous...

1 – Repérages – À quelle date Usbek est-il parti d'Ispahan ? Quelle est la fréquence des lettres qu'il envoie ? Répond-il à celles qu'il reçoit ? Pour quelles raisons ?

2 – Images d'Usbek – Essayez de reconstituer la personnalité d'Usbek, en distinguant soigneusement les modes d'approche : tel qu'il se peint lui-même, tel qu'on le devine à travers les lettres qui lui sont adressées ou qui évoquent sa maison.

> **3 – Images de femmes –** D'après les lettres de Zachi (3), Zéphis (4), Fatmé (7) : distinguez chacun des personnages, sans craindre d'éclaircir les sous-entendus. Quels sont aussi leurs points communs ? Quelle est celle des femmes d'Usbek qui n'écrit pas ? Pouvez-vous d'ores et déjà en imaginer les raisons ?
>
> **–** Comment Usbek et les eunuques se représentent-ils les femmes ? Cette image coïncide-t-elle avec l'image précédemment évoquée ?
>
> **4 – Dissertation –** Vous montrerez comment la forme romanesque met en valeur les thèmes moraux et politiques des *Lettres persanes*.

Texte à l'appui

« CHAPITRE 9
Liaison du gouvernement domestique avec le politique.

Dans une république, la condition des citoyens est bornée, égale, douce, modérée ; tout s'y ressent de la liberté publique. L'empire sur les femmes n'y pourrait pas être si bien exercé ; et, lorsque le climat a demandé cet empire, le gouvernement d'un seul a été le plus convenable. Voilà une des raisons qui a fait que le gouvernement populaire a toujours été difficile à établir en Orient.

Au contraire, la servitude des femmes est très conforme au génie du gouvernement despotique, qui aime à abuser de tout. Aussi a-t-on vu, dans tous les temps, en Asie, marcher d'un pas égal la servitude domestique et le gouvernement despotique.

Dans un gouvernement où l'on demande surtout la tranquillité, et où la subordination extrême s'appelle la paix, il faut enfermer les

femmes; leurs intrigues seraient fatales au mari. Un gouvernement qui n'a pas le temps d'examiner la conduite des sujets, la tient pour suspecte, par cela seul qu'elle paraît et qu'elle se fait sentir.

Supposons un moment que la légèreté d'esprit et les indiscrétions, les goûts et les dégoûts de nos femmes, leurs passions grandes et petites, se trouvassent transportés dans un gouvernement d'Orient, dans l'activité et dans cette liberté où elles sont parmi nous; quel est le père de famille qui pourrait être un moment tranquille? Partout des gens suspects, partout des ennemis; l'État serait ébranlé, on verrait couler des flots de sang. »

Montesquieu, *L'esprit des lois*, XVI, 9.

Usbek à son ami Ibben.

À Smyrne.

Nous sommes arrivés à Livourne dans quarante jours de navigation. C'est une ville nouvelle ; elle est un témoignage du génie des ducs de Toscane, qui ont fait, d'un village marécageux, la ville d'Italie la plus florissante.

Les femmes y jouissent d'une grande liberté : elles peuvent voir les hommes à travers certaines fenêtres, qu'on nomme jalousies : elles peuvent sortir tous les jours avec quelques vieilles, qui les accompagnent : elles n'ont qu'un voile *. Leurs beaux-frères, leurs oncles, leurs neveux peuvent les voir, sans que le mari s'en formalise presque jamais.

C'est un grand spectacle pour un mahométan, de voir, pour la première fois, une ville chrétienne. Je ne parle pas des choses qui frappent d'abord tous les yeux, comme la différence des édifices, des habits, des principales cou-

* Les Persanes en ont quatre. [Note de Montesquieu.]

tumes : il y a, jusque dans les moindres bagatelles, quelque chose de singulier, que je sens, et que je ne sais pas dire.

Nous partirons demain pour Marseille : notre séjour n'y sera pas long. Le dessein de Rica, et le mien, est de nous rendre incessamment à Paris, qui est le siège de l'empire d'Europe. Les voyageurs cherchent toujours les grandes villes, qui sont une espèce de patrie commune à tous les étrangers. Adieu. Sois persuadé que je t'aimerai toujours.

De Livourne, le 12 de la lune
de Saphar 1712.

LETTRE 24

Rica à Ibben.

À Smyrne.

Nous sommes à Paris depuis un mois, et nous avons toujours été dans un mouvement continuel. Il faut bien des affaires avant qu'on soit logé, qu'on ait trouvé les gens à qui on est adressé, et qu'on se soit pourvu des choses nécessaires, qui manquent toutes à la fois.

Paris est aussi grand qu'Ispahan : les maisons y sont si hautes, qu'on jurerait qu'elles ne sont habitées que par des astrologues. Tu juges bien qu'une ville bâtie en l'air, qui a six ou sept maisons les unes sur les autres, est extrêmement peuplée ; et que, quand tout le monde est descendu dans la rue, il s'y fait un bel embarras.

Tu ne le croirais pas peut-être ; depuis un mois que je suis ici, je n'y ai encore vu marcher personne. Il n'y a point de gens au monde qui tirent mieux parti de leur machine que les Français : ils courent ; ils volent : les voitures lentes d'Asie, le pas réglé de nos chameaux, les feraient tomber en

syncope. Pour moi, qui ne suis point fait à ce train, et qui vais souvent à pied sans changer d'allure, j'enrage quelquefois comme un chrétien[1] : car encore passe qu'on m'éclabousse depuis les pieds jusqu'à la tête ; mais je ne puis pardonner les coups de coude, que je reçois régulièrement et périodiquement : un homme, qui vient après moi et qui me passe, me fait faire un demi-tour ; et un autre, qui me croise de l'autre côté, me remet soudain où le premier m'avait pris : et je n'ai pas fait cent pas, que je suis plus brisé que si j'avais fait dix lieues.

Ne crois pas que je puisse, quant à présent, te parler à fond des mœurs et des coutumes européennes : je n'en ai moi-même qu'une légère idée, et je n'ai eu à peine que le temps de m'étonner.

Le roi de France est le plus puissant prince de l'Europe. Il n'a point de mines d'or, comme le roi d'Espagne son voisin ; mais il a plus de richesses que lui, parce qu'il les tire de la vanité de ses sujets, plus inépuisable que les mines. On lui a vu entreprendre ou soutenir de grandes guerres, n'ayant d'autres fonds que des titres d'honneur à vendre[2] ; et, par un prodige de l'orgueil humain, ses troupes se trouvaient payées, ses places munies, et ses flottes équipées.

D'ailleurs, ce roi est un grand magicien : il exerce son empire sur l'esprit même de ses sujets ; il les fait penser comme il veut. S'il n'a qu'un million d'écus dans son trésor, et qu'il en ait besoin de deux, il n'a qu'à leur persuader qu'un écu en vaut deux[3] ; et ils le croient. S'il a une guerre

1. Enrager comme un chrétien : reprise inversée de l'expression «jurer comme un païen».
2. Titres d'honneur à vendre : allusion à la vente par le roi des «offices» ou des titres de noblesse.
3. Persuader qu'un écu en vaut deux : allusion aux fluctuations de la valeur de la monnaie, fixée par le roi.

difficile à soutenir, et qu'il n'ait point d'argent, il n'a qu'à leur mettre dans la tête qu'un morceau de papier est de l'argent; et ils en sont aussitôt convaincus. Il va même jusqu'à leur faire croire qu'il les guérit de toutes sortes de maux, en les touchant[1], tant est grande la force et la puissance qu'il a sur les esprits.

Ce que je dis de ce prince ne doit pas t'étonner : il y a un autre magicien plus fort que lui, qui n'est pas moins maître de son esprit, qu'il l'est lui-même de celui des autres. Ce magicien s'appelle le pape : tantôt il lui fait croire que trois ne sont qu'un; que le pain qu'on mange n'est pas du pain, ou que le vin qu'on boit n'est pas du vin; et mille autres choses de cette espèce.

Et, pour le tenir toujours en haleine, et ne point lui laisser perdre l'habitude de croire, il lui donne, de temps en temps, pour l'exercer, de certains articles de croyance. Il y a deux ans qu'il lui envoya un grand écrit, qu'il appela *constitution*[2], et voulut obliger sous de grandes peines, ce prince et ses sujets de croire tout ce qui y était contenu. Il réussit à l'égard du prince, qui se soumit aussitôt, et donna l'exemple à ses sujets : mais quelques-uns d'entre eux se révoltèrent, et dirent qu'ils ne voulaient rien croire de tout ce qui était dans cet écrit. Ce sont les femmes qui ont été les motrices de toute cette révolte, qui divise toute la cour, tout le royaume, et toutes les familles. Cette constitution leur défend de lire un livre que tous les chrétiens disent avoir été apporté du ciel : c'est proprement leur Alcoran. Les femmes, indignées de l'outrage fait à leur sexe, soulèvent

1. En les touchant : allusion à la guérison des écrouelles, que le roi était censé faire disparaître en les touchant.
2. Constitution : nom donné à la bulle (édit papal) *Unigenitus*, contre les jansénistes (voir Arrêt 2, p. 168)

tout contre la constitution : elles ont mis les hommes de leur parti, qui, dans cette occasion, ne veulent point avoir de privilège. On doit pourtant avouer que ce moufti ne raisonne pas mal ; et, par le grand Hali ! il faut qu'il ait été instruit des principes de notre sainte loi : car, puisque les femmes sont d'une création inférieure à la nôtre, et que nos prophètes nous disent qu'elles n'entreront point dans le paradis, pourquoi faut-il qu'elles se mêlent de lire un livre qui n'est fait que pour apprendre le chemin du paradis ?

J'ai ouï raconter du roi des choses qui tiennent du prodige, et je ne doute pas que tu ne balances à les croire.

On dit que, pendant qu'il faisait la guerre à ses voisins, qui s'étaient tous ligués contre lui, il avait dans son royaume un nombre innombrable d'ennemis invisibles, qui l'entouraient[1] : on ajoute qu'il les a cherchés pendant plus de trente ans ; et que, malgré les soins infatigables de certains dervis, qui ont sa confiance, il n'en a pu trouver un seul. Ils vivent avec lui ; ils sont à sa cour, dans sa capitale, dans ses troupes, dans ses tribunaux : et cependant on dit qu'il aura le chagrin de mourir sans les avoir trouvés. On dirait qu'ils existent en général, et qu'ils ne sont plus rien en particulier : c'est un corps, mais point de membres. Sans doute que le ciel veut punir ce prince de n'avoir pas été assez modéré envers les ennemis qu'il a vaincus, puisqu'il lui en donne d'invisibles, et dont le génie et le destin sont au-dessus du sien.

Je continuerai à t'écrire, et je t'apprendrai des choses bien éloignées du caractère et du génie persan. C'est bien la même terre qui nous porte tous deux ; mais les hommes du

1. Innombrables ennemis : les protestants, les jansénistes ou les quiétistes (voir Arrêt 2, p. 166-169). Les dervis désignent les jésuites.

pays où je vis, et ceux du pays où tu es, sont des hommes bien différents.

De Paris, le 4 de la lune
de Rebiab, 2, 1712.

Usbek à Ibben.

À Smyrne.

J'ai reçu une lettre de ton neveu Rhédi : il me mande qu'il quitte Smyrne, dans le dessein de voir l'Italie ; que l'unique but de son voyage est de s'instruire, et de se rendre par là plus digne de toi. Je te félicite d'avoir un neveu qui sera quelque jour la consolation de ta vieillesse.

Rica t'écrit une longue lettre ; il m'a dit qu'il te parlait beaucoup de ce pays-ci. La vivacité de son esprit fait qu'il saisit tout avec promptitude : pour moi, qui pense plus lentement, je ne suis en état de te rien dire.

Tu es le sujet de nos conversations les plus tendres : nous ne pouvons assez parler du bon accueil que tu nous a fait à Smyrne, et des services que ton amitié nous rend tous les jours. Puisses-tu, généreux Ibben, trouver partout des amis aussi reconnaissants et aussi fidèles que nous !

Puissé-je te revoir bientôt, et retrouver avec toi ces jours heureux, qui coulent si doucement entre deux amis ! Adieu.

De Paris, le 4 de la lune
de Rebiab, 2, 1712.

LETTRE 26

Usbek à Roxane.

Au sérail d'Ispahan.

Que vous êtes heureuse, Roxane, d'être dans le doux pays de Perse, et non pas dans ces climats empoisonnés, où l'on ne connaît ni la pudeur, ni la vertu ! Que vous êtes heureuse ! Vous vivez dans mon sérail comme dans le séjour de l'innocence, inaccessible aux attentats de tous les humains : vous vous trouvez avec joie dans une heureuse impuissance de faillir : jamais homme ne vous a souillée de ses regards lascifs : votre beau-père même, dans la liberté des festins, n'a jamais vu votre belle bouche : vous n'avez jamais manqué de vous attacher un bandeau sacré pour la couvrir. Heureuse Roxane ! quand vous avez été à la campagne, vous avez toujours eu des eunuques, qui ont marché devant vous, pour donner la mort à tous les téméraires qui n'ont pas fui votre vue. Moi-même, à qui le ciel vous a donnée pour faire mon bonheur, quelle peine n'ai-je pas eue pour me rendre maître de ce trésor, que vous défendiez avec tant de constance ! Quel chagrin pour moi, dans les premiers jours de notre mariage, de ne pas vous voir ! Et quelle impatience, quand je vous eus vue ! Vous ne la satisfaisiez pourtant pas ; vous l'irritiez, au contraire, par les refus obstinés d'une pudeur alarmée : vous me confondiez avec tous ces hommes à qui vous vous cachez sans cesse. Vous souvient-il de ce jour où je vous perdis parmi vos esclaves, qui me trahirent, et vous dérobèrent à mes recherches ? Vous souvient-il de cet autre, où, voyant vos larmes impuissantes, vous employâtes l'autorité de votre mère, pour arrêter les

fureurs de mon amour ? Vous souvient-il, lorsque toutes les ressources vous manquèrent, de celles que vous trouvâtes dans votre courage ? Vous prîtes un poignard, et menaçâtes d'immoler un époux qui vous aimait, s'il continuait à exiger de vous ce que vous chérissiez plus que votre époux même. Deux mois se passèrent dans ce combat de l'amour et de la vertu. Vous poussâtes trop loin vos chastes scrupules : vous ne vous rendîtes pas même, après avoir été vaincue : vous défendîtes jusqu'à la dernière extrémité une virginité mourante : vous me regardâtes comme un ennemi qui vous avait fait un outrage, non pas comme un époux qui vous avait aimée : vous fûtes plus de trois mois que vous n'osiez me regarder sans rougir : votre air confus semblait me reprocher l'avantage que j'avais pris. Je n'avais pas même une possession tranquille ; vous me dérobiez tout ce que vous pouviez de ces charmes et de ces grâces ; et j'étais enivré des plus grandes faveurs, sans avoir obtenu les moindres.

Si vous aviez été élevée dans ce pays-ci, vous n'auriez pas été si troublée. Les femmes y ont perdu toute retenue ; elles se présentent devant les hommes à visage découvert, comme si elles voulaient demander leur défaite ; elles les cherchent de leurs regards ; elles les voient dans les mosquées, les promenades, chez elles-mêmes ; l'usage de se faire servir par des eunuques leur est inconnu. Au lieu de cette noble simplicité, et de cette aimable pudeur qui règne parmi vous, on voit une impudence brutale, à laquelle il est impossible de s'accoutumer.

Oui, Roxane, si vous étiez ici, vous vous sentiriez outragée dans l'affreuse ignominie où votre sexe est descendu ; vous fuiriez ces abominables lieux, et vous soupireriez pour cette douce retraite, où vous trouvez l'innocence, où vous

êtes sûre de vous-même, où nul péril ne vous fait trembler, où enfin vous pouvez m'aimer, sans craindre de perdre jamais l'amour que vous me devez.

Quand vous relevez l'éclat de votre teint par les plus belles couleurs ; quand vous vous parfumez tout le corps des essences les plus précieuses ; quand vous vous parez de vos plus beaux habits ; quand vous cherchez à vous distinguer de vos compagnes par les grâces de la danse, et par la douceur de votre chant ; que vous combattez gracieusement avec elles de charmes, de douceur et d'enjouement, je ne puis pas m'imaginer que vous ayez d'autre objet que celui de me plaire ; et, quand je vous vois rougir modestement, que vos regards cherchent les miens, que vous vous insinuez dans mon cœur par des paroles douces et flatteuses, je ne saurais, Roxane, douter de votre amour.

Mais que puis-je penser des femmes d'Europe ? L'art de composer leur teint, les ornements dont elles se parent, les soins qu'elles prennent de leur personne, le désir continuel de plaire qui les occupe, sont autant de taches faites à leur vertu, et d'outrages à leurs époux.

Ce n'est pas, Roxane, que je pense qu'elles poussent l'attentat aussi loin qu'une pareille conduite devrait le faire croire, et qu'elles portent la débauche à cet excès horrible, qui fait frémir, de violer absolument la foi conjugale. Il y a bien peu de femmes assez abandonnées, pour aller jusque-là : elles portent toutes dans leur cœur un certain caractère de vertu, qui y est gravé, que la naissance donne, et que l'éducation affaiblit, mais ne détruit pas. Elles peuvent bien se relâcher des devoirs extérieurs que la pudeur exige : mais, quand il s'agit de faire les derniers pas, la nature se révolte. Aussi, quand nous vous enfermons si étroitement, que nous vous faisons garder par tant d'es-

claves, que nous gênons si fort vos désirs, lorsqu'ils volent trop loin ; ce n'est pas que nous craignions la dernière infidélité : mais c'est que nous savons que la pureté ne saurait être trop grande, et que la moindre tache peut la corrompre.

Je vous plains, Roxane. Votre chasteté, si longtemps éprouvée, méritait un époux qui ne vous eût jamais quittée, et qui pût lui-même réprimer les désirs que votre seule vertu sait soumettre.

De Paris, le 7 de la lune
de Rhegeb 1712.

LETTRE 27

Usbek à Nessir.

À Ispahan.

Nous sommes à présent à Paris, cette superbe rivale de la ville du soleil*.

Lorsque je partis de Smyrne, je chargeai mon ami Ibben de te faire tenir une boîte, où il y avait quelques présents pour toi : tu recevras cette lettre par la même voie. Quoique éloigné de lui de cinq ou six cents lieues, je lui donne de mes nouvelles, et je reçois des siennes, aussi facilement que s'il était à Ispahan, et moi à Com. J'envoie mes lettres à Marseille, d'où il part continuellement des vaisseaux pour Smyrne : de là, il envoie celles qui sont pour la Perse, par les caravanes d'Arméniens qui partent tous les jours pour Ispahan.

Rica jouit d'une santé parfaite : la force de sa constitution, sa jeunesse et sa gaieté naturelle, le mettent au-dessus de toutes les épreuves.

* Ispahan. [Note de Montesquieu.]

Mais, pour moi, je ne me porte pas bien, mon corps et mon esprit sont abattus : je me livre à des réflexions qui deviennent tous les jours plus tristes : ma santé, qui s'affaiblit, me tourne vers ma patrie, et me rend ce pays-ci plus étranger.

Mais, cher Nessir, je te conjure, fais en sorte que mes femmes ignorent l'état où je suis. Si elles m'aiment, je veux épargner leurs larmes ; et, si elles ne m'aiment pas, je ne veux point augmenter leur hardiesse.

Si mes eunuques me croyaient en danger, s'ils pouvaient espérer l'impunité d'une lâche complaisance, ils cesseraient bientôt d'être sourds à la voix flatteuse de ce sexe, qui se fait entendre aux rochers, et remue les choses inanimées.

Adieu, Nessir. J'ai du plaisir à te donner des marques de ma confiance.

De Paris, le 5 de la lune
de Chahban 1712.

LETTRE 28
Rica à *.**

Je vis hier une chose assez singulière, quoiqu'elle se passe tous les jours à Paris.

Tout le peuple s'assemble sur la fin de l'après-midi, et va jouer une espèce de scène, que j'ai entendu appeler comédie. Le grand mouvement est sur une estrade, qu'on nomme le théâtre [1]. Aux deux côtés, on voit, dans de petits réduits, qu'on nomme loges, des hommes et des femmes qui jouent ensemble des scènes muettes, à peu près comme celles qui sont en usage en notre Perse.

1. Le théâtre : la Comédie-Française.

Ici, c'est une amante affligée, qui exprime sa langueur ; une autre, plus animée, dévore des yeux son amant, qui la regarde de même : toutes les passions sont peintes sur les visages, et exprimées avec une éloquence qui, pour être muette, n'en est que plus vive. Là, les actrices ne paraissent qu'à demi-corps ; et ont ordinairement un manchon, par modestie, pour cacher leurs bras. Il y a, en bas, une troupe de gens debout[1], qui se moquent de ceux qui sont en haut sur le théâtre ; et ces derniers rient, à leur tour, de ceux qui sont en bas.

Mais ceux qui prennent le plus de peine, sont quelques gens, qu'on prend pour cet effet dans un âge peu avancé, pour soutenir la fatigue. Ils sont obligés d'être partout ; ils passent par des endroits qu'eux seuls connaissent, montent avec une adresse surprenante d'étage en étage ; ils sont en haut, en bas, dans toutes les loges ; ils plongent, pour ainsi dire ; on les perd, ils reparaissent ; souvent ils quittent le lieu de la scène, et vont jouer dans un autre. On en voit même qui, par un prodige qu'on n'aurait osé espérer de leurs béquilles[2], marchent, et vont comme les autres. Enfin on se rend à des salles où l'on joue une comédie particulière : on commence par des révérences, on continue par des embrassades : on dit que la connaissance la plus légère met un homme en droit d'en étouffer un autre. Il semble que le lieu inspire de la tendresse[3]. En effet, on dit que les princesses, qui y règnent, ne sont point cruelles[4] ; et, si on en excepte deux ou trois heures du jour, où elles sont assez sauvages,

1. En bas : au parterre.
2. Béquilles : les élégants usaient d'une canne.
3. Tendresse : il s'agit du foyer du théâtre, ou des loges des actrices, où elles reçoivent leurs admirateurs.
4. Cruelles : les actrices et les danseuses de l'Opéra étaient réputées mener une vie très libre.

on peut dire que, le reste du temps, elles sont traitables, et que c'est une ivresse qui les quitte aisément.

Tout ce que je te dis ici se passe à peu près de même dans un autre endroit, qu'on nomme l'opéra : toute la différence est qu'on parle à l'un, et que l'on chante à l'autre. Un de mes amis me mena l'autre jour dans la loge où se déshabillait une des principales actrices. Nous fîmes si bien connaissance, que, le lendemain, je reçus d'elle cette lettre.

Monsieur,

Je suis la plus malheureuse fille du monde ; j'ai toujours été la plus vertueuse actrice de l'opéra. Il y a sept ou huit mois que j'étais dans la loge où vous me vîtes hier : comme je m'habillais en prêtresse de Diane[1], un jeune abbé vint m'y trouver ; et, sans respect pour mon habit blanc, mon voile et mon bandeau, il me ravit mon innocence. J'ai beau lui exagérer le sacrifice que je lui ai fait, il se met à rire, et me soutient qu'il m'a trouvée très profane. Cependant je suis si grosse, que je n'ose plus me présenter sur le théâtre : car je suis, sur le chapitre de l'honneur, d'une délicatesse inconcevable ; et je soutiens toujours, qu'à une fille bien née, il est plus facile de faire perdre la vertu que la modestie. Avec cette délicatesse, vous jugez bien que ce jeune abbé n'eût jamais réussi, s'il ne m'avait promis de se marier avec moi : un motif si légitime me fit passer sur les petites formalités ordinaires, et commencer par où j'aurais dû finir. Mais, puisque son infidélité m'a déshonorée, je ne veux plus vivre à l'opéra, où, entre vous et moi, l'on ne me donne guère de quoi vivre : car, à présent que j'avance en âge, et

1. Je m'habillais en prêtresse de Diane : pour un opéra tiré d'une légende antique où intervient Diane, déesse de la chasteté.

que je perds du côté des charmes, ma pension, qui est tou-
jours la même, semble diminuer tous les jours. J'ai appris,
par un homme de votre suite, que l'on faisait un cas infini,
dans votre pays, d'une bonne danseuse ; et que, si j'étais à
Ispahan, ma fortune serait aussitôt faite. Si vous vouliez
m'accorder votre protection, et m'emmener avec vous dans
ce pays-là, vous auriez l'avantage de faire du bien à une
fille qui, par sa vertu et sa conduite, ne se rendrait pas
indigne de vos bontés. Je suis...[1]

De Paris, le 2 de la lune
de Chalval 1712.

LETTRE 29

Rica à Ibben.

À Smyrne.

Le pape est le chef des Chrétiens. C'est une vieille idole, qu'on encense par habitude. Il était autrefois redoutable aux princes même ; car il les déposait aussi facilement que nos magnifiques sultans déposent les rois d'Irimette[2] et de Géorgie. Mais on ne le craint plus. Il se dit successeur d'un des premiers chrétiens, qu'on appelle saint Pierre : et c'est certainement une riche succession ; car il a des trésors immenses, et un grand pays sous sa domination.

Les évêques sont des gens de loi qui lui sont subordonnés, et ont, sous son autorité, deux fonctions bien différentes. Quand ils sont assemblés, ils font, comme lui, des articles de foi. Quand ils sont en particulier, ils n'ont guère

1. Je suis... : début d'une formule stéréotypée de politesse.
2. L'Irimette (ou Imirette) et la Géorgie : deux États caucasiens, dépendants de la Perse.

d'autre fonction, que de dispenser d'accomplir la loi. Car tu sauras que la religion chrétienne est chargée d'une infinité de pratiques très difficiles : et, comme on a jugé qu'il est moins aisé de remplir ses devoirs, que d'avoir des évêques qui en dispensent, on a pris ce dernier parti pour l'utilité publique : de sorte que, si on ne veut pas faire le rahmazan [1], si on ne veut pas s'assujettir aux formalités des mariages, si on veut rompre ses vœux, si on veut se marier contre les défenses de la loi, quelquefois même si on veut revenir contre son serment, on va à l'évêque, ou au pape, qui donne aussitôt la dispense.

Les évêques ne font pas des articles de foi de leur propre mouvement. Il y a un nombre infini de docteurs, la plupart dervis, qui soulèvent entre eux mille questions nouvelles sur la religion : on les laisse disputer longtemps, et la guerre dure jusqu'à ce qu'une décision vienne la terminer.

Aussi puis-je t'assurer qu'il n'y a jamais eu de royaume où il y ait eu tant de guerres civiles, que dans celui de Christ.

Ceux qui mettent au jour quelque proposition nouvelle sont d'abord appelés hérétiques. Chaque hérésie a son nom, qui est, pour ceux qui y sont engagés, comme le mot de ralliement. Mais n'est hérétique qui ne veut. Il n'y a qu'à partager le différend par la moitié, et donner une distinction [2] à ceux qui accusent d'hérésie ; et, quelle que soit la distinction, intelligible ou non, elle rend un homme blanc comme de la neige, et il peut se faire appeler orthodoxe [3].

Ce que je te dis est bon pour la France et l'Allemagne : car j'ai ouï dire qu'en Espagne et en Portugal, il y a de

1. Rhamazan ou Rhamadan : le mot désigne ici le Carême.
2. Distinction : entre ce que l'on admet et ce que l'on n'admet pas (terme de théologie).
3. Orthodoxe : qui se conforme à la doctrine d'une religion.

certains dervis qui n'entendent point raillerie, et qui font brûler un homme comme de la paille[1]. Quand on tombe entre les mains de ces gens-là, heureux celui qui a toujours prié Dieu avec de petits grains de bois à la main, qui a porté sur lui deux morceaux de drap attachés à deux rubans, et qui a été quelquefois dans une province qu'on appelle la Galice[2]! Sans cela, un pauvre diable est bien embarrassé. Quand il jurerait, comme un païen, qu'il est orthodoxe, on pourrait bien ne pas demeurer d'accord des qualités, et le brûler comme hérétique : il aurait beau donner sa distinction, point de distinction ; il serait en cendres, avant que l'on eût seulement pensé à l'écouter.

Les autres juges présument qu'un accusé est innocent ; ceux-ci le présument toujours coupable. Dans le doute, ils tiennent pour règle, de se déterminer du côté de la rigueur ; apparemment parce qu'ils croient les hommes mauvais. Mais, d'un autre côté, ils en ont si bonne opinion, qu'ils ne les jugent jamais capables de mentir ; car ils reçoivent le témoignage des ennemis capitaux, des femmes de mauvaise vie, de ceux qui exercent une profession infâme. Ils font, dans leur sentence, un petit compliment à ceux qui sont revêtus d'une chemise de soufre, et leur disent qu'ils sont bien fâchés de les voir si mal habillés, qu'ils sont doux, qu'ils abhorrent le sang, et sont au désespoir de les avoir condamnés : mais, pour se consoler, ils confisquent tous les biens de ces malheureux à leur profit.

Heureuse la terre qui est habitée par les enfants des prophètes ! Ces tristes spectacles y sont inconnus *. La sainte

* Les Persans sont les plus tolérants de tous les mahométans. [Note de Montesquieu.]
1. Ce que je [...] comme de la paille : allusion à l'Inquisition.
2. Quand [...] la Galice ! : allusions à des objets de dévotion, le chapelet (petits grains de bois) et le scapulaire (morceaux de drap), et au pèlerinage de Saint-Jacques-de-Compostelle.

religion que les anges y ont apportée se défend par sa vérité même ; elle n'a point besoin de ces moyens violents pour se maintenir.

De Paris, le 4 de la lune
de Chalval 1712.

LETTRE 30

Rica au même.

À Smyrne.

Les habitants de Paris sont d'une curiosité qui va jusqu'à l'extravagance. Lorsque j'arrivai, je fus regardé comme si j'avais été envoyé du ciel : vieillards, hommes, femmes, enfants, tous voulaient me voir. Si je sortais, tout le monde se mettait aux fenêtres ; si j'étais aux Tuileries, je voyais aussitôt un cercle se former autour de moi ; les femmes même faisaient un arc-en-ciel nuancé de mille couleurs, qui m'entourait : si j'étais aux spectacles, je trouvais d'abord cent lorgnettes dressées contre ma figure : enfin, jamais homme n'a tant été vu que moi. Je souriais quelquefois d'entendre des gens qui n'étaient presque jamais sortis de leur chambre, qui disaient entre eux : « Il faut avouer qu'il a l'air bien persan. » Chose admirable ! je trouvais de mes portraits partout ; je me voyais multiplié dans toutes les boutiques, sur toutes les cheminées, tant on craignait de ne m'avoir pas assez vu.

Tant d'honneurs ne laissent pas d'être à charge[1] : je ne me croyais pas un homme si curieux et si rare ; et, quoique j'aie très bonne opinion de moi, je ne me serais jamais imaginé

1. Être à charge : extrêmement pesants.

que je dusse troubler le repos d'une grande ville, où je n'étais point connu. Cela me fit résoudre à quitter l'habit persan, et à en endosser un à l'européenne, pour voir s'il resterait encore, dans ma physionomie, quelque chose d'admirable. Cet essai me fit connaître ce que je valais réellement. Libre de tous les ornements étrangers, je me vis apprécié au plus juste. J'eus sujet de me plaindre de mon tailleur, qui m'avait fait perdre, en un instant, l'attention et l'estime publique ; car j'entrai tout à coup dans un néant affreux. Je demeurais quelquefois une heure dans une compagnie, sans qu'on m'eût regardé, et qu'on m'eût mis en occasion d'ouvrir la bouche. Mais, si quelqu'un, par hasard, apprenait à la compagnie que j'étais persan, j'entendais aussitôt autour de moi un bourdonnement : « Ah ! ah ! monsieur est persan ? C'est une chose bien extraordinaire ! Comment peut-on être persan ? »

*De Paris, le 6 de la lune
de Chalval 1712.*

LETTRE 31

Rhédi à Usbek.

À Paris.

Je suis à présent à Venise, mon cher Usbek. On peut avoir vu toutes les villes du monde, et être surpris en arrivant à Venise : on sera toujours étonné de voir une ville, des tours et des mosquées sortir de dessous l'eau, et de trouver un peuple innombrable dans un endroit où il ne devrait y avoir que des poissons.

Mais cette ville profane manque du trésor le plus précieux qui soit au monde, c'est-à-dire, d'eau vive ; il est

impossible d'y accomplir une seule ablution légale. Elle est en abomination à notre saint prophète ; il ne la regarde jamais, du haut du ciel, qu'avec colère.

Sans cela, mon cher Usbek, je serais charmé de vivre dans une ville où mon esprit se forme tous les jours. Je m'instruis des secrets du commerce, des intérêts des princes, de la forme de leur gouvernement ; je ne néglige pas même les superstitions européennes ; je m'applique à la médecine, à la physique, à l'astronomie ; j'étudie les arts ; enfin je sors des nuages qui couvraient mes yeux dans le pays de ma naissance.

De Venise, le 16 de la lune
de Chalval 1712.

LETTRE 32

Rica à ***.

J'allai, l'autre jour, voir une maison où l'on entretient environ trois cents personnes assez pauvrement[1]. J'eus bientôt fait ; car l'église et les bâtiments ne méritent pas d'être regardés. Ceux qui sont dans cette maison étaient assez gais ; plusieurs d'entre eux jouaient aux cartes, ou à d'autres jeux que je ne connais point. Comme je sortais, un de ces hommes sortait aussi ; et, m'ayant entendu demander le chemin du Marais, qui est le quartier le plus éloigné de Paris : « J'y vais, me dit-il, et je vous y conduirai ; suivez-moi. » Il me mena à merveille, me tira de tous les embarras, et me sauva adroitement des carrosses et des voitures. Nous étions prêts d'arriver, quand la curiosité me prit : « Mon bon ami,

1. J'allai [...] pauvrement : l'hospice des Quinze-Vingts, qui abritait trois cents aveugles.

lui dis-je, ne pourrais-je point savoir qui vous êtes ? – Je suis aveugle, monsieur, me répondit-il. – Comment ! lui dis-je, vous êtes aveugle ? et que ne priiez-vous cet honnête homme, qui jouait aux cartes avec vous, de nous conduire ? – Il est aveugle aussi, me répondit-il. Il y a quatre cents ans que nous sommes trois cents aveugles dans cette maison où vous m'avez trouvé. Mais il faut que je vous quitte : voilà la rue que vous demandiez : je vais me mettre dans la foule ; j'entre dans cette église, où, je vous jure, j'embarrasserai plus les gens qu'ils ne m'embarrasseront[1]. »

De Paris, le 11 de la lune
de Chalval 1712.

LETTRE 33

Usbek à Rhédi.

À Venise.

Le vin est si cher à Paris, par les impôts que l'on y met, qu'il semble qu'on ait entrepris d'y faire exécuter les préceptes du divin Alcoran, qui défend d'en boire.

Lorsque je pense aux funestes effets de cette liqueur, je ne puis m'empêcher de la regarder comme le présent le plus redoutable que la nature ait fait aux hommes. Si quelque chose a flétri la vie et la réputation de nos monarques, ç'a été leur intempérance ; c'est la source la plus empoisonnée de leurs injustices et de leurs cruautés.

Je le dirai, à la honte des hommes : la loi interdit à nos princes l'usage du vin, et ils en boivent avec un excès qui les dégrade de l'humanité même ; cet usage, au contraire, est per-

1. Mais il faut [...] m'embarrasseront : allusion au fait que les aveugles mendiaient dans les églises.

mis aux princes chrétiens, et on ne remarque pas qu'il leur fasse faire aucune faute. L'esprit humain est la contradiction même. Dans une débauche licencieuse, on se révolte avec fureur contre les préceptes; et la loi, faite pour nous rendre plus justes, ne sert souvent qu'à nous rendre plus coupables.

Mais, quand je désapprouve l'usage de cette liqueur, qui fait perdre la raison, je ne condamne pas de même ces boissons qui l'égaient. C'est la sagesse des Orientaux, de chercher des remèdes contre la tristesse, avec autant de soin que contre les maladies les plus dangereuses. Lorsqu'il arrive quelque malheur à un Européen, il n'a d'autre ressource que la lecture d'un philosophe, qu'on appelle Sénèque[1] : mais les Asiatiques, plus sensés qu'eux, et meilleurs physiciens en cela, prennent des breuvages capables de rendre l'homme gai, et de charmer le souvenir de ses peines[2].

Il n'y a rien de si affligeant que les consolations tirées de la nécessité du mal, de l'inutilité des remèdes, de la fatalité du destin, de l'ordre de la providence, et du malheur de la condition humaine. C'est se moquer, de vouloir adoucir un mal, par la considération que l'on est né misérable : il vaut bien mieux enlever l'esprit hors de ses réflexions, et traiter l'homme comme sensible, au lieu de le traiter comme raisonnable.

L'âme, unie avec le corps, en est sans cesse tyrannisée. Si le mouvement du sang est trop lent, si les esprits ne sont pas assez épurés, s'ils ne sont pas en quantité suffisante, nous tombons dans l'accablement et dans la tristesse : mais, si nous prenons des breuvages qui puissent changer cette disposition de notre corps, notre âme redevient capable de recevoir des impressions qui l'égaient, et elle sent un plai-

1. Sénèque : philosophe latin (Iᵉʳ siècle après J.-C.), d'inspiration stoïcienne.
2. Breuvages capables de rendre l'homme gai : allusion aux décoctions de chanvre.

sir secret de voir sa machine reprendre, pour ainsi dire, son mouvement et sa vie.

De Paris, le 25 de la lune
de Zilcadé 1713.

LETTRE 34

Usbek à Ibben.

À Smyrne.

Les femmes de Perse sont plus belles que celles de France ; mais celles de France sont plus jolies. Il est difficile de ne point aimer les premières, et de ne se point plaire avec les secondes : les unes sont plus tendres et plus modestes, les autres sont plus gaies et plus enjouées.

Ce qui rend le sang si beau en Perse, c'est la vie réglée que les femmes y mènent ; elles ne jouent, ni ne veillent ; elles ne boivent point de vin, et ne s'exposent presque jamais à l'air. Il faut avouer que le sérail est plutôt fait pour la santé que pour les plaisirs : c'est une vie unie, qui ne pique point, tout s'y ressent de la subordination et du devoir ; les plaisirs même y sont graves, et les joies sévères ; et on ne les goûte presque jamais que comme des marques d'autorité et de dépendance.

Les hommes même n'ont pas en Perse la gaieté qu'ont les Français : on ne leur voit point cette liberté d'esprit, et cet air content, que je trouve ici dans tous les états et dans toutes les conditions.

C'est bien pis en Turquie, où l'on pourrait trouver des familles où, de père en fils, personne n'a ri, depuis la fondation de la monarchie.

Cette gravité des Asiatiques vient du peu de commerce qu'il y a entre eux : ils ne se voient que lorsqu'ils y sont forcés par la cérémonie. L'amitié, ce doux engagement du cœur, qui fait ici la douceur de la vie, leur est presque inconnue : ils se retirent dans leurs maisons, où ils trouvent toujours une compagnie qui les attend ; de manière que chaque famille est, pour ainsi dire, isolée.

Un jour que je m'entretenais là-dessus avec un homme de ce pays-ci, il me dit : «Ce qui me choque le plus de vos mœurs, c'est que vous êtes obligés de vivre avec des esclaves, dont le cœur et l'esprit se sentent toujours de la bassesse de leur condition. Ces gens lâches affaiblissent en vous les sentiments de la vertu, que l'on tient de la nature, et ils les ruinent, depuis l'enfance qu'ils vous obsèdent.

«Car, enfin, défaites-vous des préjugés : que peut-on attendre de l'éducation qu'on reçoit d'un misérable, qui fait consister son honneur à garder les femmes d'un autre, et s'enorgueillit du plus vil emploi qui soit parmi les humains ; qui est méprisable par sa fidélité même, qui est la seule de ses vertus, parce qu'il y est porté par envie, par jalousie et par désespoir ; qui, brûlant de se venger des deux sexes, dont il est le rebut, consent à être tyrannisé par le plus fort, pourvu qu'il puisse désoler le plus faible ; qui, tirant de son imperfection, de sa laideur et de sa difformité, tout l'éclat de sa condition, n'est estimé que parce qu'il est indigne de l'être ; qui enfin, rivé pour jamais à la porte où il est attaché, plus dur que les gonds et les verrous qui la tiennent, se vante de cinquante ans de vie dans ce poste indigne, où, chargé de la jalousie de son maître, il a exercé toute sa bassesse ? »

De Paris, le 14 de la lune
de Zilhagé 1713.

LETTRE 35

Usbek à Gemchid, son cousin, dervis du brillant monastère de Tauris.

Que penses-tu des chrétiens, sublime dervis ? Crois-tu qu'au jour du jugement ils seront, comme les infidèles turcs, qui serviront d'ânes aux juifs, et les mèneront au grand trot en enfer ? Je sais bien qu'ils n'iront point dans le séjour des prophètes, et que le grand Hali [1] n'est point venu pour eux. Mais, parce qu'ils n'ont pas été assez heureux pour trouver des mosquées dans leur pays, crois-tu qu'ils soient condamnés à des châtiments éternels ? et que Dieu les punisse pour n'avoir pas pratiqué une religion qu'il ne leur a pas fait connaître ? Je puis te le dire : j'ai souvent examiné ces chrétiens ; je les ai interrogés, pour voir s'ils avaient quelque idée du grand Hali, qui était le plus beau de tous les hommes. J'ai trouvé qu'ils n'en avaient jamais ouï parler.

Ils ne ressemblent point à ces infidèles que nos saints prophètes faisaient passer au fil de l'épée, parce qu'ils refusaient de croire aux miracles du ciel : ils sont plutôt comme ces malheureux qui vivaient dans les ténèbres de l'idolâtrie, avant que la divine lumière vînt éclairer le visage de notre grand prophète.

D'ailleurs, si l'on examine de près leur religion, on y trouvera comme une semence de nos dogmes. J'ai souvent admiré les secrets de la providence, qui semble les avoir voulu préparer par là à la conversion générale. J'ai ouï parler d'un livre de leurs docteurs, intitulé *la polygamie triom-*

1. Hali : voir lettre 16.

phante, dans lequel il est prouvé que la polygamie est ordonnée aux chrétiens. Leur baptême est l'image de nos ablutions légales ; et les chrétiens n'errent[1] que dans l'efficacité qu'ils donnent à cette première ablution, qu'ils croient devoir suffire pour toutes les autres. Leurs prêtres et leurs moines prient, comme nous, sept fois le jour. Ils espèrent de jouir d'un paradis, où ils goûteront mille délices, par le moyen de la résurrection des corps. Ils ont, comme nous, des jeûnes marqués, des mortifications avec lesquelles ils espèrent fléchir la miséricorde divine. Ils rendent un culte aux bons anges, et se méfient des mauvais. Ils ont une sainte crédulité pour les miracles que Dieu opère par le ministère de ses serviteurs. Ils reconnaissent, comme nous, l'insuffisance de leurs mérites, et le besoin qu'ils ont d'un intercesseur auprès de Dieu. Je vois partout le mahométisme, quoique je n'y trouve point Mahomet. On a beau faire ; la vérité s'échappe, et perce toujours les ténèbres qui l'environnent. Il viendra un jour où l'Éternel ne verra sur la terre que des vrais croyants. Le temps, qui consume tout, détruira les erreurs même. Tous les hommes seront étonnés de se voir sous le même étendard : tout, jusques à la loi, sera consommé ; les divins exemplaires seront enlevés de la terre, et portés dans les célestes archives.

De Paris, le 20 de la lune
de Zilhagé 1713.

1. N'errent : ne se trompent.

LETTRE 36

Usbek à Rhédi.

À Venise.

Le café est très en usage à Paris : il y a un grand nombre de maisons publiques où on le distribue. Dans quelques-unes de ces maisons, on dit des nouvelles ; dans d'autres, on joue aux échecs. Il y en a une où l'on apprête le café de telle manière, qu'il donne de l'esprit à ceux qui en prennent : au moins, de tous ceux qui en sortent, il n'y a personne qui ne croie qu'il en a quatre fois plus que lorsqu'il y est entré.

Mais, ce qui me choque de ces beaux esprits, c'est qu'ils ne se rendent pas utiles à leur patrie, et qu'ils amusent leurs talents à des choses puériles. Par exemple : lorsque j'arrivai à Paris, je les trouvai échauffés sur une dispute la plus mince qu'il se puisse imaginer : il s'agissait de la réputation d'un vieux poète grec[1], dont, depuis deux mille ans, on ignore la patrie, aussi bien que le temps de sa mort. Les deux partis avouaient que c'était un poète excellent : il n'était question que du plus ou du moins de mérite qu'il fallait lui attribuer. Chacun en voulait donner le taux : mais, parmi ces distributeurs de réputation, les uns faisaient meilleur poids que les autres : voilà la querelle. Elle était bien vive ; car on se disait cordialement, de part et d'autre, des injures si grossières, on faisait des plaisanteries si amères, que je n'admirais pas moins la manière de disputer, que le sujet de la dispute. Si quelqu'un, disais-je en moi-même, était assez étourdi pour aller, devant un de ces défenseurs du poète grec, attaquer la réputation de quelque

1. Un vieux poète grec : Homère.

honnête citoyen, il ne serait pas mal relevé ! et je crois que ce zèle, si délicat sur la réputation des morts, s'embraserait bien pour défendre celle des vivants ! Mais, quoi qu'il en soit, ajoutais-je, Dieu me garde de m'attirer jamais l'inimitié des censeurs de ce poète, que le séjour de deux mille ans dans le tombeau n'a pu garantir d'une haine si implacable ! Ils frappent à présent des coups en l'air ; mais que serait-ce, si leur fureur était animée par la présence d'un ennemi ?

Ceux dont je te viens de parler disputent en langue vulgaire ; et il faut les distinguer d'une autre sorte de disputeurs, qui se servent d'une langue barbare [1], qui semble ajouter quelque chose à la fureur et à l'opiniâtreté des combattants. Il y a des quartiers où l'on voit comme une mêlée noire et épaisse de ces sortes de gens : ils se nourrissent de distinctions ; ils vivent de raisonnements obscurs et de fausses conséquences. Ce métier, où l'on devrait mourir de faim, ne laisse pas de rendre. On a vu une nation entière [2], chassée de son pays, traverser les mers pour s'établir en France, n'emportant avec elle, pour parer aux nécessités de la vie, qu'un redoutable talent pour la dispute. Adieu.

De Paris, le dernier de la lune
de Zilhagé 1713.

LETTRE 37

Usbek à Ibben.

À Smyrne.

Le roi de France est vieux. Nous n'avons point d'exemple, dans nos histoires, d'un monarque qui ait si longtemps

1. Une langue barbare : le latin, langue de la théologie.
2. On a vu une nation [...] la dispute : allusion aux Irlandais (catholiques), chassés de leur pays à la chute du roi d'Angleterre Jacques II.

régné. On dit qu'il possède à un très haut degré le talent de se faire obéir : il gouverne avec le même génie sa famille, sa cour, son État : on lui a souvent entendu dire que, de tous les gouvernements du monde, celui des Turcs, ou celui de notre auguste sultan, lui plairait le mieux ; tant il fait cas de la politique orientale !

J'ai étudié son caractère, et j'y ai trouvé des contradictions qu'il m'est impossible de résoudre : par exemple, il a un ministre qui n'a que dix-huit ans, et une maîtresse qui en a quatre-vingts [1] : il aime sa religion, et il ne peut souffrir ceux qui disent qu'il la faut observer à la rigueur [2] : quoiqu'il fuie le tumulte des villes, et qu'il se communique peu, il n'est occupé, depuis le matin jusqu'au soir, qu'à faire parler de lui : il aime les trophées et les victoires ; mais il craint autant de voir un bon général à la tête de ses troupes, qu'il aurait sujet de le craindre à la tête d'une armée ennemie. Il n'est, je crois, jamais arrivé qu'à lui, d'être, en même temps, comblé de plus de richesses qu'un prince n'en saurait espérer, et accablé d'une pauvreté qu'un particulier ne pourrait soutenir.

Il aime à gratifier ceux qui le servent ; mais il paie aussi libéralement les assiduités, ou plutôt l'oisiveté de ses courtisans, que les campagnes laborieuses de ses capitaines : souvent il préfère un homme qui le déshabille, ou qui lui donne la serviette lorsqu'il se met à table, à un autre qui lui prend des villes, ou lui gagne des batailles : il ne croit pas que la grandeur souveraine doive être gênée dans la distribution des grâces ; et, sans examiner si celui qu'il comble de biens est homme de mérite, il croit que son choix va le

1. Une maîtresse qui en a quatre-vingts : Mme de Maintenon, qu'il avait épousée secrètement.
2. Observer à la rigueur : avec rigueur.

rendre tel : aussi lui a-t-on vu donner une petite pension à un homme qui avait fui deux lieues, et un beau gouvernement à un autre qui en avait fui quatre.

Il est magnifique[1], surtout dans ses bâtiments : il y a plus de statues dans les jardins de son palais, que de citoyens dans une grande ville. Sa garde est aussi forte que celle du prince devant qui tous les trônes se renversent[2] ; ses armées sont aussi nombreuses, ses ressources aussi grandes, et ses finances aussi inépuisables.

De Paris, le 7 de la lune
de Maharram 1713.

LETTRE 38

Rica à Ibben.

À Smyrne.

C'est une grande question, parmi les hommes, de savoir s'il est plus avantageux d'ôter aux femmes la liberté, que de la leur laisser. Il me semble qu'il y a bien des raisons pour et contre. Si les Européens disent qu'il n'y a pas de générosité à rendre malheureuses les personnes que l'on aime ; nos Asiatiques répondent qu'il y a de la bassesse aux hommes de renoncer à l'empire que la nature leur a donné sur les femmes. Si on leur dit que le grand nombre des femmes enfermées est embarrassant ; ils répondent que dix femmes, qui obéissent, embarrassent moins qu'une qui n'obéit pas. Que s'ils objectent, à leur tour, que les Européens ne sauraient être heureux avec des femmes qui ne leur sont pas

1. Magnifique : fastueux.
2. Prince devant qui tous les trônes se renversent : le roi de Perse.

fidèles ; on leur répond que cette fidélité, qu'ils vantent tant, n'empêche point le dégoût, qui suit toujours les passions satisfaites ; que nos femmes sont trop à nous ; qu'une possession si tranquille ne nous laisse rien à désirer, ni à craindre ; qu'un peu de coquetterie est un sel qui pique et prévient la corruption. Peut-être qu'un homme plus sage que moi serait embarrassé de décider : car, si les Asiatiques font fort bien de chercher des moyens propres à calmer leurs inquiétudes, les Européens font fort bien aussi de n'en point avoir.

Après tout, disent-ils, quand nous serions malheureux en qualité de maris, nous trouverions toujours moyen de nous dédommager en qualité d'amants. Pour qu'un homme pût se plaindre avec raison de l'infidélité de sa femme, il faudrait qu'il n'y eût que trois personnes dans le monde ; ils seront toujours à but, quand il y en aura quatre.

C'est une autre question de savoir si la loi naturelle soumet les femmes aux hommes. « Non, me disait l'autre jour un philosophe très galant [1] : la nature n'a jamais dicté une telle loi. L'empire que nous avons sur elles est une véritable tyrannie ; elles ne nous l'ont laissé prendre, que parce qu'elles ont plus de douceur que nous, et, par conséquent, plus d'humanité et de raison. Ces avantages, qui devaient sans doute leur donner la supériorité, si nous avions été raisonnables, la leur ont fait perdre, parce que nous ne le sommes point.

« Or, s'il est vrai que nous n'avons sur les femmes qu'un pouvoir tyrannique, il ne l'est pas moins qu'elles ont sur nous un empire naturel ; celui de la beauté, à qui rien ne résiste. Le nôtre n'est pas de tous les pays ; mais celui de la

1. Un philosophe très galant : sans doute Fontenelle.

beauté est universel. Pourquoi aurions-nous donc un privilège ? Est-ce parce que nous sommes les plus forts ? Mais c'est une véritable injustice. Nous employons toutes sortes de moyens pour leur abattre le courage. Les forces seraient égales, si l'éducation l'était aussi. Éprouvons-les dans les talents que l'éducation n'a point affaiblis ; et nous verrons si nous sommes si forts.

« Il faut l'avouer, quoique cela choque nos mœurs : chez les peuples les plus polis, les femmes ont toujours eu de l'autorité sur leurs maris ; elle fut établie par une loi chez les Égyptiens, en l'honneur d'Isis ; et chez les Babyloniens, en l'honneur de Sémiramis. On disait des Romains, qu'ils commandaient à toutes les nations, mais qu'ils obéissaient à leurs femmes. Je ne parle point des Sauromates, qui étaient véritablement dans la servitude de ce sexe ; ils étaient trop barbares, pour que leur exemple puisse être cité. »

Tu vois, mon cher Ibben, que j'ai pris le goût de ce pays-ci, où l'on aime à soutenir des opinions extraordinaires, et à réduire tout en paradoxe. Le prophète a décidé la question, et a réglé les droits de l'un et de l'autre sexe. Les femmes, dit-il, doivent honorer leurs maris : leurs maris les doivent honorer ; mais ils ont l'avantage d'un degré sur elles.

De Paris, le 26 de la lune
de Gemmadi, 2,1713.

LETTRE 39

Hagi* Ibbi au juif Ben Josué, prosélyte mahométan.

À Smyrne.

[*Miracles qui accompagnèrent la naissance de Mahomet, et qui ont autorisé sa mission.*]

LETTRE 40

Usbek à Ibben.

À Smyrne.

Dès qu'un grand est mort, on s'assemble dans une mosquée, et l'on fait son oraison funèbre, qui est un discours à sa louange, avec lequel on serait bien embarrassé de décider au juste du mérite du défunt.

Je voudrais bannir les pompes funèbres. Il faut pleurer les hommes à leur naissance, et non pas à leur mort. À quoi servent les cérémonies, et tout l'attirail lugubre, qu'on fait paraître à un mourant dans ses derniers moments, les larmes même de sa famille, et la douleur de ses amis, qu'à lui exagérer la perte qu'il va faire ? Nous sommes si aveugles, que nous ne savons quand nous devons nous affliger, ou nous réjouir : nous n'avons presque jamais que de fausses tristesses, ou de fausses joies.

Quand je vois le Mogol[1], qui, toutes les années, va sottement se mettre dans une balance, et se faire peser comme un

* *Hagi* est un homme qui a fait le pèlerinage à La Mecque. [Note de Montesquieu.]
1. Le Mogol : titre du roi des Indes.

bœuf; quand je vois les peuples se réjouir de ce que ce prince est devenu plus matériel, c'est-à-dire, moins capable de les gouverner; j'ai pitié, Ibben, de l'extravagance humaine.

De Paris, le 20 de la lune
de Rhegeb 1713.

LETTRE 41
Le Premier Eunuque noir à Usbek.

[*Projet de faire eunuque un esclave qui résiste.*]

LETTRE 42
Pharan à Usbek, son souverain seigneur.

[*Supplice que le Premier Eunuque veut lui infliger par haine.*]

LETTRE 43
Usbek à Pharan.
Aux jardins de Fatmé.

[*Grâce qu'Usbek accorde.*]

LETTRE 44

Usbek à Rhédi.

À Venise.

Il y a, en France, trois sortes d'états ; l'Église, l'épée, et la robe. Chacun a un mépris souverain pour les deux autres : tel, par exemple, que l'on devrait mépriser parce qu'il est un sot, ne l'est souvent que parce qu'il est homme de robe.

Il n'y a pas jusqu'aux plus vils artisans qui ne disputent sur l'excellence de l'art qu'ils ont choisi ; chacun s'élève au-dessus de celui qui est d'une profession différente, à proportion de l'idée qu'il s'est faite de la supériorité de la sienne.

Les hommes ressemblent tous, plus ou moins, à cette femme de la province d'Erivan[1], qui, ayant reçu quelque grâce d'un de nos monarques, lui souhaita mille fois, dans les bénédictions qu'elle lui donna, que le ciel le fît gouverneur d'Erivan.

J'ai lu, dans une relation[2], qu'un vaisseau français ayant relâché à la côte de Guinée, quelques hommes de l'équipage voulurent aller à terre acheter quelques moutons. On les mena au roi, qui rendait la justice à ses sujets sous un arbre. Il était sur son trône, c'est-à-dire, sur un morceau de bois, aussi fier que s'il eût été assis sur celui du grand Mogol : il avait trois ou quatre gardes avec des piques de bois ; un parasol, en forme de dais, le couvrait de l'ardeur du soleil ; tous ses ornements et ceux de la reine, sa femme, consistaient en leur peau noire et quelques bagues. Ce

1. Erivan : capitale de l'Arménie, alors province de Perse.
2. Les relations : récits de voyage.

prince, plus vain encore que misérable, demanda à ces étrangers si on parlait beaucoup de lui en France. Il croyait que son nom devait être porté d'un pôle à l'autre : et, à la différence de ce conquérant de qui on a dit qu'il avait fait taire toute la terre, il croyait, lui, qu'il devait faire parler tout l'univers.

Quand le kan de Tartarie a dîné, un héraut crie que tous les princes de la terre peuvent aller dîner, si bon leur semble : et ce barbare, qui ne mange que du lait, qui n'a pas de maison, qui ne vit que de brigandage, regarde tous les rois du monde comme ses esclaves, et les insulte régulièrement deux fois par jour.

De Paris, le 28 de la lune
de Rhegeb 1713.

LETTRE 45

Rica à Usbek.

*À ***.*

Hier matin, comme j'étais au lit, j'entendis frapper rudement à ma porte, qui fut soudain ouverte, ou enfoncée, par un homme avec qui j'avais lié quelque société, et qui me parut tout hors de lui-même.

Son habillement était beaucoup plus que modeste ; sa perruque de travers n'avait pas même été peignée : il n'avait pas eu le temps de faire recoudre son pourpoint noir ; et il avait renoncé, pour ce jour-là, aux sages précautions, avec lesquelles il avait coutume de déguiser le délabrement de son équipage[1].

1. Son équipage : désigne ici l'habit et la toilette.

« Levez-vous, me dit-il ; j'ai besoin de vous tout aujour-
d'hui ; j'ai mille emplettes à faire, et je serai bien aise que
ce soit avec vous : il faut, premièrement, que nous allions,
rue saint-Honoré, parler à un notaire, qui est chargé de
vendre une terre de cinq cent mille livres ; je veux qu'il
m'en donne la préférence. En venant ici, je me suis arrêté
un moment au faubourg Saint-Germain[1], où j'ai loué un
hôtel deux mille écus ; et j'espère passer le contrat aujour-
d'hui. »

Dès que je fus habillé, ou peu s'en fallait, mon homme
me fit précipitamment descendre. « Commençons, dit-il,
par acheter un carrosse, et établissons l'équipage. » En effet,
nous achetâmes, non seulement un carrosse, mais encore
pour cent mille francs de marchandises, en moins d'une
heure : tout cela se fit promptement, parce que mon homme
ne marchanda rien, et ne compta jamais ; aussi ne
déplaça-t-il pas[2]. Je rêvais sur tout ceci : et, quand j'exami-
nais cet homme, je trouvais en lui une complication singu-
lière de richesses et de pauvreté ; de manière que je ne savais
que croire. Mais enfin, je rompis le silence ; et, le tirant à
part, je lui dis, « Monsieur, qui est-ce qui payera tout cela ?
– Moi, dit-il : venez dans ma chambre ; je vous montrerai
des trésors immenses, et des richesses enviées des plus
grands monarques : mais elles ne le seront pas de vous, qui
les partagerez toujours avec moi. » Je le suis. Nous grim-
pons à son cinquième étage ; et, par une échelle, nous nous
guindons[3] à un sixième, qui était un cabinet ouvert aux
quatre vents, dans lequel il n'y avait que deux ou trois dou-
zaines de bassins de terre remplis de diverses liqueurs. « Je

1. Faubourg Saint-Germain : quartier aristocratique.
2. Ne pas déplacer : ne rien changer.
3. Nous nous guindons à un sixième : nous nous hissons (terme de marine).

me suis levé de grand matin, me dit-il, et j'ai fait d'abord ce que je fais depuis vingt-cinq ans, qui est d'aller visiter mon œuvre : j'ai vu que le grand jour était venu, qui devait me rendre plus riche qu'homme qui soit sur la terre. Voyez-vous cette liqueur vermeille ? Elle a à présent toutes les qualités que les philosophes demandent pour faire la transmutation des métaux. J'en ai tiré ces grains que vous voyez, qui sont de vrai or par leur couleur, quoiqu'un peu imparfait par leur pesanteur. Ce secret, que Nicolas Flamel trouva, mais que Raimond Lulle et un million d'autres cherchèrent toujours[1], est venu jusqu'à moi ; et je me trouve aujourd'hui un heureux adepte. Fasse le ciel que je ne me serve de tant de trésors qu'il m'a communiqués, que pour sa gloire ! »

Je sortis, et je descendis, ou plutôt je me précipitai par cet escalier, transporté de colère, et laissai cet homme si riche dans son hôpital[2]. Adieu, mon cher Usbek. J'irai te voir demain ; et, si tu veux, nous reviendrons ensemble à Paris.

De Paris, le dernier de la lune
de Rhegeb 1713.

LETTRE 46

Usbek à Rhédi.

À Venise.

Je vois ici des gens qui disputent, sans fin, sur la religion : mais il semble qu'ils combattent en même temps à qui l'observera le moins.

Non seulement ils ne sont pas meilleurs chrétiens, mais

1. Le secret : la pierre philosophale, qui transforme les métaux en or, objet des recherches des alchimistes célèbres nommés ici.
2. Hôpital : hospice pour les pauvres et les malades.

même meilleurs citoyens; et c'est ce qui me touche : car, dans quelque religion qu'on vive, l'observation des lois, l'amour pour les hommes, la piété envers les parents, sont toujours les premiers actes de religion.

En effet, le premier objet d'un homme religieux ne doit-il pas être de plaire à la divinité qui a établi la religion qu'il professe? Mais le moyen le plus sûr, pour y parvenir, est sans doute d'observer les règles de la société, et les devoirs de l'humanité. Car, en quelque religion qu'on vive, dès qu'on en suppose une, il faut bien que l'on suppose aussi que Dieu aime les hommes, puisqu'il établit une religion pour les rendre heureux : que s'il aime les hommes, on est assuré de lui plaire en les aimant aussi; c'est-à-dire, en exerçant envers eux tous les devoirs de la charité et de l'humanité, et en ne violant point les lois sous lesquelles ils vivent.

Par là, on est bien plus sûr de plaire à Dieu, qu'en observant telle ou telle cérémonie : car les cérémonies n'ont point un degré de bonté par elles-mêmes; elles ne sont bonnes qu'avec égard, et dans la supposition que Dieu les a commandées. Mais c'est la matière d'une grande discussion : on peut facilement s'y tromper, car il faut choisir les cérémonies d'une religion entre celles de deux mille.

Un homme faisait tous les jours à Dieu cette prière : « Seigneur, je n'entends rien dans les disputes que l'on fait sans cesse à votre sujet : je voudrais vous servir selon votre volonté; mais chaque homme que je consulte veut que je vous serve à la sienne. Lorsque je veux vous faire ma prière, je ne sais en quelle langue je dois vous parler. Je ne sais pas non plus en quelle posture je dois me mettre. L'un dit que je dois vous prier debout; l'autre veut que je sois assis; l'autre exige que mon corps porte sur mes genoux. Ce n'est pas tout : il y en a qui prétendent que je dois me laver tous les

matins avec de l'eau froide : d'autres soutiennent que vous me regarderez avec horreur, si je ne me fais pas couper un petit morceau de chair. Il m'arriva, l'autre jour, de manger un lapin dans un caravansérail[1] : trois hommes, qui étaient auprès de là, me firent trembler : ils me soutinrent tous trois que je vous avais grièvement offensé ; l'un *, parce que cet animal était immonde ; l'autre **, parce qu'il était étouffé ; l'autre enfin ***, parce qu'il n'était pas poisson. Un brachmane, qui passait par là, et que je pris pour juge, me dit : "Ils ont tort, car apparemment vous n'avez pas tué vous-même cet animal. – Si fait, lui dis-je. – Ah ! vous avez commis une action abominable, et que Dieu ne vous pardonnera jamais, me dit-il d'une voix sévère : que savez-vous si l'âme de votre père n'était pas passée dans cette bête ?" Toutes ces choses, seigneur, me jettent dans un embarras inconcevable : je ne puis remuer la tête, que je ne sois menacé de vous offenser : cependant je voudrais vous plaire, et employer à cela la vie que je tiens de vous. Je ne sais si je me trompe ; mais je crois que le meilleur moyen pour y parvenir, est de vivre en bon citoyen dans la société où vous m'avez fait naître, et en bon père dans la famille que vous m'avez donnée. »

De Paris, le 8 de la lune
de Chahban 1713.

* Un Juif.
** Un Turc.
*** Un Arménien. [Notes de Montesquieu.]
1. Caravansérail : auberge où font halte les caravanes.

LETTRE 47

Zachi à Usbek.

À Paris.

J'ai une grande nouvelle à t'apprendre : je me suis récon-
ciliée avec Zéphis ; le sérail, partagé entre nous, s'est réuni.
Il ne manque que toi dans ces lieux, où la paix règne : viens,
mon cher Usbek, viens y faire triompher l'amour.

Je donnai à Zéphis un grand festin, où ta mère, tes
femmes, et tes principales concubines furent invitées : tes
tantes et plusieurs de tes cousines s'y trouvèrent aussi : elles
étaient venues à cheval, couvertes du sombre nuage de leurs
voiles et de leurs habits.

Le lendemain, nous partîmes pour la campagne, où nous
espérions être plus libres : nous montâmes sur nos cha-
meaux, et nous nous mîmes quatre dans chaque loge.
Comme la partie avait été faite brusquement, nous n'eûmes
pas le temps d'envoyer à la ronde annoncer le courouc [1] :
mais le premier eunuque, toujours industrieux, prit une
autre précaution ; car il joignit, à la toile qui nous empêchait
d'être vues, un rideau si épais, que nous ne pouvions abso-
lument voir personne.

Quand nous fûmes arrivées à cette rivière, qu'il faut tra-
verser, chacune de nous se mit, selon la coutume, dans une
boîte, et se fit porter dans le bateau : car on nous dit que la
rivière était pleine de monde. Un curieux, qui s'approcha
trop près du lieu où nous étions enfermées, reçut un coup
mortel, qui lui ôta pour jamais la lumière du jour ; un autre,

1. Le courouc : d'après des relations de voyage, mot turc signifiant « défense, abs-
tinence ».

qu'on trouva se baignant tout nu sur le rivage, eut le même sort : et tes fidèles eunuques sacrifièrent à ton honneur et au nôtre ces deux infortunés.

Mais écoute le reste de nos aventures. Quand nous fûmes au milieu du fleuve, un vent si impétueux s'éleva, et un nuage si affreux couvrit les airs, que nos matelots commencèrent à désespérer. Effrayées de ce péril, nous nous évanouîmes presque toutes. Je me souviens que j'entendis la voix et la dispute de nos eunuques, dont les uns disaient qu'il fallait nous avertir du péril, et nous tirer de notre prison : mais leur chef soutint toujours qu'il mourrait plutôt que de souffrir que son maître fût ainsi déshonoré, et qu'il enfoncerait un poignard dans le sein de celui qui ferait des propositions si hardies. Une de mes esclaves, toute hors d'elle, courut vers moi, déshabillée, pour me secourir ; mais un eunuque noir la prit brutalement, et la fit rentrer dans l'endroit d'où elle était sortie. Pour lors je m'évanouis, et ne revins à moi qu'après que le péril fut passé.

Que les voyages sont embarrassants pour les femmes ! Les hommes ne sont exposés qu'aux dangers qui menacent leur vie ; et nous sommes, à tous les instants, dans la crainte de perdre notre vie, ou notre vertu. Adieu, mon cher Usbek. Je t'adorerai toujours.

Du sérail de Fatmé, le 2 de la lune
de Rhamazan 1713.

LETTRE 48

Usbek à Rhédi.

À Venise.

Ceux qui aiment à s'instruire ne sont jamais oisifs. Quoique je ne sois chargé d'aucune affaire importante, je suis cependant dans une occupation continuelle. Je passe ma vie à examiner : j'écris le soir ce que j'ai remarqué, ce que j'ai vu, ce que j'ai entendu dans la journée : tout m'intéresse, tout m'étonne : je suis comme un enfant, dont les organes encore tendres sont vivement frappés par les moindres objets.

Tu ne le croirais pas peut-être : nous sommes reçus agréablement dans toutes les compagnies, et dans toutes les sociétés. Je crois devoir beaucoup à l'esprit vif et à la gaieté naturelle de Rica, qui fait qu'il recherche tout le monde, et qu'il en est également recherché. Notre air étranger n'offense plus personne ; nous jouissons même de la surprise où l'on est de nous trouver quelque politesse ; car les Français n'imaginent pas que notre climat produise des hommes. Cependant, il faut l'avouer, ils valent la peine qu'on les détrompe.

J'ai passé quelques jours dans une maison de campagne auprès de Paris, chez un homme de considération, qui est ravi d'avoir de la compagnie chez lui. Il a une femme fort aimable, et qui joint à une grande modestie une gaieté que la vie retirée ôte toujours à nos dames de Perse.

Étranger que j'étais, je n'avais rien de mieux à faire que d'étudier cette foule de gens qui y abordaient sans cesse, et qui me présentaient toujours quelque chose de nouveau. Je

remarquai d'abord un homme, dont la simplicité me plut ; je m'attachai à lui, il s'attacha à moi ; de sorte que nous nous trouvions toujours l'un auprès de l'autre.

Un jour que, dans un grand cercle, nous nous entretenions en particulier, laissant les conversations générales à elles-mêmes : « Vous trouverez peut-être en moi, lui dis-je, plus de curiosité que de politesse : mais je vous supplie d'agréer que je vous fasse quelques questions ; car je m'ennuie de n'être au fait de rien, et de vivre avec des gens que je ne saurais démêler. Mon esprit travaille depuis deux jours : il n'y a pas un seul de ces hommes qui ne m'ait donné deux cents fois la torture ; et je ne les devinerais de mille ans ; ils me sont plus invisibles que les femmes de notre grand monarque. – Vous n'avez qu'à dire, me répondit-il, et je vous instruirai de tout ce que vous souhaiterez ; d'autant mieux que je vous crois homme discret, et que vous n'abuserez pas de ma confiance.

– Qui est cet homme, lui dis-je, qui nous a tant parlé des repas qu'il a donnés aux grands, qui est si familier avec vos ducs, et qui parle si souvent à vos ministres qu'on me dit être d'un accès si difficile ? Il faut bien que ce soit un homme de qualité : mais il a la physionomie si basse, qu'il ne fait guère honneur aux gens de qualité ; et d'ailleurs je ne lui trouve point d'éducation. Je suis étranger ; mais il me semble qu'il y a, en général, une certaine politesse commune à toutes les nations ; je ne lui trouve point de celle-là : est-ce que vos gens de qualité sont plus mal élevés que les autres ? – Cet homme, me répondit-il en riant, est un fermier [1] : il est autant au-dessus des autres par ses richesses, qu'il est au-dessous de tout le monde par sa naissance : il

1. Fermier : fermier général, chargé de collecter les impôts.

aurait la meilleure table de Paris, s'il pouvait se résoudre à ne manger jamais chez lui : il est bien impertinent, comme vous voyez ; mais il excelle par son cuisinier : aussi n'en est-il pas ingrat, car vous avez entendu qu'il l'a loué tout aujourd'hui.

— Et ce gros homme vêtu de noir, lui dis-je, que cette dame a fait placer auprès d'elle ? Comment a-t-il un habit si lugubre, avec un air si gai et un teint si fleuri ? Il sourit gracieusement dès qu'on lui parle ; sa parure est plus modeste, mais plus arrangée que celle de vos femmes. — C'est, me répondit-il, un prédicateur, et, qui pis est, un directeur[1]. Tel que vous le voyez, il en sait plus que les maris ; il connaît le faible des femmes : elles savent aussi qu'il a le sien. — Comment, dis-je ! il parle toujours de quelque chose, qu'il appelle la grâce[2] ? — Non pas toujours, me répondit-il : à l'oreille d'une jolie femme, il parle encore plus volontiers de sa chute : il foudroie en public, mais il est doux comme un agneau en particulier. — Il me semble, dis-je, qu'on le distingue beaucoup, et qu'on a de grands égards pour lui. — Comment ! si on le distingue ? C'est un homme nécessaire ; il fait la douceur de la vie retirée ; petits conseils, soins officieux, visites marquées ; il dissipe un mal de tête mieux qu'homme du monde ; il est excellent.

— Mais, si je ne vous importune pas, dites-moi qui est celui qui est vis-à-vis de nous, qui est si mal habillé ; qui fait quelquefois des grimaces, et a un langage différent des autres ; qui n'a pas d'esprit pour parler, mais qui parle pour avoir de l'esprit ? — C'est, me répondit-il, un poète, et le grotesque du genre humain. Ces gens-là disent qu'ils sont nés

1. C'est [...] un directeur : directeur de conscience.
2. Grâce : pour les jansénistes, seule la grâce divine peut assurer le salut des humains, corrompus par le péché originel.

ce qu'ils sont ; cela est vrai, et aussi ce qu'ils seront toute leur vie, c'est-à-dire, presque toujours les plus ridicules de tous les hommes : aussi ne les épargne-t-on point : on verse sur eux le mépris à pleines mains. La famine a fait entrer celui-ci dans cette maison ; et il y est bien reçu du maître et de la maîtresse, dont la bonté et la politesse ne se démentent à l'égard de personne : il fit leur épithalame [1] lorsqu'ils se marièrent : c'est ce qu'il a fait de mieux en sa vie ; car il s'est trouvé que le mariage a été aussi heureux qu'il l'a prédit.

— Vous ne le croiriez pas peut-être, ajouta-t-il, entêté comme vous êtes des préjugés de l'Orient : il y a, parmi nous, des mariages heureux, et des femmes dont la vertu est un gardien sévère. Les gens, dont nous parlons, goûtent entre eux une paix qui ne peut être troublée ; ils sont aimés et estimés de tout le monde : il n'y a qu'une chose ; c'est que leur bonté naturelle leur fait recevoir chez eux toute sorte de monde ; ce qui fait qu'ils ont quelquefois mauvaise compagnie. Ce n'est pas que je les désapprouve ; il faut vivre avec les hommes tels qu'ils sont : les gens qu'on dit être de si bonne compagnie ne sont souvent que ceux dont les vices sont plus raffinés ; et peut-être en est-il comme des poisons, dont les plus subtils sont aussi les plus dangereux.

— Et ce vieux homme, lui dis-je tout bas, qui a l'air si chagrin ? Je l'ai pris d'abord pour un étranger : car, outre qu'il est habillé autrement que les autres, il censure [2] tout ce qui se fait en France, et n'approuve pas votre gouvernement. — C'est un vieux guerrier, me dit-il, qui se rend mémorable à tous ses auditeurs par la longueur de ses exploits. Il ne peut souffrir que la France ait gagné des batailles où il ne se soit

1. Épithalame : poème célébrant un mariage.
2. Il censure : il critique.

pas trouvé, ou qu'on vante un siège où il n'ait pas monté à la tranchée : il se croit si nécessaire à notre histoire, qu'il s'imagine qu'elle finit où il a fini ; il regarde quelques blessures qu'il a reçues, comme la dissolution de la monarchie : et, à la différence de ces philosophes qui disent qu'on ne jouit que du présent, et que le passé n'est rien, il ne jouit, au contraire que du passé, et n'existe que dans les campagnes qu'il a faites : il respire dans les temps qui se sont écoulés, comme les héros doivent vivre dans ceux qui passeront après eux. – Mais pourquoi, dis-je, a-t-il quitté le service ? – Il ne l'a point quitté, me répondit-il ; mais le service l'a quitté ; on l'a employé dans une petite place, où il racontera ses aventures le reste de ses jours : mais il n'ira jamais plus loin ; le chemin des honneurs lui est fermé. – Et pourquoi, lui dis-je ? – Nous avons une maxime en France, me répondit-il : c'est de n'élever jamais les officiers dont la patience a langui dans les emplois subalternes : nous les regardons comme des gens dont l'esprit s'est rétréci dans les détails ; et qui, par l'habitude des petites choses, sont devenus incapables des plus grandes. Nous croyons qu'un homme, qui n'a pas les qualités d'un général à trente ans, ne les aura jamais : que celui qui n'a pas ce coup d'œil qui montre tout d'un coup un terrain de plusieurs lieues dans toutes ses situations différentes, cette présence d'esprit qui fait que, dans une victoire, on se sert de tous ses avantages, et dans un échec de toutes ses ressources, n'acquerra jamais ces talents. C'est pour cela que nous avons des emplois brillants, pour ces hommes grands et sublimes, que le ciel a partagés non seulement d'un cœur, mais aussi d'un génie héroïque ; et des emplois subalternes, pour ceux dont les talents le sont aussi. De ce nombre sont ces gens qui ont vieilli dans une guerre obscure : ils ne réussissent tout au

plus qu'à faire ce qu'ils ont fait toute leur vie ; et il ne faut point commencer à les charger dans le temps qu'ils s'affaiblissent. »

Un moment après, la curiosité me reprit, et je lui dis : « Je m'engage à ne vous plus faire de questions, si vous voulez encore souffrir celle-ci. Qui est ce grand jeune homme qui a des cheveux, peu d'esprit, et tant d'impertinence ? D'où vient qu'il parle plus haut que les autres, et se sait si bon gré d'être au monde ? – C'est un homme à bonnes fortunes[1] », me répondit-il. À ces mots, des gens entrèrent, d'autres sortirent, on se leva, quelqu'un vint parler à mon gentilhomme, et je restai aussi peu instruit qu'auparavant. Mais, un moment après, je ne sais par quel hasard ce jeune homme se trouva auprès de moi ; et, m'adressant la parole : « Il fait beau ; voudriez-vous, monsieur, faire un tour dans le parterre ? » Je lui répondis le plus civilement qu'il me fut possible, et nous sortîmes ensemble. « Je suis venu à la campagne, me dit-il, pour faire plaisir à la maîtresse de la maison, avec laquelle je ne suis pas mal. Il y a bien certaine femme dans le monde qui ne sera pas de bonne humeur ; mais qu'y faire ? Je vois les plus jolies femmes de Paris ; mais je ne me fixe pas à une, et je leur en donne bien à garder[2] : car, entre vous et moi, je ne vaux pas grand-chose[3]. – Apparemment, monsieur, lui dis-je, que vous avez quelque charge ou quelque emploi, qui vous empêche d'être plus assidu auprès d'elles. – Non, monsieur : je n'ai d'autre emploi que de faire enrager un mari, ou désespérer un père ; j'aime à alarmer une femme qui croit me tenir, et la mettre à deux doigts de ma perte. Nous sommes quelques jeunes

1. C'est un homme à bonnes fortunes : qui a des succès amoureux.
2. Je leur en donne bien à garder : je leur en ai fait croire beaucoup.
3. Je ne vaux pas grand-chose : ici l'expression a un sens exclusivement sexuel.

gens qui partageons ainsi tout Paris, et l'intéressons à nos moindres démarches. – À ce que je comprends, lui dis-je, vous faites plus de bruit que le guerrier le plus valeureux, et vous êtes plus considéré qu'un grave magistrat. Si vous étiez en Perse, vous ne jouiriez pas de tous ces avantages ; vous deviendriez plus propre à garder nos dames qu'à leur plaire. » Le feu me monta au visage ; et je crois que, pour peu que j'eusse parlé, je n'aurais pu m'empêcher de le brusquer.

Que dis-tu d'un pays où l'on tolère de pareilles gens, et où l'on laisse vivre un homme qui fait un tel métier ? où l'infidélité, la trahison, le rapt, la perfidie et l'injustice, conduisent à la considération ? où l'on estime un homme, parce qu'il ôte une fille à son père, une femme à son mari, et trouble les sociétés les plus douces et les plus saintes ? Heureux les enfants d'Hali, qui défendent leurs familles de l'opprobre et de la séduction ! La lumière du jour n'est pas plus pure que le feu qui brûle dans le cœur de nos femmes : nos filles ne pensent qu'en tremblant au jour qui doit les priver de cette vertu qui les rend semblables aux anges et aux puissances incorporelles. Terre natale et chérie, sur qui le soleil jette ses premiers regards, tu n'es point souillée par les crimes horribles qui obligent cet astre à se cacher dès qu'il paraît dans le noir Occident.

De Paris, le 5 de la lune
de Rhamazan 1713.

LETTRE 49

Rica à Usbek.

*À ****.

Étant l'autre jour dans ma chambre, je vis entrer un dervis [1] extraordinairement habillé. Sa barbe descendait jusqu'à sa ceinture de corde. Il avait les pieds nus : son habit était gris, grossier, et en quelques endroits pointu. Le tout me parut si bizarre, que ma première idée fut d'envoyer chercher un peintre, pour en faire une fantaisie.

Il me fit d'abord un grand compliment, dans lequel il m'apprit qu'il était homme de mérite, et de plus capucin [2]. «On m'a dit, ajouta-t-il, monsieur, que vous retournez bientôt à la cour de Perse, où vous tenez un rang distingué. Je viens vous demander votre protection, et vous prier de nous obtenir du roi une petite habitation, auprès de Casbin [3], pour deux ou trois religieux. – Mon père, lui dis-je, vous voulez donc aller en Perse ? – Moi, monsieur ! me dit-il. Je m'en donnerai bien de garde [4]. Je suis ici provincial [5], et je ne troquerais pas ma condition contre celle de tous les capucins du monde. – Et que diable me demandez-vous donc ? – C'est, me répondit-il, que, si nous avions cet hospice, nos pères d'Italie y enverraient deux ou trois de leurs religieux. – Vous les connaissez apparemment, lui dis-je, ces religieux ? – Non, monsieur, je ne les connais pas. – Eh morbleu, que vous importe donc qu'ils aillent en Perse ? C'est

1. Dervis : religieux musulman ; ici, prêtre.
2. Capucin : les capucins constituent un ordre religieux.
3. Casbin : ancienne capitale de la Perse.
4. Je m'en donnerai bien de garde : je m'en garderai bien.
5. Provincial : religieux qui a l'autorité sur plusieurs couvents d'une même province.

un beau projet de faire respirer l'air de Casbin à deux capucins ! cela sera très utile et à l'Europe et à l'Asie ! il est fort nécessaire d'intéresser là-dedans les monarques ! voilà ce qui s'appelle de belles colonies ! Allez ; vous et vos semblables n'êtes point faits pour être transplantés ; et vous ferez bien de continuer à ramper dans les endroits où vous vous êtes engendrés. »

De Paris, le 15 de la lune
de Rhamazan 1713.

LETTRE 50

Rica à ***.

J'ai vu des gens chez qui la vertu était si naturelle, qu'elle ne se faisait pas même sentir : ils s'attachaient à leur devoir sans s'y plier, et s'y portaient comme par instinct : bien loin de relever par leurs discours leurs rares qualités, il semblait qu'elles n'avaient pas percé jusqu'à eux. Voilà les gens que j'aime ; non pas ces hommes vertueux qui semblent être étonnés de l'être, et qui regardent une bonne action comme un prodige dont le récit doit surprendre.

Si la modestie est une vertu nécessaire à ceux à qui le ciel a donné de grands talents, que peut-on dire de ces insectes qui osent faire paraître un orgueil qui déshonorerait les plus grands hommes ?

Je vois, de tous côtés, des gens qui parlent sans cesse d'eux-mêmes ; leurs conversations sont un miroir qui présente toujours leur impertinente figure : ils vous parleront des moindres choses qui leur sont arrivées, et ils veulent que l'intérêt qu'ils y prennent les grossisse à vos yeux : ils ont tout fait, tout vu, tout dit, tout pensé : ils sont un modèle uni-

versel, un sujet de comparaisons inépuisable, une source d'exemples qui ne tarit jamais. Oh ! que la louange est fade, lorsqu'elle réfléchit[1] vers le lieu d'où elle part !

Il y a quelques jours qu'un homme de ce caractère nous accabla, pendant deux heures, de lui, de son mérite et de ses talents : mais, comme il n'y a point de mouvement perpétuel dans le monde, il cessa de parler. La conversation nous revint donc, et nous la prîmes.

Un homme, qui paraissait assez chagrin, commença par se plaindre de l'ennui répandu dans les conversations. « Quoi ! toujours des sots, qui se peignent eux-mêmes, et qui ramènent tout à eux ? – Vous avez raison, reprit brusquement notre discoureur. Il n'y a qu'à faire comme moi ; je ne me loue jamais : j'ai du bien, de la naissance, je fais de la dépense, mes amis disent que j'ai quelque esprit ; mais je ne parle jamais de tout cela : si j'ai quelques bonnes qualités, celle dont je fais le plus de cas, c'est ma modestie. »

J'admirais cet impertinent ; et, pendant qu'il parlait tout haut, je disais tout bas : « Heureux celui qui a assez de vanité pour ne dire jamais de bien de lui ; qui craint ceux qui l'écoutent ; et ne compromet point son mérite avec l'orgueil des autres ! »

De Paris, le 20 de la lune
de Rhamazan 1713.

1. Oh, que [...] elle part ! : au sens où un miroir réfléchit les images.

Nargum, envoyé de Perse en Moscovie, à Usbek.

À Paris.

On m'a écrit, d'Ispahan, que tu avais quitté la Perse, et que tu étais actuellement à Paris. Pourquoi faut-il que j'apprenne de tes nouvelles par d'autre que par toi ?

Les ordres du roi des rois me retiennent depuis cinq ans dans ce pays-ci, où j'ai terminé plusieurs négociations importantes.

Tu sais que le czar[1] est le seul des princes chrétiens dont les intérêts soient mêlés avec ceux de la Perse, parce qu'il est ennemi des Turcs, comme nous.

Son empire est plus grand que le nôtre : car on compte mille lieues depuis Moscou jusqu'à la dernière place de ses États du côté de la Chine.

Il est le maître absolu de la vie et des biens de ses sujets, qui sont tous esclaves, à la réserve de quatre familles. Le lieutenant des prophètes, le roi des rois, qui a le ciel pour marchepied, ne fait pas un exercice plus redoutable de sa puissance.

À voir le climat affreux de la Moscovie, on ne croirait jamais que ce fût une peine d'en être exilé : cependant, dès qu'un grand est disgracié, on le relègue en Sibérie.

Comme la loi de notre prophète nous défend de boire du vin, celle du prince le défend aux Moscovites.

Ils ont une manière de recevoir leurs hôtes, qui n'est point du tout persane. Dès qu'un étranger entre dans une

1. Le czar : titre de l'empereur de Russie.

maison, le mari lui présente sa femme, l'étranger la baise ; et cela passe pour une politesse faite au mari.

Quoique les pères, au contrat de mariage de leurs filles, stipulent ordinairement que le mari ne les fouettera pas, cependant on ne saurait croire combien les femmes moscovites * aiment à être battues : elles ne peuvent comprendre qu'elles possèdent le cœur de leur mari, s'il ne les bat comme il faut. Une conduite opposée, de sa part, est une marque d'indifférence impardonnable. Voici une lettre qu'une d'elles écrivit dernièrement à sa mère :

Ma chère mère.

Je suis la plus malheureuse femme du monde : il n'y a rien que je n'aie fait pour me faire aimer de mon mari, et je n'ai jamais pu y réussir. Hier, j'avais mille affaires dans la maison ; je sortis, et je demeurai tout le jour dehors : je crus, à mon retour, qu'il me battrait bien fort, mais il ne me dit pas un seul mot. Ma sœur est bien autrement traitée : son mari la bat tous les jours ; elle ne peut pas regarder un homme, qu'il ne l'assomme soudain : ils s'aiment beaucoup aussi, et ils vivent de la meilleure intelligence du monde.

C'est ce qui la rend si fière : mais je ne lui donnerai pas longtemps sujet de me mépriser. J'ai résolu de me faire aimer de mon mari, à quelque prix que ce soit : je le ferai si bien enrager, qu'il faudra bien qu'il me donne des marques d'amitié. Il ne sera pas dit que je ne serai pas battue, et que je vivrai dans la maison sans que l'on pense à moi. La moindre chiquenaude qu'il me donnera, je crierai de toute ma force, afin qu'on s'imagine qu'il y va tout de

* Ces mœurs sont changées. [Note de Montesquieu.]

bon ; et je crois que, si quelque voisin venait au secours, je l'étranglerais. Je vous supplie, ma chère mère, de vouloir bien représenter à mon mari qu'il me traite d'une manière indigne. Mon père, qui est un si honnête homme, n'agissait pas de même ; et il me souvient, lorsque j'étais petite fille, qu'il me semblait quelquefois qu'il vous aimait trop. Je vous embrasse, ma chère mère.

Les Moscovites ne peuvent point sortir de l'empire, fût-ce pour voyager. Ainsi, séparés des autres nations par les lois du pays, ils ont conservé leurs anciennes coutumes avec d'autant plus d'attachement qu'ils ne croyaient pas qu'il fût possible d'en avoir d'autres.

Mais le prince qui règne à présent [1], a voulu tout changer : il a eu de grands démêlés avec eux au sujet de leur barbe : le clergé et les moines n'ont pas moins combattu en faveur de leur ignorance.

Il s'attache à faire fleurir les arts et ne néglige rien pour porter dans l'Europe et l'Asie la gloire de sa nation, oubliée jusqu'ici, et presque uniquement connue d'elle-même.

Inquiet, et sans cesse agité, il erre dans ses vastes États, laissant partout des marques de sa sévérité naturelle.

Il les quitte, comme s'ils ne pouvaient le contenir, et va chercher dans l'Europe d'autres provinces et de nouveaux royaumes.

Je t'embrasse, mon cher Usbek. Donne-moi de tes nouvelles, je te conjure.

De Moscou, le 2 de la lune de Chalval 1713.

1. Mais le prince qui règne [...] ignorance : Pierre Ier, dit Pierre le Grand.

LETTRE 52

Rica à Usbek.

À ***.

J'étais l'autre jour dans une société, où je me divertis assez bien. Il y avait là des femmes de tous les âges; une de quatre-vingts ans, une de soixante, une de quarante, qui avait une nièce de vingt à vingt-deux. Un certain instinct me fit approcher de cette dernière, et elle me dit à l'oreille : « Que dites-vous de ma tante, qui, à son âge, veut avoir des amants, et fait encore la jolie ? – Elle a tort, lui dis-je ; c'est un dessein qui ne convient qu'à vous. » Un moment après, je me trouvai auprès de sa tante, qui me dit : « Que dites-vous de cette femme qui a pour le moins soixante ans, qui a passé aujourd'hui plus d'une heure à sa toilette ? – C'est du temps perdu, lui dis-je ; et il faut avoir vos charmes pour devoir y songer. » J'allai à cette malheureuse femme de soixante ans, et la plaignais dans mon âme, lorsqu'elle me dit à l'oreille : « Y a-t-il rien de si ridicule ? Voyez cette femme qui a quatre-vingts ans, et qui met des rubans couleur-de-feu : elle veut faire la jeune, et elle y réussit ; car cela approche de l'enfance. – Ah, bon Dieu ! dis-je en moi-même, ne sentirons-nous jamais que le ridicule des autres ? C'est peut-être un bonheur, disais-je ensuite, que nous trouvions de la consolation dans les faiblesses d'autrui. » Cependant j'étais en train de me divertir, et je dis : « Nous avons assez monté ; descendons à présent, et commençons par la vieille qui est au sommet. » – « Madame, vous vous ressemblez si fort, cette dame à qui je viens de parler et vous, qu'il semble que vous soyez deux sœurs ; je

vous crois, à peu près, de même âge. – Vraiment, monsieur, me dit-elle, lorsque l'une mourra, l'autre devra avoir grand-peur : je ne crois pas qu'il y ait d'elle à moi deux jours de différence.» Quand je tins cette femme décrépite, j'allai à celle de soixante ans. «Il faut, madame, que vous décidiez un pari que j'ai fait : j'ai gagé que cette dame et vous, lui montrant la femme de quarante ans, étiez de même âge. – Ma foi, dit-elle, je ne crois pas qu'il y ait six mois de différence.» Bon, m'y voilà; continuons. Je descendis encore, et j'allai à la femme de quarante ans. «Madame, faites-moi la grâce de me dire si c'est pour rire que vous appelez cette demoiselle, qui est à l'autre table, votre nièce? Vous êtes aussi jeune qu'elle; elle a même quelque chose dans le visage de passé, que vous n'avez certainement pas; et ces couleurs vives qui paraissent sur votre teint… – Attendez, me dit-elle : je suis sa tante; mais sa mère avait, pour le moins, vingt-cinq ans plus que moi : nous n'étions pas de même lit; j'ai ouï dire à feue ma sœur que sa fille et moi naquîmes la même année. – Je le disais bien, madame; et je n'avais pas tort d'être étonné.»

Mon cher Usbek, les femmes qui se sentent finir d'avance, par la perte de leurs agréments, voudraient reculer vers la jeunesse. Eh! comment ne chercheraient-elles pas à tromper les autres? elles font tous leurs efforts pour se tromper elles-mêmes, et se dérober à la plus affligeante de toutes les idées.

De Paris, le 3 de la lune
de Chalval 1713.

LETTRE 53

Zélis à Usbek.

À Paris.

[*Mariage d'un eunuque blanc.*]

LETTRE 54

Rica à Usbek.

*À ***.*

J'étais ce matin dans ma chambre, qui, comme tu sais, n'est séparée des autres que par une cloison fort mince, et percée en plusieurs endroits ; de sorte qu'on entend tout ce qui se dit dans la chambre voisine. Un homme, qui se promenait à grands pas, disait à un autre : «Je ne sais ce que c'est ; mais tout se tourne contre moi. Il y a plus de trois jours que je n'ai rien dit qui m'ait fait honneur ; et je me suis trouvé confondu pêle-mêle dans toutes les conversations, sans qu'on ait fait la moindre attention à moi, et qu'on m'ait deux fois adressé la parole. J'avais préparé quelques saillies[1] pour relever mon discours ; jamais on n'a voulu souffrir que je les fisse venir : j'avais un conte fort joli à faire ; mais, à mesure que j'ai voulu l'approcher, on l'a esquivé comme si on l'avait fait exprès : j'ai quelques bons mots, qui, depuis quatre jours, vieillissent dans ma tête, sans que j'en aie pu faire le moindre usage. Si cela continue, je crois qu'à la fin je serai un sot ; il semble que ce soit mon

1. Saillies : mots d'esprit.

étoile, et que je ne puisse m'en dispenser. Hier, j'avais espéré de briller avec trois ou quatre vieilles femmes, qui certainement ne m'en imposent point, et je devais dire les plus jolies choses du monde : je fus plus d'un quart d'heure à diriger ma conversation ; mais elles ne tinrent jamais un propos suivi, et elles coupèrent, comme des Parques fatales [1], le fil de tous mes discours. Veux-tu que je te dise ? la réputation de bel esprit coûte bien à soutenir. Je ne sais comment tu as fait pour y parvenir. – Il me vient une pensée, reprit l'autre : travaillons de concert à nous donner de l'esprit ; associons-nous pour cela. Chaque jour nous nous dirons de quoi nous devons parler : et nous nous secourrons si bien, que, si quelqu'un vient nous interrompre au milieu de nos idées, nous l'attirerons nous-mêmes ; et, s'il ne veut pas venir de bon gré, nous lui ferons violence. Nous conviendrons des endroits où il faudra approuver, de ceux où il faudra sourire, des autres où il faudra rire tout à fait et à gorge déployée. Tu verras que nous donnerons le ton à toutes les conversations, et qu'on admirera la vivacité de notre esprit, et le bonheur de nos reparties. Nous nous protégerons par des signes de tête mutuels. Tu brilleras aujourd'hui, demain tu seras mon second. J'entrerai avec toi dans une maison, et je m'écrierai, en te montrant : "Il faut que je vous dise une réponse bien plaisante que monsieur vient de faire à un homme que nous avons trouvé dans la rue." Et je me tournerai vers toi : "Il ne s'y attendait pas, il a été bien étonné." Je réciterai quelques-uns de mes vers, et tu diras : "J'y étais quand il les fit ; c'était dans un souper, et il ne rêva [2] pas un moment." Souvent même nous nous raillerons

1. Des Parques fatales : dans la mythologie grecque, divinités représentant le destin, qui dévident et coupent le fil de la vie humaine.
2. Il ne rêva pas un moment : il ne réfléchit pas…

toi et moi, et l'on dira : "Voyez comme ils s'attaquent, comme ils se défendent ; ils ne s'épargnent pas : voyons comment il sortira de là ; à merveilles ; quelle présence d'esprit ! voilà une véritable bataille." Mais on ne dira pas que nous nous étions escarmouchés la veille. Il faudra acheter de certains livres, qui sont des recueils de bons mots, composés à l'usage de ceux qui n'ont point d'esprit, et qui en veulent contrefaire ; tout dépend d'avoir des modèles. Je veux qu'avant six mois nous soyons en état de tenir une conversation d'une heure, toute remplie de bons mots. Mais il faudra avoir une attention ; c'est de soutenir leur fortune : ce n'est pas assez de dire un bon mot ; il faut le répandre et le semer partout ; sans cela, autant de perdu ; et je t'avoue qu'il n'y a rien de si désolant que de voir une jolie chose, qu'on a dite, mourir dans l'oreille d'un sot qui l'entend. Il est vrai que souvent il y a une compensation, et que nous disons aussi bien des sottises qui passent *incognito* ; et c'est la seule chose qui peut nous consoler dans cette occasion. Voilà, mon cher, le parti qu'il nous faut prendre. Fais ce que je te dirai, et je te promets, avant six mois, une place à l'Académie : c'est pour te dire que le travail ne sera pas long : car pour lors tu pourras renoncer à ton art ; tu seras homme d'esprit, malgré que tu en aies [1]. On remarque, en France, que, dès qu'un homme entre dans une compagnie, il prend d'abord ce qu'on appelle l'esprit du corps : tu feras de même ; et je ne crains pour toi que l'embarras des applaudissements. »

De Paris, le 6 de la lune
de Zilcadé 1714.

1. Malgré que tu en aies : malgré ta volonté (« si mauvais gré que tu en aies »).

LETTRE 55

Rica à Ibben.

À Smyrne.

Chez les peuples d'Europe, le premier quart d'heure du mariage aplanit toutes les difficultés ; les dernières faveurs sont toujours de même date que la bénédiction nuptiale : les femmes n'y font point comme nos Persanes, qui disputent le terrain quelquefois des mois entiers : il n'y a rien de si plénier [1] : si elles ne perdent rien, c'est qu'elles n'ont rien à perdre : mais on sait toujours, chose honteuse ! le moment de leur défaite ; et, sans consulter les astres, on peut prédire au juste l'heure de la naissance de leurs enfants.

Les Français ne parlent presque jamais de leurs femmes : c'est qu'ils ont peur d'en parler devant des gens qui les connaissent mieux qu'eux.

Il y a, parmi eux, des hommes très malheureux que personne ne console, ce sont les maris jaloux ; il y en a que tout le monde hait, ce sont les maris jaloux ; il y en a que tous les hommes méprisent, ce sont encore les maris jaloux.

Aussi n'y a-t-il point de pays où ils soient en si petit nombre que chez les Français. Leur tranquillité n'est pas fondée sur la confiance qu'ils ont en leurs femmes ; c'est au contraire sur la mauvaise opinion qu'ils en ont. Toutes les sages précautions des Asiatiques, les voiles qui les couvrent, les prisons où elles sont détenues, la vigilance des eunuques, leur paraissent des moyens plus propres à exercer l'industrie de ce sexe, qu'à la lasser. Ici, les maris prennent leur parti de bonne grâce, et regardent les infidélités

1. Il n'y a rien de si plénier : sans obstacle, «plan».

comme des coups d'une étoile inévitable. Un mari, qui voudrait seul posséder sa femme, serait regardé comme un perturbateur de la joie publique, et comme un insensé qui voudrait jouir de la lumière du soleil, à l'exclusion des autres hommes.

Ici, un mari qui aime sa femme est un homme qui n'a pas assez de mérite pour se faire aimer d'une autre ; qui abuse de la nécessité de la loi, pour suppléer aux agréments qui lui manquent ; qui se sert de tous ses avantages, au préjudice d'une société entière ; qui s'approprie ce qui ne lui avait été donné qu'en engagement ; et qui agit, autant qu'il est en lui, pour renverser une convention tacite, qui fait le bonheur de l'un et de l'autre sexe. Ce titre de mari d'une jolie femme, qui se cache en Asie avec tant de soin, se porte ici sans inquiétude. On se sent en état de faire diversion partout. Un prince se console de la perte d'une place, par la prise d'une autre : dans le temps que le Turc nous prenait Bagdad, n'enlevions-nous pas au Mogol la forteresse de Candahar ?

Un homme qui, en général, souffre les infidélités de sa femme, n'est point désapprouvé ; au contraire, on le loue de sa prudence : il n'y a que les cas particuliers qui déshonorent.

Ce n'est pas qu'il n'y ait des dames vertueuses, et on peut dire qu'elles sont distinguées ; mon conducteur me les faisait toujours remarquer : mais elles étaient toutes si laides, qu'il faut être un saint pour ne pas haïr la vertu.

Après ce que je t'ai dit des mœurs de ce pays-ci, tu t'imagines facilement que les Français ne s'y piquent guère de constance. Ils croient qu'il est aussi ridicule de jurer à une femme qu'on l'aimera toujours, que de soutenir qu'on se portera toujours bien, on qu'on sera toujours heureux. Quand ils promettent à une femme qu'ils l'aimeront tou-

jours, ils supposent qu'elle, de son côté, leur promet d'être toujours aimable ; et, si elle manque à sa parole, ils ne se croient plus engagés à la leur.

De Paris, le 7 de la lune
de Zilcadé 1714.

LETTRE 56

Usbek à Ibben.

À Smyrne.

Le jeu est très en usage en Europe : c'est un état que d'être joueur ; ce seul titre tient lieu de naissance, de bien, de probité : il met tout homme qui le porte au rang des honnêtes gens, sans examen ; quoiqu'il n'y ait personne qui ne sache qu'en jugeant ainsi, il s'est trompé très souvent : mais on est convenu d'être incorrigible.

Les femmes y sont surtout très adonnées. Il est vrai qu'elles ne s'y livrent guère dans leur jeunesse, que pour favoriser une passion plus chère ; mais, à mesure qu'elles vieillissent, leur passion pour le jeu semble rajeunir, et cette passion remplit tout le vide des autres.

Elles veulent ruiner leurs maris ; et, pour y parvenir, elles ont des moyens pour tous les âges, depuis la plus tendre jeunesse, jusqu'à la vieillesse la plus décrépite : les habits et les équipages commencent le dérangement, la coquetterie l'augmente, le jeu l'achève.

J'ai vu souvent neuf ou dix femmes, ou plutôt neuf ou dix siècles, rangées autour d'une table ; je les ai vues dans leurs espérances, dans leurs craintes, dans leurs joies, surtout dans leurs fureurs : tu aurais dit qu'elles n'auraient jamais

le temps de s'apaiser, et que la vie allait les quitter avant leur désespoir : tu aurais été en doute si ceux qu'elles payaient étaient leurs créanciers, ou leurs légataires.

Il semble que notre saint prophète ait eu principalement en vue de nous priver de tout ce qui peut troubler notre raison : il nous a interdit l'usage du vin, qui la tient ensevelie ; il nous a, par un précepte exprès, défendu les jeux de hasard ; et, quand il lui a été impossible d'ôter la cause des passions, il les a amorties. L'amour, parmi nous, ne porte ni trouble, ni fureur : c'est une passion languissante, qui laisse notre âme dans le calme : la pluralité des femmes nous sauve de leur empire ; elle tempère la violence de nos désirs.

De Paris, le 10 de la lune
de Zilhagé 1714.

LETTRE 57

Usbek à Rhédi.

À Venise.

Les libertins entretiennent ici un nombre infini de filles de joie, et les dévots un nombre innombrable de dervis. Ces dervis font trois vœux, d'obéissance, de pauvreté et de chasteté. On dit que le premier est le mieux observé de tous ; quant au second, je te réponds qu'il ne l'est point ; je te laisse à juger du troisième.

Mais, quelque riches que soient ces dervis, ils ne quittent jamais la qualité de pauvres ; notre glorieux sultan renoncerait plutôt à ses magnifiques et sublimes titres : ils ont raison ; car ce titre de pauvres les empêche de l'être.

Les médecins et quelques-uns de ces dervis, qu'on

appelle confesseurs, sont toujours ici ou trop estimés, ou trop méprisés : cependant on dit que les héritiers s'accommodent mieux des médecins que des confesseurs.

Je fus l'autre jour dans un couvent de ces dervis. Un d'entre eux, vénérable par ses cheveux blancs, m'accueillit fort honnêtement. Il me fit voir toute la maison. Nous entrâmes dans le jardin, et nous nous mîmes à discourir. «Mon père, lui dis-je, quel emploi avez-vous dans la communauté ? – Monsieur, me répondit-il avec un air très content de ma question, je suis casuiste[1]. – Casuiste ? repris-je. Depuis que je suis en France, je n'ai pas ouï parler de cette charge. – Quoi ! vous ne savez pas ce que c'est qu'un casuiste ? Hé bien, écoutez ; je vais vous en donner une idée, qui ne vous laissera rien à désirer. Il y a deux sortes de péchés ; de mortels, qui excluent absolument du paradis ; et de véniels, qui offensent Dieu à la vérité, mais ne l'irritent pas au point de nous priver de la béatitude. Or tout notre art consiste à bien distinguer ces deux sortes de péchés ; car, à la réserve de quelques libertins[2], tous les chrétiens veulent gagner le paradis : mais il n'y a guère personne qui ne le veuille gagner à meilleur marché qu'il est possible. Quand on connaît bien les péchés mortels, on tâche de ne pas commettre de ceux-là, et l'on fait son affaire. Il y a des hommes qui n'aspirent pas à une si grande perfection ; et, comme ils n'ont point d'ambition, ils ne se soucient pas des premières places ; aussi entrent-ils en paradis le plus juste qu'ils peuvent ; pourvu qu'ils y soient, cela leur suffit : leur but est de n'en faire ni plus ni moins. Ce sont des gens qui ravissent le ciel, plutôt qu'ils ne l'obtiennent, et qui disent à Dieu : "Seigneur, j'ai accompli les

1. Casuistes : théologien, spécialiste des cas de conscience.
2. Quelques libertins : au sens originel (« qui revendique la liberté de pensée »).

conditions à la rigueur ; vous ne pouvez vous empêcher de tenir vos promesses : comme je n'en ai pas fait plus que vous n'en avez demandé, je vous dispense de m'en accorder plus que vous n'en avez promis."

«Nous sommes donc des gens nécessaires, monsieur. Ce n'est pas tout pourtant ; vous allez bien voir autre chose. L'action ne fait pas le crime, c'est la connaissance de celui qui la commet : celui qui fait un mal, tandis qu'il peut croire que ce n'en est pas un, est en sûreté de conscience : et, comme il y a un nombre infini d'actions équivoques, un casuiste peut leur donner un degré de bonté qu'elles n'ont point, en les déclarant bonnes ; et, pourvu qu'il puisse persuader qu'elles n'ont pas de venin, il le leur ôte tout entier.

«Je vous dis ici le secret d'un métier où j'ai vieilli ; je vous en fais voir les raffinements ; il y a un tour à donner à tout, même aux choses qui en paraissent les moins susceptibles. – Mon père, lui dis-je, cela est fort bon : mais comment vous accommodez-vous avec le ciel ? Si le sophi [1] avait à sa cour un homme qui fît à son égard ce que vous faites contre votre dieu, qui mît de la différence entre ses ordres, et qui apprît à ses sujets dans quel cas ils doivent les exécuter, et dans quel autre ils peuvent les violer, il le ferait empaler sur l'heure. » Je saluai mon dervis, et le quittai sans attendre sa réponse.

De Paris, le 23 de la lune
de Maharram 1714.

1. Sophi : titre du roi de Perse.

LETTRE 58

Rica à Rhédi.

À Venise.

À Paris, mon cher Rhédi, il y a bien des métiers. Là, un homme obligeant vient, pour un peu d'argent, vous offrir le secret de faire de l'or.

Un autre vous promet de vous faire coucher avec les esprits aériens, pourvu que vous soyez seulement trente ans sans voir de femmes.

Vous trouverez encore des devins si habiles, qu'ils vous diront toute votre vie, pourvu qu'ils aient seulement eu un quart d'heure de conversation avec vos domestiques.

Des femmes adroites font de la virginité une fleur qui périt et renaît tous les jours, et se cueille la centième fois plus douloureusement que la première.

Il y en a d'autres, qui, réparant par la force de leur art toutes les injures du temps, savent rétablir sur un visage une beauté qui chancelle ; et même rappeler une femme du sommet de la vieillesse, pour la faire redescendre jusqu'à la jeunesse la plus tendre.

Tous ces gens-là vivent, ou cherchent à vivre, dans une ville qui est la mère de l'invention.

Les revenus des citoyens ne s'y afferment[1] point : ils ne consistent qu'en esprit et en industrie[2] : chacun a la sienne, qu'il fait valoir de son mieux.

Qui voudrait nombrer tous les gens de loi qui poursuivent

1. La « ferme » : la concession de l'impôt à des particuliers, les fermiers généraux. « Affermer » signifie donc : assujettir à l'impôt.
2. Industrie : activité.

le revenu de quelque mosquée, aurait aussitôt compté les sables de la mer, et les esclaves de notre monarque.

Un nombre infini de maîtres de langues, d'arts et de sciences, enseignent ce qu'ils ne savent pas : et ce talent est bien considérable ; car il ne faut pas beaucoup d'esprit pour montrer ce qu'on sait, mais il en faut infiniment pour enseigner ce qu'on ignore.

On ne peut mourir ici que subitement ; la mort ne saurait autrement exercer son empire : car il y a, dans tous les coins, des gens qui ont des remèdes infaillibles contre toutes les maladies imaginables.

Toutes les boutiques sont tendues de filets invisibles, où se vont prendre tous les acheteurs. L'on en sort pourtant quelquefois à bon marché : une jeune marchande cajole un homme une heure entière, pour lui faire acheter un paquet de cure-dents.

Il n'y a personne qui ne sorte de cette ville plus précautionné qu'il n'y est entré : à force de faire part de son bien aux autres, on apprend à le conserver ; seul avantage des étrangers dans cette ville enchanteresse.

De Paris, le 10 de la lune
de Saphar 1714.

LETTRE 59

Rica à Usbek.

*À ***.*

J'étais l'autre jour dans une maison, où il y avait un cercle de gens de toute espèce : je trouvai la conversation occupée par deux vieilles femmes, qui avaient en vain travaillé tout

le matin à se rajeunir. « Il faut avouer, disait une d'entre elles, que les hommes d'aujourd'hui sont bien différents de ceux que nous voyions dans notre jeunesse : ils étaient polis, gracieux, complaisants ; mais, à présent, je les trouve d'une brutalité insupportable. – Tout est changé, dit pour lors un homme qui paraissait accablé de goutte[1] ; le temps n'est plus comme il était : il y a quarante ans, tout le monde se portait bien, on marchait, on était gai, on ne demandait qu'à rire et à danser : à présent, tout le monde est d'une tristesse insupportable. » Un moment après, la conversation tourna du côté de la politique. « Morbleu, dit un vieux seigneur, l'État n'est plus gouverné : trouvez-moi à présent un ministre comme monsieur Colbert[2] ; je le connaissais beaucoup, ce monsieur Colbert ; il était de mes amis ; il me faisait toujours payer de mes pensions avant qui que ce fût : le bel ordre qu'il y avait dans les finances ! tout le monde était à son aise ; mais, aujourd'hui, je suis ruiné. – Monsieur, dit pour lors un ecclésiastique, vous parlez là du temps le plus miraculeux de notre invincible monarque : y a-t-il rien de si grand que ce qu'il faisait alors pour détruire l'hérésie ? – Et comptez-vous pour rien l'abolition des duels ? dit, d'un air content, un autre homme, qui n'avait point encore parlé. – La remarque est judicieuse, me dit quelqu'un à l'oreille : cet homme est charmé de l'édit ; et il l'observe si bien, qu'il y a six mois qu'il reçut cent coups de bâton, pour ne le pas violer. »

Il me semble, Usbek, que nous ne jugeons jamais des choses que par un retour secret que nous faisons sur nous-mêmes. Je ne suis pas surpris que les nègres peignent

1. Goutte : maladie qui attaque les membres inférieurs, surtout chez les personnes âgées.
2. Colbert : ministre de Louis XIV mort en 1683.

le diable d'une blancheur éblouissante, et leurs dieux noirs comme du charbon; que la Vénus de certains peuples ait des mamelles qui lui pendent jusques aux cuisses; et qu'enfin tous les idolâtres aient représenté leurs dieux avec une figure humaine, et leur aient fait part de toutes leurs inclinations. On a dit fort bien que, si les triangles faisaient un dieu, ils lui donneraient trois côtés.

Mon cher Usbek, quand je vois des hommes qui rampent sur un atome, c'est-à-dire la terre, qui n'est qu'un point de l'univers, se proposer directement pour modèles de la Providence, je ne sais comment accorder tant d'extravagance, avec tant de petitesse.

De Paris, le 14 de la lune
de Saphar 1714.

LETTRE 60

Usbek à Ibben.

À Smyrne.

Tu me demandes s'il y a des Juifs en France? Sache que partout où il y a de l'argent, il y a des Juifs. Tu me demandes ce qu'ils y font? Précisément ce qu'ils font en Perse : rien ne ressemble plus à un Juif d'Asie, qu'un Juif européen.

Ils font paraître, chez les chrétiens, comme parmi nous, une obstination invincible pour leur religion, qui va jusqu'à la folie.

La religion juive est un vieux tronc qui a produit deux branches qui ont couvert toute la terre, je veux dire le mahométisme, et le christianisme : ou plutôt, c'est une mère qui a engendré deux filles qui l'ont accablée de mille plaies : car, en fait de religion, les plus proches sont les plus grandes

ennemies. Mais, quelque mauvais traitements qu'elle en ait reçus, elle ne laisse pas de se glorifier de les avoir mises au monde : elle se sert de l'une et de l'autre, pour embrasser le monde entier, tandis que, d'un autre côté, sa vieillesse vénérable embrasse tous les temps.

Les Juifs se regardent donc comme la source de toute sainteté, et l'origine de toute religion : ils nous regardent, au contraire, comme des hérétiques qui ont changé la loi, ou plutôt comme des Juifs rebelles.

Si le changement s'était fait insensiblement, ils croient qu'ils auraient été facilement séduits : mais, comme il s'est fait tout à coup et d'une manière violente, comme ils peuvent marquer le jour et l'heure de l'une et de l'autre naissance, ils se scandalisent de trouver en nous des âges, et se tiennent fermes à une religion que le monde même n'a pas précédée.

Ils n'ont jamais eu dans l'Europe un calme pareil à celui dont ils jouissent. On commence à se défaire, parmi les chrétiens, de cet esprit d'intolérance qui les animait : on s'est mal trouvé en Espagne de les avoir chassés, et en France d'avoir fatigué[1] des chrétiens dont la croyance différait un peu de celle du prince. On s'est aperçu que le zèle pour les progrès de la religion est différent de l'attachement qu'on doit avoir pour elle ; et que, pour l'aimer et l'observer, il n'est pas nécessaire de haïr et de persécuter ceux qui ne l'observent pas.

Il serait à souhaiter que nos musulmans pensassent aussi sensément, sur cet article, que les chrétiens ; que l'on pût une bonne fois faire la paix entre Hali et Abubeker[2], et lais-

1. Avoir fatigué : harcelé.
2. Abubecker : les Turcs (sunnites) reconnaissent l'autorité d'Abou Bekr, beau-père de Mahomet, les Persans (chiites) celle d'Ali, gendre du Prophète.

ser à Dieu le soin de décider des mérites de ces saints prophètes. Je voudrais qu'on les honorât par des actes de vénération et de respect, et non pas par de vaines préférences ; et qu'on cherchât à mériter leur faveur, quelque place que Dieu leur ait marquée, soit à la droite, ou bien sous le marchepied de son trône.

De Paris, le 18 de la lune
de Saphar 1714.

LETTRE 61

Usbek à Rhédi.

À Venise.

J'entrai l'autre jour dans une église fameuse, qu'on appelle Notre-Dame : pendant que j'admirais ce superbe édifice, j'eus occasion de m'entretenir avec un ecclésiastique, que la curiosité y avait attiré comme moi. La conversation tomba sur la tranquillité de sa profession. «La plupart des gens, me dit-il, envient le bonheur de notre état, et ils ont raison. Cependant il a ses désagréments : nous ne sommes point si séparés du monde, que nous n'y soyons appelés en mille occasions : là, nous avons un rôle très difficile à soutenir.

«Les gens du monde sont étonnants : ils ne peuvent souffrir notre approbation, ni nos censures : si nous les voulons corriger, ils nous trouvent ridicules ; si nous les approuvons, ils nous regardent comme des gens au-dessous de notre caractère. Il n'y a rien de si humiliant que de penser qu'on a scandalisé les impies mêmes. Nous sommes donc obligés de tenir une conduite équivoque, et d'en imposer aux libertins, non pas par un caractère décidé, mais par l'incertitude

où nous les mettons de la manière dont nous recevons leurs discours. Il faut avoir beaucoup d'esprit pour cela ; cet état de neutralité est difficile : les gens du monde, qui hasardent tout, qui se livrent à toutes leurs saillies, qui selon le succès les poussent ou les abandonnent, réussissent bien mieux.

« Ce n'est pas tout. Cet état si heureux et si tranquille, que l'on vante tant, nous ne le conservons pas dans le monde. Dès que nous y paraissons, on nous fait disputer : on nous fait entreprendre, par exemple, de prouver l'utilité de la prière, à un homme qui ne croit pas en Dieu ; la nécessité du jeûne, à un autre qui a nié toute sa vie l'immortalité de l'âme : l'entreprise est laborieuse, et les rieurs ne sont pas pour nous. Il y a plus : une certaine envie d'attirer les autres dans nos opinions nous tourmente sans cesse, et est, pour ainsi dire, attachée à notre profession. Cela est aussi ridicule, que si on voyait les Européens travailler, en faveur de la nature humaine, à blanchir le visage des Africains. Nous troublons l'État ; nous nous tourmentons nous-mêmes, pour faire recevoir des points de religion qui ne sont point fondamentaux ; et nous ressemblons à ce conquérant de la Chine, qui poussa ses sujets à une révolte générale, pour les avoir voulu obliger à se rogner les cheveux ou les ongles.

« Le zèle même que nous avons, pour faire remplir à ceux dont nous sommes chargés les devoirs de notre sainte religion, est souvent dangereux ; et il ne saurait être accompagné de trop de prudence. Un empereur nommé Théodose fit passer au fil de l'épée tous les habitants d'une ville, même les femmes et les enfants : s'étant ensuite présenté pour entrer dans une église, un évêque nommé Ambroise lui fit fermer les portes, comme à un meurtrier et un sacrilège ; et, en cela, il fit une action héroïque. Cet empereur, ayant ensuite fait la pénitence qu'un tel crime exigeait, étant

admis dans l'église, alla se placer parmi les prêtres ; le même évêque l'en fit sortir : et, en cela, il fit l'action d'un fanatique ; tant il est vrai que l'on doit se défier de son zèle. Qu'importait à la religion, ou à l'État, que ce prince eût, ou n'eût pas, une place parmi les prêtres ? »

De Paris, le 1 de la lune
de Rebiab, 1, 1714.

LETTRE 62

Zélis à Usbek.

À Paris.

Ta fille ayant atteint sa septième année, j'ai cru qu'il était temps de la faire passer dans les appartements intérieurs du sérail, et de ne point attendre qu'elle ait dix ans, pour la confier aux eunuques noirs. On ne saurait de trop bonne heure priver une jeune personne des libertés de l'enfance, et lui donner une éducation sainte dans les sacrés murs où la pudeur habite.

Car je ne puis être de l'avis de ces mères, qui ne renferment leurs filles que lorsqu'elles sont sur le point de leur donner un époux ; qui, les condamnant au sérail plutôt qu'elles ne les y consacrent, leur font embrasser violemment une manière de vie qu'elles auraient dû leur inspirer. Faut-il tout attendre de la force de la raison, et rien de la douceur de l'habitude ?

C'est en vain que l'on nous parle de la subordination où la nature nous a mises : ce n'est pas assez de nous la faire sentir ; il faut nous la faire pratiquer, afin qu'elle nous soutienne dans ce temps critique où les passions commencent à naître, et à nous encourager à l'indépendance.

Si nous n'étions attachées à vous que par le devoir, nous pourrions quelquefois l'oublier : si nous n'y étions entraînées que par le penchant, peut-être un penchant plus fort pourrait l'affaiblir. Mais, quand les lois nous donnent à un homme, elles nous dérobent à tous les autres, et nous mettent aussi loin d'eux que si nous en étions à cent mille lieues.

La nature, industrieuse en faveur des hommes, ne s'est pas bornée à leur donner des désirs ; elle a voulu que nous en eussions nous-mêmes, et que nous fussions des instruments animés de leur félicité : elle nous a mis dans le feu des passions, pour les faire vivre tranquilles : s'ils sortent de leur insensibilité, elle nous a destinées à les y faire rentrer, sans que nous puissions jamais goûter cet heureux état où nous les mettons.

Cependant, Usbek, ne t'imagine pas que ta situation soit plus heureuse que la mienne : j'ai goûté ici mille plaisirs que tu ne connais pas. Mon imagination a travaillé sans cesse à m'en faire connaître le prix : j'ai vécu, et tu n'as fait que languir.

Dans la prison même où tu me retiens, je suis plus libre que toi. Tu ne saurais redoubler tes attentions pour me faire garder, que je ne jouisse de tes inquiétudes : et tes soupçons, ta jalousie, tes chagrins, sont autant de marques de ta dépendance.

Continue, cher Usbek : fais veiller sur moi nuit et jour : ne te fie pas même aux précautions ordinaires : augmente mon bonheur, en assurant le tien ; et sache que je ne redoute rien que ton indifférence.

Du sérail d'Ispahan, le 2 de la lune
de Rebiab, 1, 1714.

Rica à Usbek.

*À ****.

Je crois que tu veux passer ta vie à la campagne. Je ne te perdais au commencement que pour deux ou trois jours, et en voilà quinze que je ne t'ai vu. Il est vrai que tu es dans une maison charmante, que tu y trouves une société qui te convient, que tu y raisonnes tout à ton aise : il n'en faut pas davantage pour te faire oublier tout l'univers.

Pour moi, je mène à peu près la même vie que tu m'as vu mener : je me répands dans le monde, et je cherche à le connaître : mon esprit perd insensiblement tout ce qui lui reste d'asiatique, et se plie sans effort aux mœurs européennes. Je ne suis plus si étonné de voir, dans une maison, cinq ou six femmes, avec cinq ou six hommes ; et je trouve que cela n'est pas mal imaginé.

Je le puis dire : je ne connais les femmes que depuis que je suis ici : j'en ai plus appris dans un mois, que je n'aurais fait en trente ans dans un sérail.

Chez nous, les caractères sont tous uniformes, parce qu'ils sont forcés : on ne voit point les gens tels qu'ils sont, mais tels qu'on les oblige d'être : dans cette servitude du cœur et de l'esprit, on n'entend parler que la crainte, qui n'a qu'un langage ; et non pas la nature, qui s'exprime si différemment, et qui paraît sous tant de formes.

La dissimulation, cet art parmi nous si pratiqué et si nécessaire, est ici inconnue : tout parle, tout se voit, tout s'entend : le cœur se montre comme le visage : dans les

mœurs, dans la vertu, dans le vice même, on aperçoit toujours quelque chose de naïf[1].

Il faut, pour plaire aux femmes, un certain talent différent de celui qui leur plaît encore davantage : il consiste dans une espèce de badinage dans l'esprit, qui les amuse, en ce qu'il semble leur promettre à chaque instant ce qu'on ne peut tenir que dans de trop longs intervalles.

Ce badinage, naturellement fait pour les toilettes[2], semble être parvenu à former le caractère général de la nation : on badine au conseil, on badine à la tête d'une armée, on badine avec un ambassadeur. Les professions ne paraissent ridicules qu'à proportion du sérieux qu'on y met : un médecin ne le serait plus, si ses habits étaient moins lugubres[3], et s'il tuait ses malades en badinant.

De Paris, le 10 de la lune
de Rebiab, 1, 1714.

LETTRE 64

Le chef des Eunuques noirs à Usbek.

À Paris.

Je suis dans un embarras que je ne saurais t'exprimer, magnifique seigneur : le sérail est dans un désordre et une confusion épouvantables : la guerre règne entre tes femmes : tes eunuques sont partagés : on n'entend que plaintes, que murmures, que reproches : mes remontrances sont méprisées : tout semble permis dans ce temps de licence : et je n'ai plus qu'un vain titre dans le sérail.

1. Naïf : sincère (aucun sens péjoratif).
2. Toilettes : lieu où les femmes reçoivent leurs familiers, quand on les coiffe.
3. Habits lugubres : le médecin est vêtu de noir.

Il n'y a aucune de tes femmes qui ne se juge au-dessus des autres par sa naissance, par sa beauté, par ses richesses, par son esprit, par ton amour, et qui ne fasse valoir quelques-uns de ces titres pour avoir toutes les préférences : je perds à chaque instant cette longue patience, avec laquelle néanmoins j'ai eu le malheur de les mécontenter toutes : ma prudence, ma complaisance même, vertu si rare et si étrangère dans le poste que j'occupe, ont été inutiles.

Veux-tu que je te découvre, magnifique seigneur, la cause de tous ces désordres ? Elle est toute dans ton cœur, et dans les tendres égards que tu as pour elles. Si tu ne me retenais pas la main : si, au lieu de la voie des remontrances, tu me laissais celle des châtiments : si, sans te laisser attendrir à leurs plaintes et à leurs larmes, tu les envoyais pleurer devant moi, qui ne m'attendris jamais, je les façonnerais bientôt au joug qu'elles doivent porter, et je lasserais leur humeur impérieuse et indépendante.

Enlevé, dès l'âge de quinze ans, du fond de l'Afrique ma patrie, je fus d'abord vendu à un maître, qui avait plus de vingt femmes, ou concubines. Ayant jugé, à mon air grave et taciturne, que j'étais propre au sérail, il ordonna que l'on achevât de me rendre tel, et me fit faire une opération pénible dans les commencements, mais qui me fut heureuse dans la suite, parce qu'elle m'approcha de l'oreille et de la confiance de mes maîtres. J'entrai dans ce sérail, qui fut pour moi un nouveau monde. Le premier eunuque, l'homme le plus sévère que j'aie vu de ma vie, y gouvernait avec un empire absolu. On n'y entendait parler ni de divisions, ni de querelles : un silence profond régnait partout : toutes ces femmes étaient couchées à la même heure d'un bout de l'année à l'autre, et levées à la même heure : elles entraient dans le bain tour à tour, elles en sortaient au

moindre signe que nous leur en faisions : le reste du temps, elles étaient presque toujours enfermées dans leurs chambres. Il avait une règle qui était de les tenir dans une grande propreté[1], et il avait pour cela des attentions inexprimables : le moindre refus d'obéir était puni sans miséricorde. «Je suis, disait-il, esclave; mais je le suis d'un homme qui est votre maître et le mien; et j'use du pouvoir qu'il m'a donné sur vous : c'est lui qui vous châtie, et non pas moi, qui ne fais que prêter ma main.» Ces femmes n'entraient jamais dans la chambre de mon maître, qu'elles n'y fussent appelées; elles recevaient cette grâce avec joie, et s'en voyaient privées sans se plaindre. Enfin moi, qui étais le dernier des noirs dans ce sérail tranquille, j'étais mille fois plus respecté que je ne le suis dans le tien, où je les commande tous.

Dès que ce grand eunuque eut connu mon génie[2], il tourna les yeux de mon côté; il parla de moi à mon maître, comme d'un homme capable de travailler selon ses vues, et de lui succéder dans le poste qu'il remplissait : il ne fut point étonné de ma grande jeunesse; il crut que mon attention me tiendrait lieu d'expérience. Que te dirai-je? je fis tant de progrès dans sa confiance, qu'il ne faisait plus difficulté de mettre dans mes mains les clefs des lieux terribles, qu'il gardait depuis si longtemps. C'est sous ce grand maître que j'appris l'art difficile de commander, et que je me formai aux maximes d'un gouvernement inflexible : j'étudiai sous lui le cœur des femmes; il m'apprit à profiter de leurs faiblesses, et à ne point m'étonner de leurs hauteurs. Souvent il se plaisait à me les voir conduire jusqu'au dernier retranchement de l'obéissance; il les faisait ensuite

1. Propreté : élégance.
2. Génie : aptitudes innées.

revenir insensiblement, et voulait que je parusse, pour quelque temps, plier moi-même. Mais il fallait le voir dans ces moments où il les trouvait tout près du désespoir, entre les prières et les reproches : il soutenait leurs larmes sans s'émouvoir, et se sentait flatté de cette espèce de triomphe. « Voilà, disait-il d'un air content, comment il faut gouverner les femmes : leur nombre ne m'embarrasse pas ; je conduirais de même toutes celles de notre grand monarque. Comment un homme peut-il espérer de captiver leur cœur, si les fidèles eunuques n'ont commencé par soumettre leur esprit ? »

Il avait non seulement de la fermeté, mais aussi de la pénétration. Il lisait leurs pensées et leurs dissimulations ; leurs gestes étudiés, leur visage feint ne lui dérobaient rien. Il savait toutes leurs actions les plus cachées, et leurs paroles les plus secrètes. Il se servait des unes pour connaître les autres, et il se plaisait à récompenser la moindre confidence. Comme elles n'abordaient leur mari que lorsqu'elles étaient averties, l'eunuque y appelait qui il voulait, et tournait les yeux de son maître sur celles qu'il avait en vue ; et cette distinction était la récompense de quelque secret révélé. Il avait persuadé à son maître qu'il était du bon ordre qu'il lui laissât ce choix, afin de lui donner une autorité plus grande. Voilà comme on gouvernait, magnifique seigneur, dans un sérail qui était, je crois, le mieux réglé qu'il y eût en Perse.

Laisse-moi les mains libres : permets que je me fasse obéir : huit jours remettront l'ordre dans le sein de la confusion : c'est ce que ta gloire demande, et que ta sûreté exige.

De ton sérail d'Ispahan, le 9 de la lune
de Rebiab, 1, 1714.

LETTRE 65

Usbek à ses femmes.

Au sérail d'Ispahan.

J'apprends que le sérail est dans le désordre, et qu'il est rempli de querelles et de divisions intestines. Que vous recommandai-je en partant, que la paix et la bonne intelligence ? Vous me le promîtes ; était-ce pour me tromper ?

C'est vous qui seriez trompées, si je voulais suivre les conseils que me donne le grand eunuque ; si je voulais employer mon autorité, pour vous faire vivre comme mes exhortations le demandaient de vous.

Je ne sais me servir de ces moyens violents, que lorsque j'ai tenté tous les autres. Faites donc, en votre considération, ce que vous n'avez pas voulu faire à la mienne.

Le premier eunuque a grand sujet de se plaindre : il dit que vous n'avez aucun égard pour lui. Comment pouvez-vous accorder cette conduite avec la modestie de votre état ? N'est-ce pas à lui que, pendant mon absence, votre vertu est confiée ? C'est un trésor sacré, dont il est le dépositaire. Mais ces mépris, que vous lui témoignez, font voir que ceux qui sont chargés de vous faire vivre dans les lois de l'honneur vous sont à charge.

Changez donc de conduite, je vous prie ; et faites en sorte que je puisse une autre fois rejeter les propositions que l'on me fait contre votre liberté et votre repos.

Car je voudrais vous faire oublier que je suis votre maître, pour me souvenir seulement que je suis votre époux.

De Paris, le 5 de la lune
de Chahban 1714.

Arrêt
sur
lecture 2

Après l'Italie, voici Paris, et plus précisément le Paris de Louis XIV. Les observateurs sont à pied d'œuvre. Ils découvrent, avec stupéfaction d'abord, une réalité étrangère, dans laquelle ils vont entrer progressivement. La **société parisienne** est passée au crible, en une série de **tableaux et de portraits** que l'on pourrait croire indépendants, mais qui pourtant composent une frise solidement unifiée par quelques idées-forces.

De la vanité à l'artifice

Du mécanique plaqué sur du vivant?

Que les Français sont étranges pour qui les regarde faire sans avoir la clef de leur comportement! Imaginez un film dont on aurait coupé le son (lettre 28) : Rica au théâtre assiste à des «scènes muettes» – en fait le manège de spectateurs fort peu intéressés par le spectacle, qui profitent de l'occasion pour manifester leur passion ou leur chagrin; non seulement il n'a aucun élément pour comprendre ce manège, qui relève du jeu social, mais il l'interprète

comme étant l'objet essentiel du spectacle, ce qui en fait ressortir toute l'absurdité. De même, certains passages de la lettre 24 évoquent à un lecteur moderne un film de Charlie Chaplin : celui-ci serait pris dans l'engrenage d'un monde où les hommes sont devenus des mécaniques qui « courent » ou « volent », désignés seulement par des expressions indéfinies (« on », « un homme », « un autre ») qui font disparaître les individus, réduits à des « coups de coude ».

Et si l'on appliquait ce principe à l'ensemble de la société ? Si l'on considérait comme des marionnettes ces Parisiens persuadés de leur importance et de leur esprit, ou ces femmes qui cachent sous leur maquillage une vieillesse qu'elles nient ? C'est un procédé dont l'impertinent Rica use volontiers, mais qu'Usbek, plus pondéré, hésite à utiliser : un tel procédé ne suffirait pas pour rendre compte en profondeur d'une société que ses défauts mêmes rendent fascinante.

Paris, centre du monde ?

Premières impressions des voyageurs : la grossièreté des Parisiens, agités, frénétiques, contents d'eux-mêmes (24, 48)... quand ils ne prêtent pas attention au Persan. Mais quand l'observateur est observé (30), leur ignorance et leur curiosité sont sans bornes, et ils sont plus grossiers encore. Tour à tour témoin (32), spectateur plus ou moins complaisant (48) ou auditeur indiscret (54), voire metteur en scène (52), le Persan (il s'agit en fait plus souvent de Rica) feint de s'effacer pour laisser la parole à des Français trop heureux de se faire valoir, et qui exhibent leurs défauts qu'ils croient être des qualités, comme cet homme qui se vante de sa modestie (50). Parfois Usbek est partagé entre l'indignation et la pitié : quelle naïveté de croire que les valeurs des Français sont universelles, que le monde entier les attend, que chaque individu et chaque peuple est supérieur aux autres !

Or il ne s'agit pas du tout d'enfantillages : c'est d'après de tels

principes que les ordres religieux envoient des missionnaires convertir les Chinois (49) et que juifs, musulmans et chrétiens se persécutent mutuellement (46, 60) – nous y reviendrons –, que la société et les nations se divisent au lieu d'œuvrer au bien commun (44), ou s'adonnent aveuglément aux pratiques les plus absurdes, comme ce prince indien qui se fait peser «comme un bœuf» (40). En cela, Paris est sans doute un lieu d'observation privilégié, car on y retrouve, grossis comme en un miroir déformant, tous les défauts humains.

Une coquille vide

Le principal défaut ne serait-il pas la vanité ? Étymologiquement, «vain» (du latin *vanus*) signifie *vide, creux, trompeur*. Pour dissimuler le vide de leur vie et de leur pensée, les Parisiens se répandent en paroles (36). Ils se grisent de leur esprit, ou prétendu tel (54), ou de leur grandeur, dont les éloges funèbres sont censés témoigner (40). Le meilleur exemple de cette vie sociale sonore et creuse est le jeu (56), qui fait rage dans tous les milieux, de la cour à l'hospice des Quinze-vingts. Les théologiens et les moralistes le considèrent comme une corruption dangereuse ; quelque soixante ans plus tôt, dans les *Pensées*, Pascal en faisait un des éléments du «divertissement» qui détourne l'homme du malheur de sa condition. Ici, c'est un fléau social, où l'on consume des fortunes, où les passions se déchaînent, où la frontière entre honnêteté et malhonnêteté est abolie. La réprobation d'Usbek se fonde sur son propre préjugé de musulman, à qui sa religion interdit les jeux de hasard. Mais cette proscription qui paraît d'abord arbitraire, comme celle du vin, n'est-elle pas elle aussi fondée en raison ?

Il y a plus grave encore : l'énergie des Parisiens semble s'évaporer en pure perte (et là nous les voyons encore fonctionner comme des sortes d'automates) : «ils ne se rendent pas utiles à leur patrie, et [...] ils amusent leurs talents à des choses puériles» (36). Pourtant,

est-il « puéril » de s'intéresser à Homère ? Quand on regarde les cahiers de notes de Montesquieu, conservés jusqu'à ces dernières années dans son château de La Brède, on s'aperçoit qu'il a recopié des pages entières de traductions d'Homère et qu'il les commente volontiers. Ce qui est critiquable, c'est « la manière de disputer », de s'opposer bruyamment en clans ennemis, d'échanger des injures au lieu d'arguments rationnels, et de faire un sujet de dispute de ce qui devrait être examiné méthodiquement et sereinement – et surtout de s'en occuper exclusivement, comme si le sort du monde en dépendait.

Vanité et puérilité sont en fait les marques les plus visibles de tout ce qui manque de raison : telle est la leçon que répétera tout le XVIIIe siècle, à la suite de Montesquieu. Les Persans, victimes de l'absurde système politique de leur pays, venus pour s'instruire dans une Europe qui prétend détenir le savoir, y découvrent une faiblesse majeure. La satire repose donc sur une vraie critique de fond, et pas sur de simples impressions ou humeurs.

Paris, « mère de l'invention »

Cependant la société parisienne a l'art de présenter cette faiblesse comme une force : tout ce qui est futile paraît primordial, le jeu devient une raison de vivre, la conversation dans les salons et les cafés est le centre de la vie sociale. Preuves de cette « universelle facticité » (l'expression est de J. Starobinski) : l'alchimiste croit déjà voir son rêve réalisé et dépense l'argent qu'il n'a pas (45), le roi joue de la vanité de ses sujets, « plus inépuisable que les mines » (24) – la Régence, on le verra dans les lettres suivantes, ne devant qu'amplifier ce thème. Paris est une ville « enchanteresse » (58) au sens propre du terme : elle exerce un pouvoir magique, comme celui du pape ou du roi (24 et 29) ; elle séduit les esprits, les abuse, leur fait prendre l'apparence pour la réalité, la fausse monnaie pour la vraie. Peut-être est-ce là une étape majeure pour un voyageur : ne plus se

laisser surprendre, mais sortir « de cette ville plus précautionné qu'il n'y est entré » (58). Cela ne veut pas dire que le temps de l'éblouissement, de la surprise, de l'incompréhension est passé ; mais les deux Persans peuvent à présent s'attaquer aux fondements de cette société, à ses institutions, sans se priver du plaisir de dénoncer les innombrables travers des Européens.

La question religieuse : une époque troublée

La question est fondamentale au moment où écrit Montesquieu : depuis plus de trente ans, la France est agitée de querelles religieuses d'autant plus graves que le pouvoir royal y prend une part prépondérante, Louis XIV ayant considérablement exacerbé des conflits latents.

Le protestantisme

Depuis la révocation de l'édit de Nantes (1685), la R.P.R. (Religion prétendue Réformée, c'est ainsi que les catholiques appellent alors les protestants) est interdite. Les protestants sont contraints de se convertir, sans quoi leurs enfants leur sont arrachés pour être éduqués dans la religion catholique ; beaucoup ont préféré s'exiler, et ont été bien accueillis dans les pays luthériens du nord de l'Europe, constituant le « Refuge » où se retrouvent de nombreux intellectuels comme Bayle, l'auteur des *Pensées sur la comète*. La France perd ainsi nombre de ses forces vives, au bénéfice des pays d'accueil : au XVIIIe siècle, un tiers des habitants de Berlin sont d'origine française, et Amsterdam devient un foyer intellectuel où s'impriment beaucoup d'œuvres qui réclament la liberté de pensée (c'est précisément là que sont éditées les *Lettres persanes* !). En France, certains protestants continuent à pratiquer plus ou moins secrètement

Louis XIV se rend à Notre-Dame de Paris (gravure du XVII^e siècle). Le pouvoir est aussi un spectacle, soigneusement mis en scène. Comment ?

leur religion, avec tous les risques que cela comporte. Montes-quieu lui-même a épousé en 1715 une riche protestante, Jeanne Lartigue.

Le jansénisme

Au XVII^e siècle, les théologiens s'étaient affrontés avec vigueur sur la question du salut de l'âme : les partisans du Hollandais Jansénius (1585-1638) considéraient que, l'homme étant corrompu par le péché originel, seule l'intervention divine, la « grâce efficace de Dieu », peut le sauver. Par contre, les « molinistes » (disciples du jésuite Molina) accordaient à l'homme plus de liberté. La doctrine janséniste, professée à l'abbaye de Port-Royal et défendue par des

esprits brillants et actifs comme Arnauld ou Pascal, fut déclarée hérétique dès 1653. Mais elle s'était maintenue. Les jansénistes prônent un mode de vie sévère, l'application stricte des principes religieux : contre les jésuites, ils peuvent apparaître comme les véritables défenseurs d'une religion épurée et sans concessions. Ils font partie de ceux qui voudraient que le roi pratique sa religion en toute « rigueur », ce qu'il « ne peut souffrir » (37).

Louis XIV voue au jansénisme une haine particulière, et obtient du pape une condamnation des plus brutales : en 1713, la bulle (édit papal) *Unigenitus*, autrement appelée *Constitution Unigenitus* (ou *Constitution* tout court, voir 24), dénonce cent une propositions extraites de l'ouvrage du janséniste Quesnel. Louis XIV tente de l'imposer au clergé français, mais il se heurte à une vive résistance, notamment chez les magistrats ou parlementaires (noblesse dite de robe, à laquelle appartient Montesquieu), ce dont témoigne la lettre 24 : « Quelques-uns d'entre eux se révoltèrent, et dirent qu'ils ne voulaient rien croire de tout ce qui était dans cet écrit » (p. 85). Des libelles, des journaux se chargent d'entretenir une opposition violente (plus de 180 publications en 1714) qui durera jusqu'à l'expulsion des jésuites, en 1762.

Montesquieu a été élevé chez les oratoriens, foyer de jansénisme au XVIIIe siècle ; cependant, il ne montre guère de sympathie pour cette doctrine dont la rigueur peut paraître excessive et dont la dévotion confine parfois à la superstition. En revanche, il ne peut supporter l'idée que des hommes soient persécutés en raison de leur religion. La liberté de conscience, bafouée par Louis XIV, est pour lui fondamentale.

Le quiétisme

Dernière manifestation d'une inquiétude religieuse, le quiétisme – représenté par Mme Guyon et Fénelon, précepteur du petit-fils de Louis XIV et évêque de Cambrai – accorde toute confiance à la

bonté de Dieu, à laquelle l'homme doit s'abandonner. Cette doctrine paraît insupportable à l'autorité royale, qui sévit contre elle : Fénelon est chassé de la cour en 1699. La disgrâce d'un prélat universellement respecté renforce l'impression générale d'intolérance. Il n'est guère fait mention du quiétisme dans les *Lettres persanes*, sinon par des allusions : la lettre 24 évoque « un nombre innombrable d'ennemis invisibles qui entouraient [le roi] » (ce qui désigne avant tout les jansénistes), la lettre 59 parle de « détruire l'hérésie ». Mais c'est un élément supplémentaire à ajouter au climat détestable qui règne en France à l'époque décrite par Montesquieu.

Un catholicisme perverti
Le catholicisme est la religion « officielle » en France, et ne peut être dissocié du tableau d'ensemble qu'offre la société : on y voit régner les mêmes travers, et la satire s'exerce contre lui avec la même virulence. Ainsi le casuiste, dont le portrait est inspiré des jésuites, qui offre toutes sortes d'accommodements avec Dieu pourvu qu'on suive ses conseils (57) : non seulement il offre l'exemple d'une religion complaisante, relâchée, mais il laisse croire que tout est affaire de paroles ou de raisonnements faux. Le pape n'est-il pas d'ailleurs un « magicien » qui peut faire passer n'importe quelle absurdité pour un article de foi (24) ? Il respecte si peu sa religion qu'il peut accorder des dispenses à qui en veut (29). Certes, tous les ecclésiastiques ne sont pas visés, et certains sont fort conscients des contradictions de leur conduite, contradictions qui leur sont imposées par la société (61).

Montesquieu, qui a des amis aussi bien chez les oratoriens que chez les jésuites, reconnaît là une véritable difficulté : la religion doit aider les hommes à agir en citoyens (46). Mais ceux-ci ne pourraient-ils pas agir ainsi par eux-mêmes ? Et pourquoi l'autorité royale devrait-elle imposer une religion ? C'est déjà poser, implicitement, la question de la place de la religion dans l'État.

Les autres religions

Elles sont évoquées successivement par les Persans ; d'abord leur propre religion, l'islam, dont Usbek ne comprend pas toujours les exigences et les interdits, qui ne lui paraissent pas fondés sur la raison (16-18) – ce en quoi elle ne diffère guère du catholicisme. C'est d'ailleurs à la lumière de l'islam que les voyageurs interprètent la religion dominant en Occident, parlant de « dervis » ou de « mosquées » pour évoquer les prêtres et les églises. Ainsi joue un phénomène d'inversion : la religion majoritaire (le christianisme) devient objet de rareté et de curiosité, et surtout elle est considérée comme secondaire par rapport à l'islam, qui constitue la norme de référence (35) : « Je vois partout le mahométisme, quoique je n'y trouve point Mahomet. » Les ressemblances entre les religions qui se prétendent ennemies apparaissent alors frappantes (jusque dans leur tendance à se croire supérieures à toute autre), au point qu'on peut se demander s'il n'est pas question du christianisme quand on parle de l'islam…

La conclusion est claire : à quoi bon ces distinctions entre religions ? D'autant plus que les juifs sont tout aussi attachés à leur religion que les chrétiens et les musulmans à la leur (60) : qui détient la vérité ? Que chacun prie Dieu dans sa langue, comme il l'entend, pourvu qu'il agisse en citoyen et qu'il aime Dieu et l'humanité (46), au lieu de ne penser qu'à évangéliser les terres lointaines (49). Voltaire, dans *Zadig* (chap. XII), ne dira pas autre chose.

Commentaire composé : lettre 37

Introduction

L'introduction doit présenter le texte, c'est-à-dire en définir le sujet et le ton, le situer dans l'œuvre (dont les aspects essentiels doivent être rappelés), et énoncer les axes de lecture, c'est-à-dire le plan.

Satire d'un roi affaibli par l'âge, contre qui se manifeste une opposition parfois violente, la lettre 37 se caractérise par sa virulence, mais aussi par une ironie constante fondée sur la (feinte) naïveté du narrateur, Usbek. Celui-ci, qui est depuis près d'un an à Paris (il est arrivé en mai 1712, nous sommes en mars 1713), juge avec sagacité une réalité qui le surprend toujours. Il construit un portrait qui prend le contre-pied des portraits habituels, tout en lui permettant d'évoquer les malheurs du royaume. C'est en Persan qu'il juge, et ce point de vue est capital.

Développement

> Le développement (de 2 à 4 parties) va du plus simple (et du plus évident) au plus complexe, qui constitue l'intérêt littéraire majeur du texte. Il faut se garder surtout de dissocier l'étude du fond et celle de la forme : chaque partie doit montrer **comment le style est ce qui donne sens et force au texte**. L'étude stylistique sera donc plus développée que dans la lecture méthodique. Elle sera aussi plus structurée : les sous-titres, qui constituent autant de sous-parties, sont soulignés. Ici, la difficulté est de saisir l'ironie, d'en expliquer les effets, sans lourdeur ni redites.

1 – Un « antiportrait »

Ceci est un **antiportrait** car il s'agit de dénoncer ce qui a longtemps été objet de louanges effrénées, la personne royale, et aussi parce que la technique même du portrait est ici détournée : il s'agit de souligner les contradictions apparentes de Louis XIV, non d'essayer de comprendre son caractère. La sécheresse, la brièveté de l'incipit*, l'emploi d'un verbe d'état semblent montrer qu'on a affaire à un simple constat, non à un jugement. Usbek fait-il autre chose que juger ?

Le procédé constamment utilisé, qui détermine la **construction** binaire de la lettre, est l'**antithèse***, par la juxtaposition ironique d'aspects contradictoires, combinée avec un art de la variation qui

PARIS PARADIS PURGATOIRE ET ENFER!!

Allégorie de la circulation à Paris au XVIIIᵉ siècle. « Paris, source des modes », dit la gravure. Paradis, purgatoire, ou enfer : comment s'expliquent des avis aussi contrastés ?

interdit toute monotonie. Dans le deuxième paragraphe, trois coordinations par *et*, qui présentent la contradiction comme une évidence, puis une subordination par *quoique*, suivie de la forme la plus simple d'opposition, la coordination par *mais*. Chaque fois on relève une correspondance terme à terme (*ministre/maîtresse, dix-huit ans/quatre-vingts ; fui deux lieues/fui quatre*), ou un parallélisme plus complexe. Le premier terme de l'opposition présente la vie publique du roi, ou l'image qu'il aime à donner de lui-même ; le second, beaucoup plus long, développe une réalité beaucoup moins glorieuse.

Les éloges du roi sont d'ordinaire **hyperboliques** ; ici, le procédé est le même (dernier paragraphe), avec la répétition insistante de

aussi, mais l'effet par là même en est inversé : « plus de statues [...] que de citoyens », n'est-ce pas inquiétant ? Certes, ses armées sont peut-être « nombreuses », mais ses finances, on le sait, sont absolument épuisées. Ainsi on retrouve le thème du « roi magicien » (24), qui fait prendre les illusions pour la réalité. Son orgueil est tel qu'il y croit lui-même (« ... il croit que son choix va le rendre tel »). Le mystificateur ne serait-il pas le premier mystifié ?

2 – Le tableau d'une France malade

Mais le principal sujet du tableau ne serait-il pas, au-delà de l'individu (qu'Usbek ne désigne d'ailleurs que par sa fonction, et non par son nom), les **conséquences** que subit le royaume ? L'intolérance contre la « rigueur » janséniste, mais surtout (le thème revient comme un leitmotiv), l'incompétence récompensée, la peur de voir sa gloire éclipsée par celle d'un « bon général » ; tout cela se paye par des batailles et des guerres perdues – elles ont d'ailleurs considérablement assombri les dernières années du règne. La France est appauvrie (y compris en hommes), alors que le parc de Versailles est envahi de statues. Les armées sont « nombreuses », alors qu'on n'a pas de quoi les nourrir et les payer. Le thème de l'argent revient d'ailleurs de manière quasi obsessionnelle, servi par un vocabulaire très varié : « comblé de plus de richesses... » ; « gratifier » ; « il paie aussi libéralement... » ; « comble de biens » ; « donner une petite pension » ; c'est précisément sur l'évocation des « finances aussi inépuisables » que s'achève le texte. L'ironie* est amère.

Comment peut-on supporter cela ? Comment tolérer de telles absurdités, qui mettent en péril la vie des hommes ? Les **courtisans** vont au-devant des désirs du roi, ce sont eux qui fondent ce système en se pliant aux rituels de la vie de cour (« un homme qui le déshabille, ou qui lui donne la serviette »). « L'oisiveté » leur paraît évidemment préférable au dur métier de la guerre. En dépendant du bon vouloir d'un seul homme, n'ont-ils pas ce qu'ils méritent ?

La preuve de leur faiblesse est donnée par l'omniprésence du pronom *il*, surtout en position de sujet : point n'est besoin de répéter « le roi ». Plus rien n'existe face à ce personnage **tout-puissant**, dont tout le texte se fait l'écho, tandis que les autres personnages restent dans l'anonymat et le silence.

3 – L'ambiguïté de la référence orientale

La référence à la Perse est présente dès la première ligne (« nous [...] nos histoires »), et le personnage de l'observateur ne se dissimule pas (« j'ai étudié »), même si le portrait repose en partie sur des bruits : « On dit [...] on lui a souvent entendu dire. » Elle est constante dans le premier paragraphe, mais ne réapparaît qu'à la fin, plus discrète, dans le style hyperbolique de l'éloge (il est aussi considéré comme caractéristique du langage oriental), qui s'appuie sur une série de comparatifs, et dans le comparant lui-même (« le prince devant qui... »). Quel est donc ce roi capable de tant frapper un Oriental, pourtant habitué aux personnages exceptionnels ?

La comparaison avec l'Orient, d'abord purement factuelle (« Nous n'avons point d'exemple... »), débouche immédiatement sur des **considérations politiques**, dont témoigne le vocabulaire employé : « se faire obéir », « gouverne », « gouvernement », « politique ». Le monarque est ironiquement désigné comme faisant « cas de la politique orientale », autre moyen de dire qu'il pratique le même despotisme que celui de l'affreux empire des Turcs qu'Usbek a traversé ou de l'empire perse qu'il a préféré fuir. Le reproche ne saurait être plus brutal, d'autant qu'il prend l'apparence d'un compliment, antiphrase* qui constitue le ressort de l'ironie*.

Si de telles critiques sont familières chez les protestants, voire dans toute la littérature d'opposition à Louis XIV, et justifiées par des démonstrations, ici il n'en est rien : le lecteur reste sur cette suggestion. À lui d'en faire l'application ensuite. Mais ne risque-t-il pas d'être plus sensible à l'absurdité de la conduite du roi qu'à l'arbi-

traire et à la cruauté qui caractérisent le despotisme ? Une seule allusion à cette cruauté, celle qui concerne les jansénistes (« ceux qui disent qu'il la faut observer à la rigueur… ») ; encore reste-t-elle relativement discrète (« il ne peut souffrir »). On a donc affaire à un **portrait moral** tout autant qu'à une dénonciation proprement politique. Montesquieu est peut-être plus proche ici du La Bruyère des *Caractères* que de ce qu'il écrira dans *L'esprit des lois*.

Conclusion
Cependant, il subsiste encore une ambiguïté : comment un personnage aussi conscient des contradictions d'autrui peut-il ignorer les siennes ? Car c'est le même Usbek qui envoie des lettres cinglantes à sa femme Zachi (20), au premier eunuque blanc (21), et à tout son sérail qu'il veut faire trembler (65). Usbek est lui aussi un despote qui, tout au long du roman, mais surtout à la fin, prendra conscience de ce déchirement intérieur.

Cette lettre est une des plus célèbres des *Lettres persanes*. Caractéristique de la démarche critique de Montesquieu, de la virulence de ses attaques, de l'aisance avec laquelle il manie l'ironie, elle doit aussi être replacée dans la trame romanesque pour prendre tout son sens.

Texte à l'appui : l'image de Louis XIV en littérature

Le texte précédent peut être rapproché d'un autre portrait, celui que donne Saint-Simon. Celui-ci n'est pas, comme on le croit souvent, un homme du XVIIᵉ siècle. Cet ami de Montesquieu est mort la même année que lui (1755), et il n'a commencé à rédiger ses *Mémoires* qu'après la mort de Louis XIV.

« L'esprit du roi était au-dessous du médiocre, mais très capable de se former. Il aima la gloire ; il voulut l'ordre et la règle, il était né sage, modéré, secret, maître de ses mouvements et de sa langue ; le croira-t-on ? il était né bon et juste, et Dieu lui en avait donné assez pour être un bon roi, et peut-être même un assez[1] grand roi. Tout le mal lui vint d'ailleurs. Sa première éducation fut tellement abandonnée, que personne n'osait approcher de son appartement. [...] Ses ministres, ses généraux, ses maîtresses, ses courtisans s'aperçurent bientôt après qu'il fut le maître, de son faible plutôt que de son goût pour la gloire. Ils le louèrent à l'envi et le gâtèrent. Les louanges, disons mieux, la flatterie lui plaisait à tel point, que les plus grossières étaient bien reçues, les plus basses encore mieux savourées. Ce n'était que par là qu'on s'approchait de lui [...]. De là ce désir de gloire qui l'arrachait par intervalles à l'amour, [...] ce goût des sièges pour y montrer sa bravoure à bon marché, s'y faire retenir à force, étaler sa capacité, sa prévoyance, sa vigilance, ses fatigues, auxquelles son corps robuste et admirablement conformé était merveilleusement propre, sans souffrir de la faim, de la soif, du froid, du chaud [...]. **»**

Saint-Simon, *Mémoires*, Bibliothèque de la Pléiade,
t. V, p. 478-480 [année 1715], Éditions Gallimard.

Les thèmes privilégiés par Saint-Simon sont évidemment très différents : c'est un jugement global sur le roi. Qui parle ? Et surtout, quel est le point de vue qu'il adopte ?

1. *Assez* a à l'époque un sens intensif.

à vous...

1 – Observation – Comment sont introduits les portraits ? Analysez l'attitude des voyageurs-voyeurs, et la mise en situation de la critique.

2 – Explication – Lettre 56 (le jeu).

3 – Exposé – La *contradiction* ne serait-elle pas la clef de la société française ? Repérez les lettres qui la font apparaître, en distinguant les cas où c'est l'observateur qui présente les choses sous leur jour le plus absurde (le théâtre, 28), et ceux où la contradiction est inscrite au cœur même de l'institution, comme la religion (29), ou dans l'esprit humain lui-même (33).

4 – Dissertation – La France contre la Perse, la Perse contre la France. Vous étudierez la manière dont joue la comparaison entre les deux mondes, en faisant apparaître la transformation progressive du jugement que portent les personnages, et en tenant compte notamment de l'évolution du personnage d'Usbek.

5 – À la manière de... – Décrivez un match de football (ou toute autre compétition sportive) sur le modèle de la lettre 28.

Rica à ***.

On s'attache ici beaucoup aux sciences[1], mais, je ne sais si on est fort savant. Celui qui doute de tout comme philosophe, n'ose rien nier comme théologien; cet homme contradictoire est toujours content de lui, pourvu qu'on convienne des qualités[2].

La fureur de la plupart des Français, c'est d'avoir de l'esprit; et la fureur de ceux qui veulent avoir de l'esprit, c'est de faire des livres.

Cependant il n'y a rien de si mal imaginé : la nature semblait avoir sagement pourvu à ce que les sottises des hommes fussent passagères; et les livres les immortalisent. Un sot devrait être content d'avoir ennuyé tous ceux qui ont vécu avec lui : il veut encore tourmenter les races futures; il veut que sa sottise triomphe de l'oubli, dont il aurait pu

1. Les sciences désignent ici le savoir en général.
2. Les qualités : terme juridique, se dit des titres qu'on a pour établir son droit. Selon qu'on le reconnaît théologien ou philosophe, il agira d'une manière ou d'une autre.

jouir comme du tombeau ; il veut que la postérité soit informée qu'il a vécu, et qu'elle sache à jamais qu'il a été un sot.

De tous les auteurs, il n'y en a point que je méprise plus que les compilateurs, qui vont de tous côtés chercher des lambeaux des ouvrages des autres, qu'ils plaquent dans les leurs, comme des pièces de gazon dans un parterre : ils ne sont point au-dessus de ces ouvriers d'imprimerie, qui rangent des caractères, qui, combinés ensemble, font un livre, où ils n'ont fourni que la main. Je voudrais qu'on respectât les livres originaux ; et il me semble que c'est une espèce de profanation, de tirer les pièces qui les composent du sanctuaire où elles sont, pour les exposer à un mépris qu'elles ne méritent point.

Quand un homme n'a rien à dire de nouveau, que ne se tait-il ? Qu'a-t-on affaire de ces doubles emplois ? « Mais je veux donner un nouvel ordre. – Vous êtes un habile homme ! Vous venez dans ma bibliothèque ; et vous mettez en bas les livres qui sont en haut, et en haut ceux qui sont en bas : c'est un beau chef-d'œuvre ! »

Je t'écris sur ce sujet, ***, parce que je suis outré d'un livre que je viens de quitter, qui est si gros, qu'il semblait contenir la science universelle : mais il m'a rompu la tête, sans m'avoir rien appris. Adieu.

De Paris, le 8 de la lune
de Chahban 1714.

LETTRE 67

Ibben à Usbek.

À Paris.

Trois vaisseaux sont arrivés ici sans m'avoir apporté de tes nouvelles. Es-tu malade ? ou te plais-tu à m'inquiéter ?

Si tu ne m'aimes pas dans un pays où tu n'es lié à rien, que sera-ce au milieu de la Perse, et dans le sein de ta famille ? Mais peut-être que je me trompe : tu es assez aimable pour trouver partout des amis ; le cœur est citoyen de tous les pays ; comment une âme bien faite peut-elle s'empêcher de former des engagements ? je te l'avoue ; je respecte les anciennes amitiés ; mais je ne suis pas fâché d'en faire partout de nouvelles.

En quelque pays que j'aie été, j'y ai vécu comme si j'avais dû y passer ma vie : j'ai eu le même empressement pour les gens vertueux ; la même compassion, ou plutôt la même tendresse pour les malheureux ; la même estime pour ceux que la prospérité n'a point aveuglés. C'est mon caractère, Usbek : partout où je trouverai des hommes, je me choisirai des amis.

Il y a ici un Guèbre [1] qui, après toi, a, je crois, la première place dans mon cœur : c'est l'âme de la probité même. Des raisons particulières l'ont obligé de se retirer dans cette ville, où il vit tranquille du produit d'un trafic honnête, avec une femme qu'il aime. Sa vie est toute marquée d'actions généreuses : et, quoiqu'il cherche la vie obscure, il y a plus d'héroïsme dans son cœur que dans celui des plus grands monarques.

1. Un Guèbre : adorateur de Zoroastre (« Parsis »), persécuté par les musulmans.

Je lui ai parlé mille fois de toi, je lui montre toutes tes lettres ; je remarque que cela lui fait plaisir, et je vois déjà que tu as un ami qui t'est inconnu.

Tu trouveras ici ses principales aventures : quelque répugnance qu'il eût à les écrire, il n'a pu les refuser à mon amitié, et je les confie à la tienne.

[*Histoire d'Aphéridon et d'Astarté.*]

De Smyrne, le 27 de la lune
de Gemmadi, 2, 1714.

LETTRE 68

Rica à Usbek.

*À***.*

J'allai l'autre jour dîner chez un homme de robe [1], qui m'en avait prié plusieurs fois. Après avoir parlé de bien des choses, je lui dis : « Monsieur, il me paraît que votre métier est bien pénible. – Pas tant que vous vous l'imaginez, répondit-il : de la manière dont nous le faisons, ce n'est qu'un amusement. – Mais quoi ? N'avez-vous pas toujours la tête remplie des affaires d'autrui ? N'êtes-vous pas toujours occupé de choses qui ne sont point intéressantes ? – Vous avez raison ; ces choses ne sont point intéressantes, car nous nous y intéressons si peu que rien ; et cela même fait que le métier n'est pas si fatigant que vous dites. » Quand je vis qu'il prenait la chose d'une manière si dégagée, je continuai, et lui dis : « Monsieur, je n'ai point vu votre cabinet. – Je le crois ; car je n'en ai point. Quand je pris cette charge, j'eus besoin d'argent pour la payer ; je vendis ma biblio-

1. Un homme de robe : parlementaire, c'est-à-dire chargé de rendre la justice.

thèque ; et le libraire qui la prit, d'un nombre prodigieux de volumes, ne me laissa que mon livre de raison[1]. Ce n'est pas que je les regrette : nous autres juges, ne nous enflons point d'une vaine science. Qu'avons-nous affaire de tous ces volumes de lois ? Presque tous les cas sont hypothétiques, et sortent de la règle générale. – Mais ne serait-ce pas, monsieur, lui dis-je, parce que vous les en faites sortir ? Car enfin, pourquoi, chez tous les peuples du monde, y aurait-il des lois, si elles n'avaient pas leur application ? et comment peut-on les appliquer, si on ne les sait pas ? – Si vous connaissiez le palais, reprit le magistrat, vous ne parleriez pas comme vous faites : nous avons des livres vivants, qui sont les avocats : ils travaillent pour nous, et se chargent de nous instruire. – Et ne se chargent-ils pas aussi quelquefois de vous tromper, lui repartis-je ? Vous ne feriez donc pas mal de vous garantir de leurs embûches. Ils ont des armes avec lesquelles ils attaquent votre équité ; il serait bon que vous en eussiez aussi pour la défendre ; et que vous n'allassiez pas vous mettre dans la mêlée, habillés à la légère, parmi des gens cuirassés jusqu'aux dents. »

De Paris, le 13 de la lune
de Chahban, 1714.

LETTRE 69

Usbek à Rhédi.

À Venise.

[*Incompréhensibilité de la nature de Dieu. La prescience de Dieu est-elle compatible avec le libre arbitre de l'homme ?*]

1. Livre de raison : livre de compte.

LETTRE 70
Zélis à Usbek.
À Paris.

[*Scandale qui s'est produit au mariage de Suphis.*]

LETTRE 71
Usbek à Zélis.
À Paris.

[*Incertitude des preuves de la virginité.*]

LETTRE 72
Rica à Ibben.
*À***.*

Je me trouvai l'autre jour dans une compagnie, où je vis un homme bien content de lui. Dans un quart d'heure, il décida trois questions de morale, quatre problèmes historiques, et cinq points de physique. Je n'ai jamais vu un décisionnaire si universel; son esprit ne fut jamais suspendu par le moindre doute. On laissa les sciences; on parla des nouvelles du temps[1] : il décida sur les nouvelles du temps. Je voulus l'attraper, et je dis en moi-même : « Il faut que je me mette dans mon fort; je vais me réfugier dans mon pays. » Je lui parlai de la Perse : mais, à peine lui eus-je dit quatre

1. Nouvelles du temps : voir lettre 130, sur les nouvellistes.

mots, qu'il me donna deux démentis, fondé sur l'autorité de messieurs Tavernier et Chardin[1]. « Ah, bon Dieu ! dis-je en moi-même, quel homme est-ce là ? Il connaîtra tout à l'heure les rues d'Ispahan mieux que moi ! » Mon parti fut bientôt pris : je me tus, je le laissai parler, et il décide encore.

De Paris, le 8 de la lune
de Zilcadé 1715.

LETTRE 73

Rica à ***.

J'ai ouï parler d'une espèce de tribunal, qu'on appelle l'Académie française. Il n'y en a point de moins respecté dans le monde ; car on dit qu'aussitôt qu'il a décidé, le peuple casse ses arrêts, et lui impose des lois qu'il est obligé de suivre.

Il y a quelque temps que, pour fixer son autorité, il donna un code de ses jugements. Cet enfant de tant de pères était presque vieux quand il naquit ; et, quoiqu'il fût légitime, un bâtard, qui avait déjà paru, l'avait presque étouffé dans sa naissance[2].

Ceux qui le composent n'ont d'autres fonctions que de jaser sans cesse : l'éloge va se placer, comme de lui-même, dans leur babil éternel ; et, sitôt qu'ils sont initiés dans ses mystères, la fureur du panégyrique vient les saisir, et ne les quitte plus[3].

1. Tavernier et Chardin : auteurs de récits de voyage en Perse.
2. Le *Dictionnaire de l'Académie*, paru en 1694 après des années de préparation, postérieurement au *Dictionnaire* de Furetière (1690).
3. Fureur du panégyrique : allusion à l'habitude des éloges (du nouvel élu, de celui qu'il remplace, du roi, etc.)

Ce corps a quarante têtes, toutes remplies de figures[1], de métaphores et d'antithèses : tant de bouches ne parlent presque que par exclamation : ses oreilles veulent toujours être frappées par la cadence et l'harmonie. Pour les yeux, il n'en est pas question : il semble qu'il soit fait pour parler, et non pas pour voir. Il n'est point ferme sur ses pieds ; car le temps, qui est son fléau, l'ébranle à tous les instants, et détruit tout ce qu'il a fait. On a dit autrefois que ses mains étaient avides[2] ; je ne t'en dirai rien, et je laisse décider cela à ceux qui le savent mieux que moi.

Voilà des bizarreries, ***, que l'on ne voit point dans notre Perse. Nous n'avons point l'esprit porté à ces établissements singuliers et bizarres ; nous cherchons toujours la nature dans nos coutumes simples et nos manières naïves.

De Paris, le 27 de la lune
de Zilhagé 1715.

LETTRE 74

Usbek à Rica.

*À ***.*

Il y a quelques jours qu'un homme de ma connaissance me dit : « Je vous ai promis de vous produire dans les bonnes maisons de Paris ; je vous mène à présent chez un grand seigneur, qui est un des hommes du royaume qui représente[3] le mieux.

– Que veut dire cela, monsieur ? est-ce qu'il est plus poli,

1. Figures : jeu de mots sur le sens de « figures » en rhétorique : modes particuliers d'expression.
2. Ses mains étaient avides : allusion à la distribution de jetons de présence.
3. Qui représente le mieux : qui adopte en société une attitude digne.

plus affable que les autres ? – Non, me dit-il. – Ah ! j'entends : il fait sentir, à tous les instants, la supériorité qu'il a sur tous ceux qui l'approchent : si cela est, je n'ai que faire d'y aller ; je la lui passe tout entière, et je prends condamnation. »

Il fallut pourtant marcher : et je vis un petit homme si fier ; il prit une prise de tabac avec tant de hauteur, il se moucha si impitoyablement, il cracha avec tant de flegme, il caressa ses chiens d'une manière si offensante pour les hommes, que je ne pouvais me lasser de l'admirer. « Ah, bon dieu ! dis-je en moi-même, si, lorsque j'étais à la cour de Perse, je représentais ainsi, je représentais un grand sot ! » Il aurait fallu, Rica, que nous eussions eu un bien mauvais naturel, pour aller faire cent petites insultes à des gens qui venaient tous les jours chez nous nous témoigner leur bienveillance. Ils savaient bien que nous étions au-dessus d'eux ; et, s'ils l'avaient ignoré, nos bienfaits le leur auraient appris chaque jour. N'ayant rien à faire pour nous faire respecter, nous faisions tout pour nous rendre aimables : nous nous communiquions aux plus petits : au milieu des grandeurs, qui endurcissent toujours, ils nous trouvaient sensibles ; ils ne voyaient que notre cœur au-dessus d'eux ; nous descendions jusqu'à leurs besoins. Mais, lorsqu'il fallait soutenir la majesté du prince dans les cérémonies publiques ; lorsqu'il fallait faire respecter la nation aux étrangers ; lorsque enfin, dans les occasions périlleuses, il fallait animer les soldats, nous remontions cent fois plus haut que nous n'étions descendus ; nous ramenions la fierté sur notre visage ; et l'on trouvait quelquefois que nous représentions assez bien.

De Paris, le 10 de la lune
de Saphar 1715.

LETTRE 75

Usbek à Rhédi.

À Venise.

Il faut que je te l'avoue : je n'ai point remarqué, chez les chrétiens, cette persuasion vive de leur religion, qui se trouve parmi les musulmans. Il y a bien loin, chez eux, de la profession à la croyance, de la croyance à la conviction, de la conviction à la pratique. La religion est moins un sujet de sanctification, qu'un sujet de disputes, qui appartient à tout le monde. Les gens de cour, les gens de guerre, les femmes même, s'élèvent contre les ecclésiastiques, et leur demandent de leur prouver ce qu'ils sont résolus de ne pas croire. Ce n'est pas qu'ils se soient déterminés par raison, et qu'ils aient pris la peine d'examiner la vérité ou la fausseté de cette religion qu'ils rejettent : ce sont des rebelles qui ont senti le joug, et l'ont secoué avant de l'avoir connu. Aussi ne sont-ils pas plus fermes dans leur incrédulité que dans leur foi : ils vivent dans un flux et reflux, qui les porte sans cesse de l'un à l'autre. Un d'eux me disait un jour : « Je crois l'immortalité de l'âme par semestre ; mes opinions dépendent absolument de la constitution de mon corps : selon que j'ai plus ou moins d'esprits animaux [1], que mon estomac digère bien ou mal, que l'air que je respire est subtil ou grossier, que les viandes [2] dont je me nourris sont légères ou solides, je suis spinoziste, socinien [3], catholique,

1. Esprits animaux : principe essentiel d'activité du corps, selon la médecine ancienne.
2. Viandes : nourritures.
3. Les sociniens : chrétiens qui rejettent la divinité de Jésus et le dogme de la Trinité.

impie, ou dévot. Quand le médecin est auprès de mon lit, le confesseur me trouve à son avantage. Je sais bien empêcher la religion de m'affliger quand je me porte bien ; mais je lui permets de me consoler quand je suis malade : lorsque je n'ai plus rien à espérer d'un côté, la religion se présente, et me gagne par ses promesses ; je veux bien m'y livrer, et mourir du côté de l'espérance. »

Il y a longtemps que les princes chrétiens affranchirent tous les esclaves de leurs États ; parce que, disaient-ils, le christianisme rend tous les hommes égaux. Il est vrai que cet acte de religion leur était très utile : ils abaissaient par là les seigneurs, de la puissance desquels ils retiraient le bas peuple. Ils ont ensuite fait des conquêtes dans des pays où ils ont vu qu'il leur était avantageux d'avoir des esclaves : ils ont permis d'en acheter et d'en vendre, oubliant ce principe de religion qui les touchait tant. Que veux-tu que je te dise ? Vérité dans un temps, erreur dans un autre. Que ne faisons-nous comme les chrétiens ? Nous sommes bien simples de refuser des établissements et des conquêtes faciles dans des climats heureux *, parce que l'eau n'y est pas assez pure pour nous laver, selon les principes du saint Alcoran.

Je rends grâces au Dieu tout-puissant, qui a envoyé Hali son grand prophète, de ce que je professe une religion qui se fait préférer à tous les intérêts humains, et qui est pure comme le ciel, dont elle est descendue.

De Paris, le 13 de la lune
de Saphar 1715.

* Les mahométans ne se soucient point de prendre Venise, parce qu'ils n'y trouveraient point d'eau pour leurs purifications. [Note de Montesquieu.]

LETTRE 76

Usbek à son ami Ibben.

À Smyrne.

Les lois sont furieuses en Europe contre ceux qui se tuent eux-mêmes. On les fait mourir, pour ainsi dire, une seconde fois ; ils sont traînés indignement par les rues ; on les note d'infamie ; on confisque leurs biens.

Il me paraît, Ibben, que ces lois sont bien injustes. Quand je suis accablé de douleur, de misère, de mépris, pourquoi veut-on m'empêcher de mettre fin à mes peines, et me priver cruellement d'un remède qui est en mes mains ?

Pourquoi veut-on que je travaille pour une société dont je consens de n'être plus ? que je tienne, malgré moi, une convention qui s'est faite sans moi ? La société est fondée sur un avantage mutuel : mais, lorsqu'elle me devient onéreuse [1], qui m'empêche d'y renoncer ? La vie m'a été donnée comme une faveur ; je puis donc la rendre, lorsqu'elle ne l'est plus : la cause cesse ; l'effet doit donc cesser aussi.

Le prince veut-il que je sois son sujet, quand je ne retire point les avantages de la sujétion ? Mes concitoyens peuvent-ils demander ce partage inique de leur utilité et de mon désespoir ? Dieu, différent de tous les bienfaiteurs, veut-il me condamner à recevoir des grâces qui m'accablent ?

Je suis obligé de suivre les lois, quand je vis sous les lois : mais, quand je n'y vis plus, peuvent-elles me lier encore ?

Mais, dira-t-on, vous troublez l'ordre de la Providence. Dieu a uni votre âme avec votre corps ; et vous l'en séparez : vous vous opposez donc à ses desseins, et vous lui résistez.

1. Onéreuse : pesante.

Que veut dire cela ? Troublé-je l'ordre de la Providence, lorsque je change les modifications de la matière, et que je rends carrée une boule que les premières lois du mouvement, c'est-à-dire les lois de la création et de la conservation, avaient faite ronde ? Non, sans doute : je ne fais qu'user du droit qui m'a été donné : et, en ce sens, je puis troubler à ma fantaisie toute la nature, sans que l'on puisse dire que je m'oppose à la Providence.

Lorsque mon âme sera séparée de mon corps, y aura-t-il moins d'ordre et moins d'arrangement dans l'univers ? Croyez-vous que cette nouvelle combinaison soit moins parfaite, et moins dépendante des lois générales ? que le monde y ait perdu quelque chose ? et que les ouvrages de Dieu soient moins grands, ou plutôt moins immenses ?

Pensez-vous que mon corps, devenu un épi de blé, un ver, un gazon, soit changé en un ouvrage de la nature moins digne d'elle ? et que mon âme, dégagée de tout ce qu'elle avait de terrestre, soit devenue moins sublime [1] ?

Toutes ces idées, mon cher Ibben, n'ont d'autre source que notre orgueil. Nous ne sentons point notre petitesse ; et, malgré qu'on en ait, nous voulons être comptés dans l'univers, y figurer, et y être un objet important. Nous nous imaginons que l'anéantissement d'un être aussi parfait que nous dégraderait toute la nature : et nous ne concevons pas qu'un homme de plus ou de moins dans le monde ; que dis-je ? tous les hommes ensemble, cent millions de têtes comme la nôtre, ne sont qu'un atome subtil et délié, que Dieu n'aperçoit qu'à cause de l'immensité de ses connaissances.

*De Paris, le 15 de la lune
de Saphar 1715.*

1. Sublime : élevée, mais aussi immatérielle, comme un corps *sublimé* en chimie.

LETTRE 77

Ibben à Usbek.

À Paris.

Mon cher Usbek, il me semble que, pour un vrai musulman, les malheurs sont moins des châtiments que des menaces. Ce sont des jours bien précieux que ceux qui nous portent à expier les offenses. C'est le temps des prospérités qu'il faudrait abréger. Que servent toutes ces impatiences, qu'à faire voir que nous voudrions être heureux, indépendamment de celui qui donne les félicités, parce qu'il est la félicité même ?

Si un être est composé de deux êtres, et que la nécessité de conserver l'union marque plus la soumission aux ordres du créateur, on en a pu faire une loi religieuse. Si cette nécessité de conserver l'union est un meilleur garant des actions des hommes, on en a pu faire une loi civile.

De Smyrne, le dernier jour
de la lune de Saphar 1715.

LETTRE 78

Rica à Usbek.

*À ***.*

Je t'envoie la copie d'une lettre qu'un Français qui est en Espagne a écrite ici : je crois que tu seras bien aise de la voir.

Je parcours, depuis six mois, l'Espagne et le Portugal ; et

je vis parmi des peuples qui, méprisant tous les autres, font aux seuls Français l'honneur de les haïr.

La gravité est le caractère brillant des deux nations ; elle se manifeste principalement de deux manières : par les lunettes, et par la moustache.

Les lunettes font voir démonstrativement que celui qui les porte est un homme consommé dans les sciences, et enseveli dans de profondes lectures, à un tel point que sa vue en est affaiblie : et tout nez, qui en est orné ou chargé, peut passer sans contredit pour le nez d'un savant.

Quant à la moustache, elle est respectable par elle-même, et indépendamment des conséquences ; quoiqu'on ne laisse pas d'en tirer quelquefois de grandes utilités, pour le service du prince et l'honneur de la nation, comme le fit bien voir un fameux général portugais dans les Indes * : car, se trouvant avoir besoin d'argent, il se coupa une de ses moustaches, et envoya demander aux habitants de Goa[1] vingt mille pistoles sur ce gage : elles lui furent prêtées d'abord, et dans la suite il retira sa moustache avec honneur.

On conçoit aisément que des peuples graves et flegmatiques, comme ceux-là, peuvent avoir de l'orgueil : aussi en ont-ils. Ils le fondent ordinairement sur deux choses bien considérables. Ceux qui vivent dans le continent de l'Espagne et du Portugal se sentent le cœur extrêmement élevé, lorsqu'ils sont ce qu'ils appellent de vieux chrétiens ; c'est-à-dire, qu'ils ne sont pas originaires de ceux à qui l'Inquisition a persuadé dans ces derniers siècles d'embrasser la religion chrétienne. Ceux qui sont dans les Indes ne sont pas moins flattés, lorsqu'ils considèrent qu'ils ont le

* Jean de Castro. [Note de Montesquieu.]
1. Goa : capitale des possessions portugaises en Inde.

sublime mérite d'être, comme ils disent, hommes de chair blanche. Il n'y a jamais eu, dans le sérail du grand seigneur, de sultane si orgueilleuse de sa beauté, que le plus vieux et le plus vilain mâtin [1] ne l'est de la blancheur olivâtre de son teint, lorsqu'il est dans une ville du Mexique, assis sur sa porte, les bras croisés. Un homme de cette conséquence, une créature si parfaite ne travaillerait pas pour tous les trésors du monde ; et ne se résoudrait jamais, par une vile et mécanique industrie, de compromettre l'honneur et la dignité de sa peau.

Car il faut savoir que, lorsqu'un homme a un certain mérite en Espagne, comme, par exemple, quand il peut ajouter, aux qualités dont je viens de parler, celle d'être le propriétaire d'une grande épée, ou d'avoir appris de son père l'art de faire jurer une discordante guitare, il ne travaille plus : son honneur s'intéresse au repos de ses membres. Celui qui reste assis dix heures par jour obtient précisément la moitié plus de considération qu'un autre qui n'en reste que cinq, parce que c'est sur les chaises que la noblesse s'acquiert.

Mais, quoique ces invincibles ennemis du travail fassent parade d'une tranquillité philosophique, ils ne l'ont pourtant pas dans le cœur ; car ils sont toujours amoureux. Ils sont les premiers hommes du monde pour mourir de langueur sous la fenêtre de leurs maîtresses ; et tout Espagnol qui n'est pas enrhumé ne saurait passer pour galant.

Ils sont premièrement dévots, et secondement jaloux. Ils se garderont bien d'exposer leurs femmes aux entreprises d'un soldat criblé de coups, ou d'un magistrat décrépit :

1. Le plus vilain mâtin : homme désagréable, répugnant.

mais ils les enfermeront avec un novice fervent qui baisse les yeux, ou un robuste Franciscain qui les élève.

Ils permettent à leurs femmes de paraître avec le sein découvert : mais ils ne veulent pas qu'on leur voie le talon, et qu'on les surprenne par le bout des pieds.

On dit partout que les rigueurs de l'amour sont cruelles ; elles le sont encore plus pour les Espagnols. Les femmes les guérissent de leurs peines ; mais elles ne font que leur en faire changer ; et il leur reste souvent un long et fâcheux souvenir d'une passion éteinte.

Ils ont de petites politesses, qui, en France, paraîtraient mal placées : par exemple, un capitaine ne bat jamais son soldat, sans lui en demander permission ; et l'Inquisition ne fait jamais brûler un Juif, sans lui faire ses excuses.

Les Espagnols qu'on ne brûle pas paraissent si attachés à l'Inquisition, qu'il y aurait de la mauvaise humeur de la leur ôter. Je voudrais seulement qu'on en établît une autre, non pas contre les hérétiques ; mais contre les hérésiarques [1], qui attribuent à de petites pratiques monacales la même efficacité qu'aux sept sacrements ; qui adorent tout ce qu'ils vénèrent ; et qui sont si dévots, qu'ils sont à peine chrétiens.

Vous pourrez trouver de l'esprit et du bon sens chez les Espagnols ; mais n'en cherchez point dans leurs livres. Voyez une de leurs bibliothèques, les romans d'un côté, et les scolastiques [2] de l'autre : vous diriez que les parties en ont été faites, et le tout rassemblé, par quelque ennemi secret de la raison humaine.

Le seul de leurs livres qui soit bon est celui qui a fait voir le ridicule de tous les autres [3].

1. Un hérésiarque : fondateur ou chef d'une hérésie.
2. Scolastiques : ouvrages portant sur la philosophie et la théologie du Moyen Âge.
3. Le seul de leurs livres qui soit bon : le *Don Quichotte* de Cervantès.

Ils ont fait des découvertes immenses dans le nouveau monde, et ils ne connaissent pas encore leur propre continent : il y a, sur leurs rivières, tel pont qui n'a pas encore été découvert, et dans leurs montagnes des nations qui leur sont inconnues*.

Ils disent que le soleil se lève et se couche dans leur pays[1] : mais il faut dire aussi qu'en faisant sa course, il ne rencontre que des campagnes ruinées et des contrées désertes.

Je ne serais pas fâché, Usbek, de voir une lettre écrite à Madrid, par un Espagnol qui voyagerait en France ; je crois qu'il vengerait bien sa nation. Quel vaste champ pour un homme flegmatique et pensif ! Je m'imagine qu'il commencerait ainsi la description de Paris :

Il y a ici une maison où l'on met les fous : on croirait d'abord qu'elle est la plus grande de la ville ; non : le remède est bien petit pour le mal. Sans doute que les Français, extrêmement décriés chez leurs voisins, enferment quelques fous dans une maison, pour persuader que ceux qui sont dehors ne le sont pas.

Je laisse là mon Espagnol. Adieu, mon cher Usbek.

De Paris, le 17 de la lune
de Saphar 1715.

* Las Batuecas. [Note de Montesquieu.]
1. Ils disent [...] pays : d'après une formule attribuée à Charles Quint, pour insister sur l'étendue de l'Empire espagnol, qui s'étendait du nord de l'Europe à l'Amérique du Sud.

LETTRE 79

Le Grand Eunuque noir à Usbek.

À Paris.

[*Achat d'une Circassienne.*]

LETTRE 80

Usbek à Rhédi.

À Venise.

Depuis que je suis en Europe, mon cher Rhédi, j'ai vu bien des gouvernements. Ce n'est pas comme en Asie, où les règles de la politique se trouvent partout les mêmes.

J'ai souvent recherché quel était le gouvernement le plus conforme à la raison. Il m'a semblé que le plus parfait est celui qui va à son but à moins de frais ; de sorte que celui qui conduit les hommes de la manière qui convient le plus à leur penchant et à leur inclination, est le plus parfait.

Si, dans un gouvernement doux, le peuple est aussi soumis que dans un gouvernement sévère ; le premier est préférable, puisqu'il est plus conforme à la raison, et que la sévérité est un motif étranger.

Compte, mon cher Rhédi, que, dans un État, les peines plus ou moins cruelles ne font pas que l'on obéisse plus aux lois. Dans les pays où les châtiments sont modérés, on les craint comme dans ceux où ils sont tyranniques et affreux.

Soit que le gouvernement soit doux, soit qu'il soit cruel, on punit toujours par degrés ; on inflige un châtiment plus ou moins grand à un crime plus ou moins grand. L'imagi-

nation se plie d'elle-même aux mœurs du pays où l'on est : huit jours de prison, ou une légère amende, frappent autant l'esprit d'un Européen nourri dans un pays de douceur, que la perte d'un bras intimide un Asiatique. Ils attachent un certain degré de crainte à un certain degré de peine, et chacun la partage à sa façon : le désespoir de l'infamie vient désoler un Français condamné à une peine qui n'ôterait pas un quart d'heure de sommeil à un Turc.

D'ailleurs, je ne vois pas que la police, la justice et l'équité, soient mieux observées en Turquie, en Perse, chez le Mogol, que dans les républiques de Hollande, de Venise, et dans l'Angleterre même : je ne vois pas qu'on y commette moins de crimes ; et que les hommes, intimidés par la grandeur des châtiments, y soient plus soumis aux lois.

Je remarque, au contraire, une source d'injustice et de vexations au milieu de ces mêmes États.

Je trouve même le prince, qui est la loi même, moins maître que partout ailleurs.

Je vois que, dans ces moments rigoureux, il y a toujours des mouvements tumultueux, où personne n'est le chef : et que, quand une fois l'autorité violente est méprisée, il n'en reste plus assez à personne pour la faire revenir :

Que le désespoir même de l'impunité confirme le désordre, et le rend plus grand :

Que, dans ces États, il ne se forme point de petite révolte ; et qu'il n'y a jamais d'intervalle entre le murmure et la sédition :

Qu'il ne faut point que les grands événements y soient préparés par de grandes causes : au contraire, le moindre accident produit une grande révolution, souvent aussi imprévue de ceux qui la font, que de ceux qui la souffrent.

Lorsque Osman[1], empereur des Turcs, fut déposé, aucun de ceux qui commirent cet attentat ne songeait à le commettre : ils demandaient seulement, en suppliant, qu'on leur fît justice sur quelque grief : une voix, qu'on n'a jamais connue, sortit de la foule par hasard ; le nom de Mustapha, fut prononcé, et soudain Mustapha fut empereur.

De Paris, le 2 de la lune
de Rebiab, 1, 1715.

LETTRE 81
Nargum, envoyé de Perse en Moscovie, à Usbek.
À Paris.

[*Immensité des conquêtes, trop peu connues, des Tartares.*]

LETTRE 82
Rica à Ibben.
À Smyrne.

[*Gens taciturnes et diseurs de riens.*]

1. Lorsque Osman […] empereur : en 1622.

LETTRE 83

Usbek à Rhédi.

À Venise.

S'il y a un Dieu, mon cher Rhédi, il faut nécessairement qu'il soit juste : car, s'il ne l'était pas, il serait le plus mauvais et le plus imparfait de tous les êtres.

La justice est un rapport de convenance, qui se trouve réellement entre deux choses : ce rapport est toujours le même, quelque être qui le considère, soit que ce soit Dieu, soit que ce soit un ange, ou enfin que ce soit un homme.

Il est vrai que les hommes ne voient pas toujours ces rapports : souvent même, lorsqu'ils les voient, ils s'en éloignent ; et leur intérêt est toujours ce qu'ils voient le mieux. La justice élève sa voix ; mais elle a peine à se faire entendre dans le tumulte des passions.

Les hommes peuvent faire des injustices, parce qu'ils ont intérêt de les commettre, et qu'ils préfèrent leur propre satisfaction à celle des autres. C'est toujours par un retour sur eux-mêmes qu'ils agissent : nul n'est mauvais gratuitement : il faut qu'il y ait une raison qui détermine ; et cette raison est toujours raison d'intérêt.

Mais il n'est pas possible que Dieu fasse jamais rien d'injuste : dès qu'on suppose qu'il voit la justice, il faut nécessairement qu'il la suive : car, comme il n'a besoin de rien, et qu'il se suffit à lui-même, il serait le plus méchant de tous les êtres, puisqu'il le serait sans intérêt.

Ainsi, quand il n'y aurait pas de Dieu, nous devrions toujours aimer la justice ; c'est-à-dire, faire nos efforts pour ressembler à cet être dont nous avons une si belle idée, et qui, s'il existait, serait nécessairement juste. Libres que

nous serions du joug de la religion, nous ne devrions pas l'être de celui de l'équité.

Voilà, Rhédi, ce qui m'a fait penser que la justice est éternelle, et ne dépend point des conventions humaines. Et, quand elle en dépendrait, ce serait une vérité terrible, qu'il faudrait se dérober à soi-même.

Nous sommes entourés d'hommes plus forts que nous ; ils peuvent nous nuire de mille manières différentes ; les trois quarts du temps, ils peuvent le faire impunément. Quel repos pour nous, de savoir qu'il y a, dans le cœur de tous ces hommes, un principe intérieur qui combat en notre faveur, et nous met à couvert de leurs entreprises ?

Sans cela, nous devrions être dans une frayeur continuelle ; nous passerions devant les hommes comme devant les lions ; et nous ne serions jamais assurés un moment de notre bien, de notre honneur, et de notre vie.

Toutes ces pensées m'animent contre ces docteurs qui représentent Dieu comme un être qui fait un exercice tyrannique de sa puissance ; qui le font agir d'une manière dont nous ne voudrions pas agir nous-mêmes, de peur de l'offenser ; qui le chargent de toutes les imperfections qu'il punit en nous ; et, dans leurs opinions contradictoires, le représentent, tantôt comme un être mauvais, tantôt comme un être qui hait le mal et le punit.

Quand un homme s'examine, quelle satisfaction pour lui de trouver qu'il a le cœur juste ! Ce plaisir, tout sévère qu'il est, doit le ravir : il voit son être autant au-dessus de ceux qui ne l'ont pas, qu'il se voit au-dessus des tigres et des ours. Oui, Rhédi ; si j'étais sûr de suivre toujours inviolablement cette équité que j'ai devant les yeux, je me croirais le premier des hommes.

De Paris, le 1 de la lune
de Gemmadi, 1, 1715.

LETTRE 84

Rica à***.

Je fus hier aux Invalides[1] : j'aimerais autant avoir fait cet établissement, si j'étais prince, que d'avoir gagné trois batailles. On y trouve partout la main d'un grand monarque. Je crois que c'est le lieu le plus respectable de la terre.

Quel spectacle, de voir assemblées dans un même lieu toutes ces victimes de la patrie, qui ne respirent que pour la défendre ; et qui, se sentant le même cœur, et non pas la même force, ne se plaignent que de l'impuissance où elles sont de se sacrifier encore pour elle !

Quoi de plus admirable, que de voir ces guerriers débiles[2], dans cette retraite, observer une discipline aussi exacte que s'ils y étaient contraints par la présence d'un ennemi, chercher leur dernière satisfaction dans cette image de la guerre, et partager leur cœur et leur esprit entre les devoirs de la religion et ceux de l'art militaire !

Je voudrais que les noms de ceux qui meurent pour la patrie fussent conservés dans les temples, et écrits dans des registres qui fussent comme la source de la gloire et de la noblesse.

De Paris, le 15 de la lune
de Gemmadi, 1, 1715.

1. Les Invalides : institution créée à la fin du XVIIe siècle, pour les soldats blessés à la guerre.
2. Débiles : faibles.

LETTRE 85

Usbek à Mirza.

À Ispahan.

Tu sais, Mirza, que quelques ministres de Chah Soliman [1] avaient formé le dessein d'obliger tous les Arméniens de Perse de quitter le royaume, ou de se faire mahométans, dans la pensée que notre empire serait toujours pollué, tandis qu'il garderait dans son sein ces infidèles.

C'était fait de la grandeur persane, si, dans cette occasion, l'aveugle dévotion avait été écoutée.

On ne sait comment la chose manqua. Ni ceux qui firent la proposition, ni ceux qui la rejetèrent, n'en connurent les conséquences : le hasard fit l'office de la raison et de la politique, et sauva l'empire d'un péril plus grand que celui qu'il aurait pu courir de la perte d'une bataille, et de la prise de deux villes.

En proscrivant les Arméniens, on pensa [2] détruire, en un seul jour, tous les négociants, et presque tous les artisans du royaume. Je suis sûr que le grand Chah Abas aurait mieux aimé se faire couper les deux bras, que de signer un ordre pareil ; et qu'en envoyant au Mogol, et aux autres rois des Indes, ses sujets les plus industrieux, il aurait cru leur donner la moitié de ses États.

Les persécutions que nos mahométans zélés ont faites aux Guèbres, les ont obligés de passer en foule dans les Indes ; et ont privé la Perse de cette nation, si appliquée au labourage, et qui seule, par son travail, était en état de vaincre la stérilité de nos terres.

1. Soliman : roi de Perse de 1666 à 1694.
2. Penser : faillir.

Il ne restait à la dévotion qu'un second coup à faire : c'était de ruiner l'industrie ; moyennant quoi l'empire tombait de lui-même, et avec lui, par une suite nécessaire, cette même religion qu'on voulait rendre si florissante.

S'il faut raisonner sans prévention, je ne sais, Mirza, s'il n'est pas bon que, dans un État, il y ait plusieurs religions.

On remarque que ceux qui vivent dans des religions tolérées se rendent ordinairement plus utiles à leur patrie, que ceux qui vivent dans la religion dominante ; parce qu'éloignés des honneurs, ne pouvant se distinguer que par leur opulence et leurs richesses, ils sont portés à en acquérir par leur travail, et à embrasser les emplois de la société les plus pénibles.

D'ailleurs, comme toutes les religions contiennent des préceptes utiles à la société, il est bon qu'elles soient observées avec zèle. Or, qu'y a-t-il de plus capable d'animer ce zèle, que leur multiplicité ?

Ce sont des rivales qui ne se pardonnent rien. La jalousie descend jusqu'aux particuliers : chacun se tient sur ses gardes, et craint de faire des choses qui déshonoreraient son parti, et l'exposeraient aux mépris et aux censures impardonnables du parti contraire.

Aussi a-t-on toujours remarqué qu'une secte[1] nouvelle, introduite dans un État, était le moyen le plus sûr pour corriger tous les abus de l'ancienne.

On a beau dire qu'il n'est pas de l'intérêt du prince de souffrir plusieurs religions dans son État. Quand toutes les sectes du monde viendraient s'y rassembler, cela ne lui porterait aucun préjudice ; parce qu'il n'y en a aucune qui ne prescrive l'obéissance, et ne prêche la soumission.

1. Secte : groupe de personnes ayant même doctrine au sein d'une religion.

J'avoue que les histoires sont remplies de guerres de religion. Mais qu'on y prenne bien garde ; ce n'est point la multiplicité des religions qui a produit ces guerres, c'est l'esprit d'intolérance qui animait celle qui se croyait la dominante.

C'est cet esprit de prosélytisme[1], que les Juifs ont pris des Égyptiens, et qui d'eux est passé, comme une maladie épidémique et populaire, aux mahométans et aux chrétiens.

C'est enfin cet esprit de vertige, dont les progrès ne peuvent être regardés que comme une éclipse entière de la raison humaine.

Car enfin, quand il n'y aurait pas de l'inhumanité à affliger la conscience des autres, quand il n'en résulterait aucun des mauvais effets qui en germent à milliers, il faudrait être fou pour s'en aviser. Celui qui veut me faire changer de religion ne le fait sans doute que parce qu'il ne changerait pas la sienne, quand on voudrait l'y forcer : il trouve donc étrange que je ne fasse pas une chose qu'il ne ferait pas lui-même, peut-être, pour l'empire du monde.

De Paris, le 26 de la lune
de Gemmadi, 1, 1715.

LETTRE 86

Rica à ***.

Il semble ici que les familles se gouvernent toutes seules. Le mari n'a qu'une ombre d'autorité sur la femme, le père sur ses enfants, le maître sur ses esclaves. La justice se mêle de tous leurs différends : et sois sûr qu'elle est toujours contre le mari jaloux, le père chagrin, le maître incommode.

1. Prosélytisme : zèle déployé pour convertir les gens.

J'allai l'autre jour dans le lieu où se rend la justice. Avant d'y arriver, il faut passer sous les armes d'un nombre infini de jeunes marchandes, qui vous appellent d'une voix trompeuse. Ce spectacle d'abord est assez riant : mais il devient lugubre, lorsqu'on entre dans les grandes salles, où l'on ne voit que des gens dont l'habit est encore plus grave que la figure. Enfin, on entre dans le lieu sacré, où se révèlent tous les secrets des familles, et où les actions les plus cachées sont mises au grand jour.

Là, une fille modeste vient avouer les tourments d'une virginité trop longtemps gardée, ses combats, et sa douloureuse résistance : elle est si peu fière de sa victoire, qu'elle menace toujours d'une défaite prochaine ; et, pour que son père n'ignore plus ses besoins, elle les expose à tout le peuple.

Une femme effrontée vient ensuite exposer les outrages qu'elle a faits à son époux, comme une raison d'en être séparée.

Avec une modestie pareille, une autre vient dire qu'elle est lasse de porter le titre de femme, sans en jouir : elle vient révéler les mystères cachés dans la nuit du mariage : elle veut qu'on la livre aux regards des experts les plus habiles, et qu'une sentence la rétablisse dans tous les droits de la virginité. Il y en a même qui osent défier leurs maris, et leur demander en public un combat que les témoins rendent si difficile : épreuve aussi flétrissante pour la femme qui la soutient, que pour le mari qui y succombe.

Un nombre infini de filles, ravies ou séduites, font les hommes beaucoup plus mauvais qu'ils ne sont. L'amour fait retentir ce tribunal : on n'y entend parler que de pères irrités, de filles abusées, d'amants infidèles, et de maris chagrins.

Par la loi qui y est observée, tout enfant né pendant le mariage est censé être au mari : il a beau avoir de bonnes

raisons pour ne pas le croire; la loi le croit pour lui, et le soulage de l'examen et des scrupules.

Dans ce tribunal, on prend les voix à la majeure : mais on dit qu'on a reconnu, par expérience, qu'il vaudrait mieux les recueillir à la mineure : et cela est assez naturel; car il y a très peu d'esprits justes, et tout le monde convient qu'il y en a une infinité de faux.

De Paris, le 1 de la lune
de Gemmadi, 2, 1715.

LETTRE 87

Rica à ***.

On dit que l'homme est un animal sociable. Sur ce pied-là, il me paraît qu'un Français est plus homme qu'un autre : c'est l'homme par excellence; car il semble être fait uniquement pour la société.

Mais j'ai remarqué, parmi eux, des gens qui non seulement sont sociables, mais sont eux-mêmes la société universelle. Ils se multiplient dans tous les coins; ils peuplent en un moment les quatre quartiers d'une ville : cent hommes de cette espèce abondent plus que deux mille citoyens : ils pourraient réparer, aux yeux des étrangers, les ravages de la peste et de la famine. On demande, dans les écoles, si un corps peut être en un instant en plusieurs lieux; ils sont une preuve de ce que les philosophes mettent en question.

Ils sont toujours empressés, parce qu'ils ont l'affaire importante de demander à tous ceux qu'ils voient, où ils vont, et d'où ils viennent.

On ne leur ôterait jamais de la tête qu'il est de la bienséance de visiter chaque jour le public en détail, sans

compter les visites qu'ils font en gros dans les lieux où l'on s'assemble : mais, comme la voie en est trop abrégée, elles sont comptées pour rien dans les règles de leur cérémonial.

Ils fatiguent plus les portes des maisons à coups de marteau, que les vents et les tempêtes. Si l'on allait examiner la liste de tous les portiers, on y trouverait chaque jour leur nom estropié de mille manières en caractères suisses. Ils passent leur vie à la suite d'un enterrement, dans des compliments de condoléance, ou dans des félicitations de mariage. Le roi ne fait point de gratification à quelqu'un de ses sujets, qu'il ne leur en coûte une voiture pour lui en aller témoigner leur joie. Enfin, ils reviennent chez eux, bien fatigués, se reposer, pour pouvoir reprendre le lendemain leurs pénibles fonctions.

Un d'eux mourut l'autre jour de lassitude, et on mit cette épitaphe sur son tombeau : «C'est ici que repose celui qui ne s'est jamais reposé. Il s'est promené à cinq cent trente enterrements. Il s'est réjoui de la naissance de deux mille six cent quatre-vingts enfants. Les pensions dont il a félicité ses amis, toujours en des termes différents, montent à deux millions six cent mille livres ; le chemin qu'il a fait sur le pavé, à neuf mille six cents stades[1] ; celui qu'il a fait dans la campagne, à trente-six. Sa conversation était amusante ; il avait un fonds tout fait de trois cent soixante-cinq contes ; il possédait d'ailleurs, depuis son jeune âge, cent dix-huit apophtegmes[2] tirés des anciens, qu'il employait dans les occasions brillantes. Il est mort enfin à la soixantième année de son âge. Je me tais, voyageur ; car comment pourrais-je achever de te dire ce qu'il a fait et ce qu'il a vu ?»

De Paris, le 3 de la lune
de Gemmadi, 2, 1715.

1. Un stade : dans la Grèce antique, mesure de longueur (180 m).
2. Apophtegme : parole mémorable ayant valeur de maxime.

LETTRE 88

Usbek à Rhédi.

À Venise.

À Paris, règne la liberté et l'égalité. La naissance, la vertu, le mérite même de la guerre, quelque brillant qu'il soit, ne sauve pas un homme de la foule dans laquelle il est confondu. La jalousie des rangs y est inconnue. On dit que le premier de Paris est celui qui a les meilleurs chevaux à son carrosse.

Un grand seigneur est un homme qui voit le roi, qui parle aux ministres, qui a des ancêtres, des dettes et des pensions. S'il peut, avec cela, cacher son oisiveté par un air empressé, ou par un feint attachement pour les plaisirs, il croit être le plus heureux de tous les hommes.

En Perse, il n'y a de grand, que ceux à qui le monarque donne quelque part au gouvernement. Ici, il y a des gens qui sont grands par leur naissance ; mais ils sont sans crédit. Les rois sont comme ces ouvriers habiles, qui, pour exécuter leurs ouvrages, se servent toujours des machines les plus simples.

La faveur est la grande divinité des Français. Le ministre est le grand prêtre, qui lui offre bien des victimes. Ceux qui l'entourent ne sont point habillés de blanc : tantôt sacrificateurs, et tantôt sacrifiés, ils se dévouent eux-mêmes à leur idole avec tout le peuple.

De Paris, le 9 de la lune
de Gemmadi, 2, 1715.

LETTRE 89

Usbek à Ibben.

À Smyrne.

Le désir de la gloire n'est point différent de cet instinct que toutes les créatures ont pour leur conservation. Il semble que nous augmentons notre être, lorsque nous pouvons le porter dans la mémoire des autres : c'est une nouvelle vie que nous acquérons, et qui nous devient aussi précieuse que celle que nous avons reçue du ciel.

Mais, comme tous les hommes ne sont pas également attachés à la vie, ils ne sont pas aussi également sensibles à la gloire. Cette noble passion est bien toujours gravée dans leur cœur ; mais l'imagination et l'éducation la modifient de mille manières.

Cette différence, qui se trouve d'homme à homme, se fait encore plus sentir de peuple à peuple.

On peut poser pour maxime que, dans chaque État, le désir de la gloire croît avec la liberté des sujets, et diminue avec elle : la gloire n'est jamais compagne de la servitude.

Un homme de bon sens me disait l'autre jour : « On est en France, à bien des égards, plus libre qu'en Perse ; aussi y aime-t-on plus la gloire. Cette heureuse fantaisie fait faire à un Français, avec plaisir et avec goût, ce que votre sultan n'obtient de ses sujets qu'en leur mettant sans cesse devant les yeux les supplices et les récompenses.

« Aussi, parmi nous, le prince est-il jaloux de l'honneur du dernier de ses sujets. Il y a, pour le maintenir, des tribunaux respectables : c'est le trésor sacré de la nation : et le seul dont le souverain n'est pas le maître, parce qu'il ne peut

l'être sans choquer ses intérêts. Ainsi, si un sujet se trouve blessé dans son honneur par son prince, soit par quelque préférence, soit par la moindre marque de mépris, il quitte, sur-le-champ, sa cour, son emploi, son service, et se retire chez lui.

« La différence qu'il y a des troupes françaises aux vôtres, c'est que les unes, composées d'esclaves naturellement lâches, ne surmontent la crainte de la mort que par celle du châtiment ; ce qui produit dans l'âme un nouveau genre de terreur qui la rend comme stupide : au lieu que les autres se présentent aux coups avec délice, et bannissent la crainte par une satisfaction qui lui est supérieure.

« Mais le sanctuaire de l'honneur, de la réputation et de la vertu, semble être établi dans les républiques, et dans les pays où l'on peut prononcer le mot de patrie. À Rome, à Athènes, à Lacédémone, l'honneur payait seul les services les plus signalés. Une couronne de chêne ou de laurier, une statue, un éloge, était une récompense immense pour une bataille gagnée, ou une ville prise.

« Là, un homme qui avait fait une belle action se trouvait suffisamment récompensé par cette action même. Il ne pouvait voir un de ses compatriotes qu'il ne ressentît le plaisir d'être son bienfaiteur : il comptait le nombre de ses services par celui de ses concitoyens. Tout homme est capable de faire du bien à un homme : mais c'est ressembler aux dieux, que de contribuer au bonheur d'une société entière.

« Or cette noble émulation ne doit-elle point être entièrement éteinte dans le cœur de vos Persans, chez qui les emplois et les dignités ne sont que des attributs de la fantaisie du souverain ? La réputation et la vertu y sont regardées comme imaginaires, si elles ne sont accompagnées de la faveur du prince, avec laquelle elles naissent et meurent

de même. Un homme qui a pour lui l'estime publique n'est jamais sûr de ne pas être déshonoré demain : le voilà aujourd'hui général d'armée ; peut-être que le prince le va faire son cuisinier, et qu'il ne lui laissera plus à espérer d'autre éloge que celui d'avoir fait un bon ragoût. »

De Paris, le 15 de la lune
de Gemmadi, 2, 1715.

LETTRE 90

Usbek au même.

À Smyrne.

De cette passion générale que la nation française a pour la gloire, il s'est formé, dans l'esprit des particuliers, un certain je ne sais quoi, qu'on appelle point d'honneur ; c'est proprement le caractère de chaque profession : mais il est plus marqué chez les gens de guerre, et c'est le point d'honneur par excellence.

Il me serait bien difficile de te faire sentir ce que c'est ; car nous n'en avons point précisément d'idée.

Autrefois les Français, surtout les nobles, ne suivaient guère d'autres lois que celles de ce point d'honneur : elles réglaient toute la conduite de leur vie ; et elles étaient si sévères, qu'on ne pouvait, sans une peine plus cruelle que la mort, je ne dis pas les enfreindre, mais en éluder la plus petite disposition.

Quand il s'agissait de régler les différends, elles ne prescrivaient guère qu'une manière de décision, qui était le duel, qui tranchait toutes les difficultés. Mais, ce qu'il y avait de

mal, c'est que souvent le jugement se rendait entre d'autres parties que celles qui y étaient intéressées.

Pour peu qu'un homme fût connu d'un autre, il fallait qu'il entrât dans la dispute, et qu'il payât de sa personne, comme s'il avait été lui-même en colère. Il se sentait toujours honoré d'un tel choix et d'une préférence si flatteuse : et tel qui n'aurait pas voulu donner quatre pistoles[1] à un homme pour le sauver de la potence, lui et toute sa famille, ne faisait aucune difficulté d'aller risquer pour lui mille fois sa vie.

Cette manière de décider était assez mal imaginée ; car, de ce qu'un homme était plus adroit ou plus fort qu'un autre, il ne s'ensuivait pas qu'il eût de meilleures raisons.

Aussi les rois l'ont-ils défendue sous des peines très sévères : mais c'est en vain ; l'honneur, qui veut toujours régner, se révolte, et il ne reconnaît point de lois.

Ainsi les Français sont dans un état bien violent : car les mêmes lois de l'honneur obligent un honnête homme de se venger quand il a été offensé ; mais, d'un autre côté, la justice le punit des plus cruelles peines lorsqu'il se venge. Si l'on suit les lois de l'honneur, on périt sur un échafaud ; si l'on suit celles de la justice, on est banni pour jamais de la société des hommes : il n'y a donc que cette cruelle alternative, ou de mourir, ou d'être indigne de vivre.

De Paris, le 18 de la lune
de Gemmadi, 2, 1715.

1. Pistole : ancienne monnaie de compte.

LETTRE 91

Usbek à Rustan.

À Ispahan.

Il paraît ici un personnage travesti en ambassadeur de Perse, qui se joue insolemment des deux plus grands rois du monde. Il apporte, au monarque des Français, des présents que le nôtre ne saurait donner à un roi d'Irimette ou de Géorgie : et, par sa lâche avarice, il a flétri la majesté des deux empires.

Il s'est rendu ridicule devant un peuple qui prétend être le plus poli de l'Europe : et il a fait dire en Occident que le roi des rois ne domine que sur des barbares.

Il a reçu des honneurs, qu'il semblait avoir voulu se faire refuser lui-même : et, comme si la cour de France avait eu plus à cœur la grandeur persane que lui, elle l'a fait paraître avec dignité devant un peuple dont il est le mépris.

Ne dis point ceci à Ispahan : épargne la tête d'un malheureux. Je ne veux pas que nos ministres le punissent de leur propre imprudence, et de l'indigne choix qu'ils ont fait.

De Paris, le dernier de la lune
de Gemmadi, 2, 1715.

LETTRE 92

Usbek à Rhédi.

À Venise.

Le monarque qui a si longtemps régné n'est plus*. Il a bien

* Il mourut le 1er septembre 1715. [Note de Montesquieu.]

fait parler des gens pendant sa vie ; tout le monde s'est tu à sa mort. Ferme et courageux dans ce dernier moment, il a paru ne céder qu'au destin. Ainsi mourut le grand Chah Abas, après avoir rempli toute la terre de son nom.

Ne crois pas que ce grand événement n'ait fait faire ici que des réflexions morales. Chacun a pensé à ses affaires, et à prendre ses avantages dans ce changement. Le roi, arrière-petit-fils du monarque défunt, n'ayant que cinq ans, un prince, son oncle, a été déclaré régent du royaume[1].

Le feu roi avait fait un testament qui bornait l'autorité du régent. Ce prince habile a été au Parlement ; et, y exposant tous les droits de sa naissance, il a fait casser la disposition du monarque, qui, voulant se survivre à lui-même, semblait avoir prétendu régner encore après sa mort.

Les parlements ressemblent à ces ruines que l'on foule aux pieds, mais qui rappellent toujours l'idée de quelque temple fameux par l'ancienne religion des peuples. Ils ne se mêlent guère plus que de rendre la justice ; et leur autorité est toujours languissante, à moins que quelque conjoncture imprévue ne vienne lui rendre la force et la vie. Ces grands corps ont suivi le destin des choses humaines : ils ont cédé au temps qui détruit tout, à la corruption des mœurs qui a tout affaibli, à l'autorité suprême qui a tout abattu.

Mais le régent, qui a voulu se rendre agréable au peuple, a paru d'abord respecter cette image de la liberté publique ; et, comme s'il avait pensé à relever de terre le temple et l'idole, il a voulu qu'on les regardât comme l'appui de la monarchie, et le fondement de toute autorité légitime.

De Paris, le 4 de la lune
de Rhegeb 1715.

1. Le roi [...] royaume : Philippe, duc d'Orléans, oncle du futur Louis XV.

Arrêt
sur
lecture 3

Le désordre du sérail, dénoncé par le chef des eunuques noirs, a obligé Usbek à sévir (64-65). Cela ne le détourne pas de la société parisienne, que Rica et lui connaissent bien désormais. Ils ne se privent pas de livrer encore quelques portraits satiriques, mais Usbek, peut-être marqué par son expérience difficile de maître d'un sérail en voie de désagrégation, s'efforce désormais de dégager des lois générales, de faire apparaître les **structures sociales et politiques** qui déterminent les rapports entre individus. Ainsi on est amené à revenir sur la question religieuse et à s'ouvrir à un sujet nouveau, la justice, qui sera plus amplement développé ultérieurement, après la mort du roi.

Du portrait au tableau : quelques ridicules

Les bruyants disputeurs parisiens réapparaissent : ils ont parfois la « fureur » de faire des livres (66), ou parlent de tout avec assurance, comme le « décisionnaire » (72) qui pourrait figurer parmi les *Carac-*

tères de La Bruyère. La « vanité » de la société mondaine est encore illustrée par cet homme qui ne vit que de cérémonies et de visites de politesse (87) ; on ne s'en étonnera pas, c'est Rica, toujours plus malicieux qu'Usbek, qui se moque de lui. C'est encore lui qui présente l'Académie française comme un tribunal ridicule, que personne ne respecte (73) : encore un endroit où l'on parle sans cesse de sujets futiles.

En est-il de même pour le magistrat qui rend si mal la justice, ou le « grand seigneur » qui fait sentir de manière si insolente la supériorité que lui confère son rang (68 et 74) ? Ce sont autant de figures isolées, ou que l'on voudrait croire telles. En fait, ils introduisent des problèmes plus généraux : d'une part les relations de dépendance qu'instaure la société (88-90), de l'autre l'administration de la justice (68, 83, 86). L'approfondissement de ces questions se traduit clairement dans la composition des lettres, qui tendent désormais à s'organiser par groupes. Il en est de même quand Montesquieu traite de la religion, envisagée à travers le problème du suicide (76-77).

Structures sociales : la confusion des rangs

La « supériorité » du « grand seigneur » (74), sans doute riche descendant d'une des familles les plus nobles du royaume, est fondée sur la naissance plutôt que sur l'argent (sinon Montesquieu le ferait remarquer, comme dans la lettre 48 où il critique un fermier général) ; mais c'est une grandeur d'emprunt, qui ne tient pas à son mérite personnel, et qui l'éloigne des autres hommes. Par son attitude orgueilleuse ce seigneur prétend se distinguer d'autrui, comme d'autres le font grâce à leurs chevaux ou leur air empressé (88) ;

autrement dit, tout est dans l'apparence, et les vraies valeurs sont confondues, comme le marque l'attaque abrupte de la lettre, qui constitue une véritable critique : « À Paris, règne la liberté et l'égalité. »

Comment donc se distinguer réellement ? Les deux lettres suivantes (89 et 90) donnent la réponse : par le désir de gloire, que Montesquieu est loin de critiquer autant que beaucoup de ses contemporains. Loin d'y voir un effet de la vanité des nobles, il considère que la gloire garantit l'émulation, ce qui favorise les actions d'éclat. Le but recherché ne doit pas être la faveur du prince, mais l'estime publique. Ainsi c'est toute la société qui retire un bénéfice de cette valeur fondamentale de la monarchie et de la république qu'est l'honneur.

Certes, le « point d'honneur » ne va pas sans difficultés, puisqu'il conduit à des pratiques dangereuses et interdites, comme le duel (90). Mais est-ce une raison pour en condamner le principe ? Montesquieu ne le croit pas. En tout cas, on peut constater que dans cette lettre on est loin de l'allusion humoristique au duel qui était faite plus tôt (60) ; la question est envisagée de manière plus générale, et sous son aspect le plus sérieux.

De nouveau la question religieuse

Tolérance et religion

Usbek s'était interrogé auparavant sur les rapports entre les religions et sur la nature des différentes croyances, en rapprochant les usages des trois religions révélées, judaïque, chrétienne, musulmane (16-18, 35, 60). Il reprenait volontiers les formules et les images propres à chacune d'elle, ce qui en rendait l'évocation plus pittoresque et vivante. Maintenant, en partant d'une situation historique, l'expulsion des Arméniens de Perse (85) qui renvoie évidemment

Audience au tribunal du Grand-Châtelet. Le Roi et l'Église sont symboliquement présents sur cette gravure : comment ?

à la révocation de l'édit de Nantes (voir Arrêt 2), il insiste sur les conséquences humaines et économiques de cette décision, pour mieux conseiller la tolérance : « On pensa [= faillit] détruire, en un seul jour, tous les négociants, et presque tous les artisans du royaume. »

Le raisonnement est plus abstrait, plus général : Usbek tire les leçons des observations recueillies plus tôt (35, 46, 60), pour affirmer que la tolérance est préférable, au nom de l'intérêt général : « Ceux qui vivent dans des religions tolérées se rendent ordinairement plus utiles à leur patrie, que ceux qui vivent dans la religion dominante. » Sans compter celles qu'il ne formule pas, mais qu'on peut aisément deviner : ceux qui veulent faire changer les autres de religion (85) ne sont-ils pas les missionnaires, notamment les jésuites, très présents en Chine et au Japon au XVIIIe siècle, ou le

clergé envoyé par les Espagnols convertir de force les Indiens d'Amérique depuis le XVIe siècle ?

Le suicide interdit

La religion est également envisagée sous un nouvel aspect : c'est elle qui interdit le suicide (76-77), car elle considère que l'homme n'a pas le droit d'attenter à la vie que Dieu lui a donnée. À cet interdit d'ordre religieux, Montesquieu ne répond pas d'abord par des arguments religieux, mais en se référant à l'ordre social, selon lequel l'homme doit rester maître de sa destinée. C'est au nom de la liberté humaine qu'il revendique le droit au suicide.

Il aborde ensuite la question proprement théologique* : pour les chrétiens, la Providence divine ne doit pas être contrecarrée par la volonté humaine ; Dieu veut que l'homme vive ; c'est donc se révolter contre lui que se suicider. Montesquieu réfute cet argument : nous sommes si petits dans l'univers que notre devenir ou la forme de notre corps importent peu à la Providence. Il dénonce « l'orgueil » qui nous pousse à croire notre vie si précieuse, tout en retournant contre les théologiens leur argument principal : mourir, n'est-ce pas se rapprocher de Dieu ?

Ces pages écrites par Usbek prendront une résonance nouvelle à la fin du roman ; elles traitent d'un sujet qui sera abondamment discuté tout au long du XVIIIe siècle (par exemple dans *La Nouvelle Héloïse* de Rousseau). Pour le moment, elles se présentent comme typiques de la démarche et de la pensée de Montesquieu. Il défend avant tout la liberté, « ce bien qui fait jouir des autres biens », comme il l'écrit dans ses *Pensées*. À partir de là, il refuse l'emprise de la religion sur la vie humaine : que la religion soit une aide et une consolation, soit ; mais qu'elle pèse sur l'humanité est contraire à sa nature.

De ce fait, pour parler de la condition humaine, Montesquieu refuse de se plier à une argumentation religieuse : il faut d'abord affirmer les droits de la nature humaine. C'est seulement ensuite

qu'il a recours à un raisonnement théologique*, non parce qu'il le croit indispensable en la matière, mais parce qu'il faut savoir parler le langage de l'interlocuteur, au besoin en retournant contre lui ses propres arguments.

Justice et religion

Autre question cruciale : pourquoi dans ce cas les hommes ne sont-ils pas justes (83) ? Parce qu'ils préfèrent parfois leurs propres intérêts, non parce que l'injustice fait partie de leur nature. La justice est un principe fondamental, qui s'impose même à Dieu, car on ne peut imaginer un Dieu injuste (qui punirait des innocents, par exemple) : « S'il y a un Dieu […], il faut nécessairement qu'il soit juste. » Proposition choquante pour certains contemporains ; quand Montesquieu se fait connaître par d'autres propositions tout aussi dangereuses dans *L'esprit des lois*, l'abbé Gaultier écrit un ouvrage intitulé *Les Lettres persanes convaincues d'impiété* (1751). Remarquez tout de même qu'en 1721 les réactions ne sont pas aussi vives – peut-être parce que le ton plaisant de l'ouvrage permet de « faire passer » un certain nombre d'audaces.

Autre proposition tout aussi choquante pour eux : « Quand il n'y aurait pas de Dieu, nous devrions toujours aimer la justice. » Autrement dit, on peut se passer de Dieu… Cela veut-il dire que Montesquieu ne croit pas en l'existence de Dieu ? Dans la France de l'époque, les athées sont considérés comme des sortes de monstres et sont obligés de se cacher, comme le curé Meslier, dont on ne connaîtra la « confession » qu'après sa mort ; d'ailleurs fort peu de philosophes le seront réellement, comme Diderot ou d'Holbach, plus tard dans le siècle ; la plupart des écrivains du siècle des Lumières sont déistes, comme Voltaire et Montesquieu lui-même : ils reconnaissent l'existence de Dieu, lui adressent des prières, mais refusent de croire qu'il soit impitoyable ou que des hommes (les prêtres) puissent le représenter sur terre.

Comment pratiquer la justice ?

Le droit et la justice

La justice est donc inscrite dans le cœur des hommes. Mais sont-ils capables de l'exercer et d'en formuler les règles ? Nous l'avons dit, elle est d'abord présentée sous un jour satirique, à travers la personne d'un magistrat peu scrupuleux, peu intéressé par le droit (68). Montesquieu étant lui-même magistrat au parlement de Bordeaux à l'époque des *Lettres persanes*, on peut penser qu'il dénonce ici des travers qu'il a observés. Quelque temps après les *Lettres persanes* (en 1726), dégoûté par les détails de procédure et l'étroitesse des questions qu'il a à traiter, il vend sa charge pour se consacrer à l'étude de l'histoire et du droit à travers toutes les sociétés du monde – ce qui deviendra *L'esprit des lois*. En fait ce qu'il dénonce ici, c'est surtout l'idée selon laquelle le droit se résume à des codes qu'il faudrait apprendre par cœur sans en saisir l'esprit et la raison profonde. Il exprime ainsi ce qui s'annonce comme la ligne directrice de ses travaux futurs : la justice n'est pas une affaire de procédure, c'est le fondement même des relations humaines.

Si Montesquieu laisse encore la parole à Rica pour décrire le palais de justice (86), on peut supposer que c'est pour le présenter de manière plaisante. Mais le ton est plutôt amer, puisqu'il évoque l'indécence des procès où la vie privée est portée au grand jour. Comme il est question de mœurs, il est facile d'ironiser sur les femmes qui trompent leur mari ou la stupidité des juges. L'impression générale laissée par la justice ne prête pas à sourire. La question est trop grave.

Les parlements

C'est seulement avec la mort de Louis XIV que l'espoir renaît (92), car les parlements retrouvent un rôle politique. Telle est la conséquence inattendue du despotisme que le roi a exercé si longtemps : c'est pour casser une décision inique (le testament de Louis XIV, qui

favorisait ses enfants bâtards, nés de ses amours avec Mme de Montespan) que les parlements se souviennent de leur fonction et de leur puissance passée. Est-ce vraiment de bon augure ? En fait, ils ont été manipulés par le Régent, « qui a voulu se rendre agréable au peuple », et qui a donc fait preuve de démagogie. Qu'importe ? L'essentiel n'est-il pas que les parlements aient conscience de leurs droits et de leurs devoirs, qu'ils aient une autorité politique au sein du royaume, susceptible de contrebalancer celle du roi, donc d'éviter le despotisme.

La fin de Louis XIV et le début de la Régence

C'est seulement à la lettre 92 qu'est annoncée la mort de Louis XIV, mais son déclin est sensible dès la lettre 91 (ajoutée aux *Lettres persanes* en 1754), à travers la mascarade d'un faux ambassadeur « qui se joue insolemment des deux plus grands rois du monde ». La rencontre de la Perse et de la France se traduit par un épisode qui tourne à la honte générale. Encore Montesquieu est-il loin d'être aussi cruel que son ami Saint-Simon :

« Le Roi s'en fit une grande fête, et Pontchartrain [son ministre] […] fut accusé d'avoir créé cette ambassade, en laquelle en effet il ne parut rien de réel, et que toutes les manières de l'ambassadeur démentirent, ainsi que sa misérable suite et la pauvreté des présents qu'il apporta. Nulle instruction ni pouvoir du roi de Perse, ni d'aucun de ses ministres. C'était un espèce d'intendant de la province de [Erivan], que le gouverneur chargea de quelques affaires particulières de négoce, que Pontchartrain travestit en ambassadeur, et dont le Roi presque seul demeura la dupe. […] Le Roi, à qui on donna toujours [l'ambassade] pour véritable, et qui fut presque le

Dans la galerie des Glaces de Versailles, Louis XIV reçoit Mehémet Raza-Bey, ambassadeur extraordinaire du Shah de Perse Tahmasp II, le 19 février 1715. Peinture d'Antoine Coypel (1661-1722).

seul de sa cour qui le crût de bonne foi, se trouva extrêmement flatté d'une ambassade de Perse sans se l'être attirée par aucun envoi. Il en parla souvent avec complaisance, et voulut que toute la cour fût de la dernière magnificence le jour de l'audience, qui fut le mardi 19 février ; lui-même en donna l'exemple, qui fut suivi avec la plus grande profusion. On plaça un magnifique trône, élevé de plusieurs marches, dans le bout de la galerie adossé au salon qui joint l'appartement de la Reine, et des gradins à divers étages de bancs des deux côtés de la galerie, superbement ornée ainsi que tout le grand appartement. [Arrive l'ambassadeur avec sa suite.] Cette suite parut fort misérable en tout, et le prétendu Ambassadeur fort embarrassé et fort mal vêtu, les présents au-dessous du rien. **»**

Saint-Simon, *Mémoires*, Bibliothèque de la Pléiade, t. V, p. 169-170 [rédigés entre 1723 et 1750, mais restés inédits jusqu'en 1788], Éditions Gallimard.

Là où Saint-Simon ne voit que la vanité d'un roi vieillissant, facile à abuser, Montesquieu découvre une occasion manquée entre les deux nations. L'incompréhension est peut-être même encore plus grande qu'on ne le croyait alors : l'ambassadeur était bien l'envoyé du roi de Perse, chargé de cadeaux jugés fort coûteux en Orient, du « baume de momie » venu de la mer Morte (autrement dit, du bitume) et considéré comme un remède exceptionnel. On comprend que, pour reprendre les expressions mêmes de Saint-Simon, la cour ait jugé cela « au-dessous du rien », tout comme les petites perles que l'ambassadeur présenta à Louis XIV, qui « ployait sous le poids » des diamants qui constellaient son habit.

Remarquez tout de même que le dernier mot de la lettre est pour conseiller la clémence : si forte que soit son indignation, Montesquieu ne cherche jamais la vengeance. Il ne se déchaîne pas non plus contre le premier coupable venu ; il préfère chercher, non pas celui qui est l'instrument de la faute, mais celui qui en est l'origine : celui-là seul est le vrai coupable.

à vous...

1 – Réflexion : lettre 73 – Classez les reproches adressés à l'Académie française. Lesquels sont les plus graves, lesquels sont les plus efficaces aux yeux du lecteur ? Ceux qui la couvrent de ridicule ou ceux qui dénoncent les défauts les plus importants ?

2 – Étude comparative sous forme de commentaire composé : lettres 51 et 78 – Comparez le tableau de l'Espagne (78) à celui de la Russie (51) en étudiant notamment :
– les conditions d'énonciation (personnalité du locuteur ; place dans le roman) ;

– la thématique envisagée (caractère dominant de chaque nation; réflexion politique);
– le ton de la lettre.

3 – Dissertation – «À Paris règne [...] l'égalité» (88). Quels sont les principes d'inégalité que Montesquieu admet entre les hommes? Comment sont-ils justifiés?

4 – À la manière de... – Composez une inscription funéraire à la gloire d'un personnage ridicule (ou ennuyeux) sur le modèle de celle de la lettre 87.

Usbek à son frère, santon au monastère de Casbin.

[*Austérité des santons et des ermites.*]

Usbek à Rhédi.

À Venise.

Je n'ai jamais ouï parler du droit public, qu'on n'ait com-
mencé par rechercher soigneusement quelle est l'origine
des sociétés ; ce qui me paraît ridicule. Si les hommes n'en
formaient point, s'ils se quittaient et se fuyaient les uns les
autres, il faudrait en demander la raison, et chercher pour-
quoi ils se tiennent séparés : mais ils naissent tous liés les
uns aux autres ; un fils est né auprès de son père, et il s'y
tient : voilà la société, et la cause de la société.

Le droit public est plus connu en Europe qu'en Asie :
cependant on peut dire que les passions des princes, la

patience des peuples, la flatterie des écrivains, en ont corrompu tous les principes.

Ce droit, tel qu'il est aujourd'hui, est une science qui apprend aux princes jusqu'à quel point ils peuvent violer la justice, sans choquer leurs intérêts. Quel dessein, Rhédi, de vouloir, pour endurcir leur conscience, mettre l'iniquité en système, d'en donner des règles, d'en former des principes, et d'en tirer des conséquences !

La puissance illimitée de nos sublimes sultans, qui n'a d'autre règle qu'elle-même, ne produit pas plus de monstres, que cet art indigne, qui veut faire plier la justice, tout inflexible qu'elle est.

On dirait, Rhédi, qu'il y a deux justices toutes différentes : l'une qui règle les affaires des particuliers, qui règne dans le droit civil ; l'autre qui règle les différends qui surviennent de peuple à peuple, qui tyrannise dans le droit public : comme si le droit public n'était pas lui-même un droit civil ; non pas, à la vérité, d'un pays particulier, mais du monde.

Je t'expliquerai, dans une autre lettre, mes pensées là-dessus.

De Paris, le premier de la lune
de Zilhagé 1716.

LETTRE 95

Usbek au même.

Les magistrats doivent rendre la justice de citoyen à citoyen : chaque peuple la doit rendre lui-même de lui à un autre peuple. Dans cette seconde distribution de justice, on ne peut employer d'autres maximes que dans la première.

De peuple à peuple, il est rarement besoin de tiers pour juger, parce que les sujets de disputes sont presque toujours clairs et faciles à terminer. Les intérêts de deux nations sont ordinairement si séparés, qu'il ne faut qu'aimer la justice pour la trouver ; on ne peut guère se prévenir dans sa propre cause.

Il n'en est pas de même des différends qui arrivent entre particuliers. Comme ils vivent en société, leurs intérêts sont si mêlés et si confondus, il y en a de tant de sortes différentes, qu'il est nécessaire qu'un tiers débrouille ce que la cupidité des parties cherche à obscurcir.

Il n'y a que deux sortes de guerres justes : les unes qui se font pour repousser un ennemi qui attaque, les autres pour secourir un allié qui est attaqué.

Il n'y aurait point de justice de faire la guerre pour des querelles particulières du prince, à moins que le cas ne fût si grave, qu'il méritât la mort du prince, ou du peuple qui l'a commis. Ainsi un prince ne peut faire la guerre, parce qu'on lui aura refusé un honneur qui lui est dû, ou parce qu'on aura eu quelque procédé peu convenable à l'égard de ses ambassadeurs, et autres choses pareilles ; non plus qu'un particulier ne peut tuer celui qui lui refuse la préséance. La raison en est que, comme la déclaration de guerre doit être un acte de justice, dans laquelle il faut toujours que la peine soit proportionnée à la faute, il faut voir si celui à qui on déclare la guerre mérite la mort. Car, faire la guerre à quelqu'un, c'est vouloir le punir de mort.

Dans le droit public, l'acte de justice le plus sévère, c'est la guerre ; puisqu'elle peut avoir l'effet de détruire la société.

Les représailles sont du second degré. C'est une loi que les tribunaux n'ont pu s'empêcher d'observer, de mesurer la peine par le crime.

Un troisième acte de justice, est de priver un prince des avantages qu'il peut tirer de nous, proportionnant toujours la peine à l'offense.

Le quatrième acte de justice, qui doit être le plus fréquent, est la renonciation à l'alliance du peuple dont on a à se plaindre. Cette peine répond à celle du bannissement que les tribunaux ont établie, pour retrancher les coupables de la société. Ainsi un prince, à l'alliance duquel nous renonçons, est retranché de notre société, et n'est plus un des membres qui la composent.

On ne peut pas faire de plus grand affront à un prince, que de renoncer à son alliance, ni lui faire de plus grand honneur, que de la contracter. Il n'y a rien, parmi les hommes, qui leur soit plus glorieux, et même plus utile, que d'en voir d'autres toujours attentifs à leur conservation.

Mais, pour que l'alliance nous lie, il faut qu'elle soit juste : ainsi une alliance, faite entre deux nations pour en opprimer une troisième, n'est pas légitime ; et on peut la violer sans crime.

Il n'est pas même de l'honneur et de la dignité du prince, de s'allier avec un tyran. On dit qu'un monarque d'Égypte fit avertir le roi de Samos de sa cruauté et de sa tyrannie, et le somma de s'en corriger : comme il ne le fit pas, il lui envoya dire qu'il renonçait à son amitié et à son alliance.

La conquête ne donne point un droit par elle-même. Lorsque le peuple subsiste, elle est un gage de la paix et de la réparation du tort : et, si le peuple est détruit, ou dispersé, elle est le monument d'une tyrannie.

Les traités de paix sont si sacrés parmi les hommes, qu'il semble qu'ils soient la voix de la nature, qui réclame ses droits. Ils sont tous légitimes, lorsque les conditions en sont telles que les deux peuples peuvent se conserver : sans quoi,

celle des deux sociétés qui doit périr, privée de sa défense naturelle par la paix, la peut chercher dans la guerre.

Car la nature, qui a établi les différents degrés de force et de faiblesse parmi les hommes, a encore souvent égalé la faiblesse à la force par le désespoir.

Voilà, cher Rhédi, ce que j'appelle le droit public ; voilà le droit des gens, ou plutôt celui de la raison.

De Paris, le 4 de la lune
de Zilhagé 1716.

LETTRE 96

Le Premier Eunuque à Usbek.

À Paris.

[*Achat d'une femme jaune ; discipline des sérails ; nécessité du retour d'Usbek.*]

LETTRE 97

Usbek à Hassein,
dervis de la montagne de Jaron.

Ô toi, sage dervis, dont l'esprit curieux brille de tant de connaissances, écoute ce que je vais te dire.

Il y a ici des philosophes, qui, à la vérité, n'ont point atteint jusqu'au faîte de la sagesse orientale : ils n'ont point été ravis jusqu'au trône lumineux : ils n'ont ni entendu les paroles ineffables dont les concerts des anges retentissent, ni senti les formidables accès d'une fureur divine : mais, laissés à eux-mêmes, privés des saintes merveilles, ils suivent, dans le silence, les traces de la raison humaine.

Tu ne saurais croire jusqu'où ce guide[1] les a conduits. Ils ont débrouillé le chaos ; et ont expliqué, par une mécanique simple, l'ordre de l'architecture divine. L'auteur de la nature a donné du mouvement à la matière : il n'en a pas fallu davantage pour produire cette prodigieuse variété d'effets que nous voyons dans l'univers.

Que les législateurs ordinaires nous proposent des lois, pour régler les sociétés des hommes ; des lois aussi sujettes au changement que l'esprit de ceux qui les proposent, et des peuples qui les observent : ceux-ci ne nous parlent que des lois générales, immuables, éternelles, qui s'observent sans aucune exception, avec un ordre, une régularité, et une promptitude infinie, dans l'immensité des espaces.

Et que crois-tu, homme divin, que soient ces lois ? Tu t'imagines peut-être qu'entrant dans le conseil de l'Éternel, tu vas être étonné par la sublimité des mystères : tu renonces par avance à comprendre ; tu ne te proposes que d'admirer.

Mais tu changeras bientôt de pensée : elles n'éblouissent point par un faux respect : leur simplicité les a fait longtemps méconnaître ; et ce n'est qu'après bien des réflexions, qu'on en a vu toute la fécondité et toute l'étendue.

La première est que tout corps tend à décrire une ligne droite, à moins qu'il ne rencontre quelque obstacle qui l'en détourne : et la seconde, qui n'en est qu'une suite, c'est que tout corps qui tourne autour d'un centre tend à s'en éloigner ; parce que, plus il en est loin, plus la ligne qu'il décrit approche de la ligne droite.

Voilà, sublime dervis, la clef de la nature : voilà des principes féconds, dont on tire des conséquences à perte de vue.

La connaissance de cinq ou six vérités a rendu leur phi-

1. Ce guide : le physicien Newton.

losophie pleine de miracles; et leur a fait faire presque autant de prodiges et de merveilles, que tout ce qu'on nous raconte de nos saints prophètes.

Car enfin, je suis persuadé qu'il n'y a aucun de nos docteurs qui n'eût été embarrassé, si on lui eût dit de peser, dans une balance, tout l'air qui est autour de la terre, ou de mesurer toute l'eau qui tombe chaque année sur sa surface; et qui n'eût pensé plus de quatre fois, avant de dire combien de lieues le son fait dans une heure; quel temps un rayon de lumière emploie à venir du soleil à nous; combien de toises il y a d'ici à Saturne; quelle est la courbe selon laquelle un vaisseau doit être taillé, pour être le meilleur voilier qu'il soit possible.

Peut-être que, si quelque homme divin avait orné les ouvrages de ces philosophes de paroles hautes et sublimes; s'il y avait mêlé des figures hardies et des allégories mystérieuses, il aurait fait un bel ouvrage, qui n'aurait cédé qu'au saint Alcoran [1].

Cependant, s'il te faut dire ce que je pense, je ne m'accommode guère du style figuré. Il y a, dans notre Alcoran, un grand nombre de petites choses, qui me paraissent toujours telles, quoiqu'elles soient relevées par la force et la vie de l'expression. Il semble d'abord que les livres inspirés ne sont que les idées divines rendues en langage humain : au contraire, dans notre Alcoran, on trouve souvent le langage de Dieu, et les idées des hommes; comme si, par un admirable caprice, Dieu y avait dicté les paroles, et que l'homme eût fourni les pensées.

Tu diras peut-être que je parle trop librement de ce qu'il y a de plus saint parmi nous; tu croiras que c'est le fruit de

1. Alcoran : voir lettre 10, n. 2.

l'indépendance où l'on vit dans ce pays. Non : grâces au ciel, l'esprit n'a pas corrompu le cœur ; et, tandis que je vivrai, Hali sera mon prophète.

De Paris, le 10 de la lune
de Chahban, 1716.

LETTRE 98

Usbek à Ibben.

À Smyrne.

Il n'y a point de pays au monde où la fortune soit si inconstante que dans celui-ci. Il arrive, tous les dix ans, des révolutions qui précipitent le riche dans la misère, et enlèvent le pauvre avec des ailes rapides au comble des richesses. Celui-ci est étonné de sa pauvreté ; celui-là l'est de son abondance. Le nouveau riche admire la sagesse de la Providence ; le pauvre, l'aveugle fatalité du destin.

Ceux qui lèvent les tributs [1] nagent au milieu des trésors : parmi eux, il y a peu de Tantales [2]. Ils commencent pourtant ce métier par la dernière misère. Ils sont méprisés comme de la boue, pendant qu'ils sont pauvres : quand ils sont riches, on les estime assez ; aussi ne négligent-ils rien pour acquérir de l'estime.

Ils sont à présent dans une situation bien terrible. On vient d'établir une chambre, qu'on appelle de justice, parce qu'elle va leur ravir tout leur bien. Ils ne peuvent, ni détourner, ni cacher leurs effets [3] ; car on les oblige de les déclarer

1. Tributs : impôts.
2. Tantale : dans la mythologie, prince puni aux Enfers de son avarice, qui jamais ne peut atteindre ce qu'il veut attraper.
3. Effet : titre de valeur négociable, équivalent des chèques actuels.

au juste, sous peine de la vie : ainsi on les fait passer par un défilé bien étroit, je veux dire entre la vie et leur argent. Pour comble d'infortune, il y a un ministre connu par son esprit[1], qui les honore de ses plaisanteries, et badine sur toutes les délibérations du conseil. On ne trouve pas tous les jours des ministres disposés à faire rire le peuple ; et l'on doit savoir bon gré à celui-ci de l'avoir entrepris.

Le corps des laquais est plus respectable en France qu'ailleurs : c'est un séminaire[2] de grands seigneurs ; il remplit le vide des autres états. Ceux qui le composent prennent la place des grands malheureux, des magistrats ruinés, des gentilshommes tués dans les fureurs de la guerre : et, quand ils ne peuvent pas suppléer par eux-mêmes, ils relèvent toutes les grandes maisons par le moyen de leurs filles, qui sont comme une espèce de fumier qui engraisse les terres montagneuses et arides.

Je trouve, Ibben, la Providence admirable dans la manière dont elle a distribué les richesses. Si elle ne les avait accordées qu'aux gens de bien, on ne les aurait pas assez distinguées de la vertu, et on n'en aurait plus senti tout le néant. Mais, quand on examine qui sont les gens qui en sont les plus chargés, à force de mépriser les riches, on vient enfin à mépriser les richesses.

De Paris, le 26 de la lune
de Maharram 1717.

1. Un ministre connu par son esprit : le duc de Noailles.
2. Un séminaire : lieu de formation.

LETTRE 99

Rica à Rhédi.

À Venise.

Je trouve les caprices de la mode, chez les Français, étonnants. Ils ont oublié comment ils étaient habillés cet été ; ils ignorent encore plus comment ils le seront cet hiver : mais, surtout, on ne saurait croire combien il en coûte à un mari, pour mettre sa femme à la mode.

Que me servirait de te faire une description exacte de leur habillement et de leurs parures ? Une mode nouvelle viendrait détruire tout mon ouvrage, comme celui de leurs ouvriers ; et, avant que tu eusses reçu ma lettre, tout serait changé.

Une femme qui quitte Paris, pour aller passer six mois à la campagne, en revient aussi antique que si elle s'y était oubliée trente ans. Le fils méconnaît le portrait de sa mère ; tant l'habit, avec lequel elle est peinte, lui paraît étranger : il s'imagine que c'est quelque Américaine qui y est représentée, ou que le peintre a voulu exprimer quelqu'une de ses fantaisies.

Quelquefois les coiffures montent insensiblement, et une révolution les fait descendre tout à coup. Il a été un temps que leur hauteur immense mettait le visage d'une femme au milieu d'elle-même : dans un autre, c'étaient les pieds qui occupaient cette place ; les talons faisaient un piédestal qui les tenait en l'air. Qui pourrait le croire ? les architectes ont été souvent obligés de hausser, de baisser, et d'élargir leurs portes, selon que les parures des femmes exigeaient d'eux ce changement ; et les règles de leur art ont été asservies à

ces caprices. On voit quelquefois, sur un visage, une quantité prodigieuse de mouches[1] ; et elles disparaissent toutes le lendemain. Autrefois, les femmes avaient de la taille et des dents ; aujourd'hui il n'en est pas question. Dans cette changeante nation, quoi qu'en disent les mauvais plaisants, les filles se trouvent autrement faites que leurs mères.

Il en est, des manières et de la façon de vivre, comme des modes : les Français changent de mœurs, selon l'âge de leur roi. Le monarque pourrait même parvenir à rendre la nation grave, s'il l'avait entrepris. Le prince imprime le caractère de son esprit à la cour, la cour à la ville, la ville aux provinces. L'âme du souverain est un moule qui donne la forme à toutes les autres.

De Paris, le 8 de la lune
de Saphar 1717.

LETTRE 100

Rica au même.

Je te parlais l'autre jour de l'inconstance prodigieuse des Français sur leurs modes. Cependant il est inconcevable à quel point ils en sont entêtés : ils y rappellent tout : c'est la règle avec laquelle ils jugent de tout ce qui se fait chez les autres nations : ce qui est étranger leur paraît toujours ridicule. Je t'avoue que je ne saurais guère ajuster cette fureur pour leurs coutumes, avec l'inconstance avec laquelle ils en changent tous les jours.

Quand je te dis qu'ils méprisent tout ce qui est étranger,

1. Mouche : morceau de taffetas gommé de couleur noire, qui se place sur le visage.

je ne parle que des bagatelles ; car, sur les choses importantes, ils semblent s'être méfiés d'eux-mêmes, jusqu'à se dégrader. Ils avouent de bon cœur que les autres peuples sont plus sages, pourvu qu'on convienne qu'ils sont mieux vêtus : ils veulent bien s'assujettir aux lois d'une nation rivale, pourvu que les perruquiers français décident en législateurs sur la forme des perruques étrangères. Rien ne leur paraît si beau que de voir le goût de leurs cuisiniers régner du septentrion au midi, et les ordonnances de leurs coiffeuses portées dans toutes les toilettes de l'Europe.

Avec ces nobles avantages, que leur importe que le bon sens leur vienne d'ailleurs, et qu'ils aient pris de leurs voisins tout ce qui concerne le gouvernement politique et civil ?

Qui peut penser qu'un royaume, le plus ancien et le plus puissant de l'Europe, soit gouverné, depuis plus de dix siècles, par des lois qui ne sont pas faites pour lui ? Si les Français avaient été conquis, ceci ne serait pas difficile à comprendre : mais ils sont les conquérants [1].

Ils ont abandonné les lois anciennes, faites par leurs premiers rois dans les assemblées générales de la nation : et, ce qu'il y a de singulier, c'est que les lois romaines, qu'ils ont prises à la place, étaient en partie faites et en partie rédigées par des empereurs contemporains de leurs législateurs.

Et, afin que l'acquisition fût entière, et que tout le bon sens leur vînt d'ailleurs, ils ont adopté toutes les constitutions [2] des papes, et en ont fait une nouvelle partie de leur droit : nouveau genre de servitude.

1. Les conquérants : allusion à la conquête des Gaules par les Francs, alors considérés comme les ancêtres des Français (Ve siècle apr. J.-C.).
2. Les constitutions des papes : allusion à la fois au droit canon, ou droit de l'Église, et à la *Constitution Unigenitus* (voir lettre 24).

Il est vrai que, dans les derniers temps, on a rédigé par écrit quelques statuts des villes et des provinces : mais ils sont presque tous pris du droit romain.

Cette abondance de lois adoptées, et, pour ainsi dire, naturalisées, est si grande, qu'elle accable également la justice et les juges. Mais ces volumes de lois ne sont rien en comparaison de cette armée effroyable de glossateurs, de commentateurs, de compilateurs ; gens aussi faibles par le peu de justesse de leur esprit, qu'ils sont forts par leur nombre prodigieux.

Ce n'est pas tout : ces lois étrangères ont introduit des formalités dont l'excès est la honte de la raison humaine. Il serait assez difficile de décider si la forme s'est rendue plus pernicieuse, lorsqu'elle est entrée dans la jurisprudence, ou lorsqu'elle s'est logée dans la médecine : si elle a fait plus de ravages sous la robe d'un jurisconsulte, que sous le large chapeau d'un médecin ; et si, dans l'une, elle a plus ruiné de gens qu'elle n'en a tué dans l'autre.

De Paris, le 17 de la lune
de Saphar 1717.

LETTRE 101

Usbek à *.**

[*Mandement d'un évêque sur la* Constitution.]

LETTRE 102

Usbek à Ibben.

À Smyrne.

Les plus puissants États de l'Europe sont ceux de l'empereur[1], des rois de France, d'Espagne, et d'Angleterre. L'Italie, et une grande partie de l'Allemagne, sont partagées en un nombre infini de petits États, dont les princes sont, à proprement parler, les martyrs de la souveraineté. Nos glorieux sultans ont plus de femmes que quelques-uns de ces princes n'ont de sujets. Ceux d'Italie, qui ne sont pas si unis, sont plus à plaindre : leurs États sont ouverts comme des caravansérails, où ils sont obligés de loger les premiers qui viennent : il faut donc qu'ils s'attachent aux grands princes, et leur fassent part de leur frayeur, plutôt que de leur amitié.

La plupart des gouvernements d'Europe sont monarchiques, ou plutôt sont ainsi appelés : car je ne sais pas s'il y en a jamais eu véritablement de tels ; au moins est-il difficile qu'ils aient subsisté longtemps dans leur pureté. C'est un État violent, qui dégénère toujours en despotisme, ou en république. La puissance ne peut jamais être également partagée entre le peuple et le prince ; l'équilibre est trop difficile à garder : il faut que le pouvoir diminue d'un côté, pendant qu'il augmente de l'autre : mais l'avantage est ordinairement du côté du prince, qui est à la tête des armées.

Aussi le pouvoir des rois d'Europe est-il bien grand, et on peut dire qu'ils l'ont tel qu'ils le veulent : mais ils ne l'exercent point avec tant d'étendue que nos sultans ; premièrement, parce qu'ils ne veulent point choquer les mœurs et la

1. L'empereur : l'empereur d'Allemagne.

religion des peuples ; secondement, parce qu'il n'est pas de leur intérêt de le porter si loin.

Rien ne rapproche plus nos princes de la condition de leurs sujets, que cet immense pouvoir qu'ils exercent sur eux ; rien ne les soumet plus aux revers et aux caprices de la fortune.

L'usage où ils sont de faire mourir tous ceux qui leur déplaisent, au moindre signe qu'ils font, renverse la proportion qui doit être entre les fautes et les peines, qui est comme l'âme des États, et l'harmonie des empires ; et cette proportion, scrupuleusement gardée par les princes chrétiens, leur donne un avantage infini sur nos sultans.

Un Persan qui, par imprudence ou par malheur, s'est attiré la disgrâce du prince, est sûr de mourir : la moindre faute ou le moindre caprice le met dans cette nécessité. Mais, s'il avait attenté à la vie de son souverain, s'il avait voulu livrer ses places aux ennemis, il en serait quitte aussi pour perdre la vie : il ne court donc pas plus de risque dans ce dernier cas que dans le premier.

Aussi, dans la moindre disgrâce, voyant la mort certaine, et ne voyant rien de pis, il se porte naturellement à troubler l'État, et à conspirer contre le souverain ; seule ressource qui lui reste.

Il n'en est pas de même des grands d'Europe, à qui la disgrâce n'ôte rien que la bienveillance et la faveur. Ils se retirent de la cour, et ne songent qu'à jouir d'une vie tranquille et des avantages de leur naissance. Comme on ne les fait guère périr que pour le crime de lèse-majesté, ils craignent d'y tomber, par la considération de ce qu'ils ont à perdre, et du peu qu'ils ont à gagner – ce qui fait qu'on voit peu de révoltes, et peu de princes qui périssent d'une mort violente.

Si, dans cette autorité illimitée qu'ont nos princes, ils n'apportaient pas tant de précautions pour mettre leur vie en sûreté, ils ne vivraient pas un jour ; et, s'ils n'avaient à leur solde un nombre innombrable de troupes, pour tyranniser le reste de leurs sujets, leur empire ne subsisterait pas un mois.

Il n'y a que quatre ou cinq siècles qu'un roi de France prit des gardes, contre l'usage de ces temps-là, pour se garantir des assassins qu'un petit prince d'Asie avait envoyés pour le faire périr : jusque-là les rois avaient vécu tranquilles au milieu de leurs sujets, comme des pères au milieu de leurs enfants.

Bien loin que les rois de France puissent, de leur propre mouvement, ôter la vie à un de leurs sujets, comme nos sultans, ils portent au contraire toujours avec eux la grâce de tous les criminels : il suffit qu'un homme ait été assez heureux pour voir l'auguste visage de son prince, pour qu'il cesse d'être indigne de vivre. Ces monarques sont comme le soleil, qui porte partout la chaleur et la vie.

De Paris, le 8 de la lune
de Rebiab, 2, 1717.

LETTRE 103

Usbek au même.

Pour suivre l'idée de ma dernière lettre, voici, à peu près, ce que me disait l'autre jour un Européen assez sensé :

« Le plus mauvais parti que les princes d'Asie aient pu prendre, c'est de se cacher comme ils font. Ils veulent se rendre plus respectables : mais ils font respecter la royauté, et non pas le roi ; et attachent l'esprit des sujets à un certain trône, et non pas à une certaine personne.

« Cette puissance invisible, qui gouverne, est toujours la même pour le peuple. Quoique dix rois, qu'il ne connaît que de nom, se soient égorgés l'un après l'autre, il ne sent aucune différence : c'est comme s'il avait été gouverné successivement par des esprits.

« Si le détestable parricide[1] de notre grand roi Henri IV avait porté ce coup sur un roi des Indes, maître du sceau royal, et d'un trésor immense qui aurait semblé amassé pour lui, il aurait pris tranquillement les rênes de l'empire, sans qu'un seul homme eût pensé à réclamer son roi, sa famille et ses enfants.

« On s'étonne de ce qu'il n'y a presque jamais de changement dans le gouvernement des princes d'Orient : d'où vient cela, si ce n'est de ce qu'il est tyrannique et affreux ?

« Les changements ne peuvent être faits que par le prince, ou par le peuple : mais, là, les princes n'ont garde d'en faire ; parce que, dans un si haut degré de puissance, ils ont tout ce qu'ils peuvent avoir : s'ils changeaient quelque chose, ce ne pourrait être qu'à leur préjudice.

« Quant aux sujets, si quelqu'un d'eux forme quelque résolution, il ne saurait l'exécuter sur l'État ; il faudrait qu'il contrebalançât, tout à coup, une puissance redoutable et toujours unique ; le temps lui manque, comme les moyens : mais il n'a qu'à aller à la source de ce pouvoir ; et il ne lui faut qu'un bras et qu'un instant.

« Le meurtrier monte sur le trône, pendant que le monarque en descend, tombe, et va expirer à ses pieds.

« Un mécontent, en Europe, songe à entretenir quelque intelligence secrète, à se jeter chez les ennemis, à se saisir de quelque place, à exciter quelques vains murmures parmi

1. Parricide : assassin de son père, et, par extension, de son roi, le roi étant considéré comme le père de ses sujets.

les sujets. Un mécontent, en Asie, va droit au prince, étonne, frappe, renverse : il en efface jusqu'à l'idée ; dans un instant l'esclave et le maître, dans un instant usurpateur et légitime.

« Malheureux le roi qui n'a qu'une tête ! Il semble ne réunir sur elle toute sa puissance, que pour indiquer au premier ambitieux l'endroit où il la trouvera tout entière. »

De Paris, le 17 de la lune
de Rebiab, 2, 1717.

LETTRE 104

Usbek au même.

[*Idée des Anglais sur les droits du Prince.*]

LETTRE 105

Rhédi à Usbek.

À Paris.

Tu m'as beaucoup parlé, dans une de tes lettres, des sciences et des arts [1] cultivés en Occident. Tu me vas regarder comme un barbare : mais je ne sais si l'utilité que l'on en retire dédommage les hommes du mauvais usage que l'on en fait tous les jours.

J'ai ouï dire que la seule invention des bombes avait ôté la liberté à tous les peuples de l'Europe. Les princes ne pouvant plus confier la garde des places aux bourgeois, qui, à la première bombe, se seraient rendus, ont eu un prétexte

1. Arts : techniques.

pour entretenir de gros corps de troupes réglées, avec lesquelles ils ont, dans la suite, opprimé leurs sujets.

Tu sais que, depuis l'invention de la poudre, il n'y a plus de places imprenables ; c'est-à-dire, Usbek, qu'il n'y a plus d'asile sur la terre contre l'injustice et la violence.

Je tremble toujours qu'on ne parvienne, à la fin, à découvrir quelque secret qui fournisse une voie plus abrégée pour faire périr les hommes, détruire les peuples et les nations entières.

Tu as lu les historiens : fais-y bien attention ; presque toutes les monarchies n'ont été fondées que sur l'ignorance des arts, et n'ont été détruites que parce qu'on les a trop cultivés. L'ancien empire de Perse peut nous en fournir un exemple domestique.

Il n'y a pas longtemps que je suis en Europe ; mais j'ai ouï parler à des gens sensés des ravages de la chimie [1]. Il semble que ce soit un quatrième fléau, qui ruine les hommes et les détruit en détail, mais continuellement ; tandis que la guerre, la peste, la famine, les détruisent en gros, mais par intervalles.

Que nous a servi l'invention de la boussole, et la découverte de tant de peuples, qu'à nous communiquer leurs maladies [2] plutôt que leurs richesses ? L'or et l'argent avaient été établis, par une convention générale, pour être le prix de toutes les marchandises, et un gage de leur valeur, par la raison que ces métaux étaient rares et inutiles à tout autre usage : que nous importait-il donc qu'ils devinssent plus communs ? et que, pour marquer la valeur d'une denrée,

1. Chimie : médecine chimique, qui recourt à des remèdes parfois dangereux.
2. Que nous […] richesses : allusion à la syphilis, qui aurait été rapportée d'Amérique par les marins de Christophe Colomb.

nous eussions deux ou trois signes au lieu d'un[1]? Cela n'en était que plus incommode.

Mais, d'un autre côté, cette invention a été bien pernicieuse aux pays qui ont été découverts. Les nations entières ont été détruites; et les hommes qui ont échappé à la mort ont été réduits à une servitude si rude, que le récit en fait frémir les musulmans.

Heureuse l'ignorance des enfants de Mahomet! Aimable simplicité, si chérie de notre saint prophète, vous me rappelez toujours la naïveté des anciens temps, et la tranquillité qui régnait dans le cœur de nos premiers pères.

De Venise, le 5 de la lune
de Rhamazan 1717.

LETTRE 106

Usbek à Rhédi.

À Venise.

Ou tu ne penses pas ce que tu dis, ou bien tu fais mieux que tu ne penses. Tu as quitté ta patrie pour t'instruire; et tu méprises toute instruction : tu viens, pour te former, dans un pays où l'on cultive les beaux-arts; et tu les regardes comme pernicieux. Te le dirai-je, Rhédi? je suis plus d'accord avec toi, que tu ne l'es avec toi-même.

As-tu bien réfléchi à l'état barbare et malheureux où nous entraînerait la perte des arts? Il n'est pas nécessaire de se l'imaginer, on peut le voir. Il y a encore des peuples sur la terre, chez lesquels un singe passablement instruit pourrait

1. Et que […] au lieu d'un : allusion à l'inflation qui suivit l'afflux massif de métaux précieux tirés des mines d'Amérique du Sud.

vivre avec honneur ; il s'y trouverait, à peu près, à la portée des autres habitants ; on ne lui trouverait point l'esprit singulier, ni le caractère bizarre ; il passerait tout comme un autre, et serait même distingué par sa gentillesse.

Tu dis que les fondateurs des empires ont presque tous ignoré les arts. Je ne te nie pas que des peuples barbares n'aient pu, comme des torrents impétueux, se répandre sur la terre, et couvrir de leurs armées féroces les royaumes les plus policés. Mais, prends-y garde ; ils ont appris les arts, ou les ont fait exercer aux peuples vaincus ; sans cela, leur puissance aurait passé comme le bruit du tonnerre et des tempêtes.

Tu crains, dis-tu, que l'on n'invente quelque manière de destruction plus cruelle que celle qui est en usage. Non : si une fatale invention venait à se découvrir, elle serait bientôt prohibée [1] par le droit des gens [2] ; et le consentement unanime des nations ensevelirait cette découverte. Il n'est point de l'intérêt des princes de faire des conquêtes par de pareilles voies : ils doivent chercher des sujets, et non pas des terres.

Tu te plains de l'invention de la poudre et des bombes ; tu trouves étrange qu'il n'y ait plus de place imprenable : c'est-à-dire, que tu trouves étrange que les guerres soient aujourd'hui terminées plus tôt qu'elles ne l'étaient autrefois.

Tu dois avoir remarqué, en lisant les histoires, que, depuis l'invention de la poudre, les batailles sont beaucoup moins sanglantes qu'elles ne l'étaient, parce qu'il n'y a presque plus de mêlée.

Et, quand il se serait trouvé quelque cas particulier où un art aurait été préjudiciable, doit-on, pour cela, le rejeter ?

1. Prohibée : interdite.
2. Droit des gens : droit international.

Penses-tu, Rhédi, que la religion que notre saint prophète a apportée du ciel soit pernicieuse, parce qu'elle servira un jour à confondre les perfides chrétiens ?

Tu crois que les arts amollissent les peuples, et, par là, sont cause de la chute des empires. Tu parles de la ruine de celui des anciens Perses, qui fut l'effet de leur mollesse : mais il s'en faut bien que cet exemple décide, puisque les Grecs, qui les vainquirent tant de fois, et les subjuguèrent, cultivaient les arts avec infiniment plus de soin qu'eux.

Quand on dit que les arts rendent les hommes efféminés, on ne parle pas du moins des gens qui s'y appliquent ; puisqu'ils ne sont jamais dans l'oisiveté, qui, de tous les vices, est celui qui amollit le plus le courage.

Il n'est donc question que de ceux qui en jouissent. Mais, comme, dans un pays policé, ceux qui jouissent des commodités d'un art sont obligés d'en cultiver un autre, à moins de se voir réduits à une pauvreté honteuse ; il suit que l'oisiveté et la mollesse sont incompatibles avec les arts.

Paris est peut-être la ville du monde la plus sensuelle, et où l'on raffine le plus sur les plaisirs ; mais c'est peut-être celle où l'on mène une vie plus dure. Pour qu'un homme vive délicieusement, il faut que cent autres travaillent sans relâche. Une femme s'est mis dans la tête qu'elle devait paraître à une assemblée avec une certaine parure ; il faut que, dès ce moment, cinquante artisans ne dorment plus, et n'aient plus le loisir de boire et de manger : elle commande, et elle est obéie plus promptement que ne serait notre monarque, parce que l'intérêt est le plus grand monarque de la terre.

Cette ardeur pour le travail, cette passion de s'enrichir, passe de condition en condition, depuis les artisans jusqu'aux grands. Personne n'aime à être plus pauvre que celui

qu'il vient de voir immédiatement au-dessous de lui. Vous voyez, à Paris, un homme qui a de quoi vivre jusqu'au jour du jugement, qui travaille sans cesse, et court risque d'accourcir ses jours, pour amasser, dit-il, de quoi vivre.

Le même esprit gagne la nation ; on n'y voit que travail et qu'industrie. Où est donc ce peuple efféminé dont tu parles tant ?

Je suppose, Rhédi, qu'on ne souffrît dans un royaume que les arts absolument nécessaires à la culture des terres, qui sont pourtant en grand nombre ; et qu'on en bannît tous ceux qui ne servent qu'à la volupté, ou à la fantaisie ; je le soutiens, cet État serait un des plus misérables qu'il y eût au monde.

Quand les habitants auraient assez de courage, pour se passer de tant de choses qu'ils doivent à leurs besoins, le peuple dépérirait tous les jours ; et l'État deviendrait si faible, qu'il n'y aurait si petite puissance qui ne pût le conquérir.

Il serait aisé d'entrer dans un long détail, et de te faire voir que les revenus des particuliers cesseraient presque absolument, et par conséquent ceux du prince. Il n'y aurait presque plus de relation de facultés entre les citoyens : on verrait finir cette circulation de richesses, et cette progression de revenus, qui vient de la dépendance où sont les arts les uns des autres : chaque particulier vivrait de sa terre, et n'en retirerait que ce qu'il lui faut précisément pour ne pas mourir de faim. Mais, comme ce n'est pas quelquefois la vingtième partie des revenus d'un État, il faudrait que le nombre des habitants diminuât à proportion, et qu'il n'en restât que la vingtième partie.

Fais bien attention jusqu'où vont les revenus de l'industrie. Un fonds ne produit, annuellement, à son maître, que

la vingtième partie de sa valeur ; mais, avec une pistole de couleur, un peintre fera un tableau qui lui en vaudra cinquante. On en peut dire de même des orfèvres, des ouvriers en laine, en soie, et de toutes sortes d'artisans.

De tout ceci, on doit conclure, Rhédi, que, pour qu'un prince soit puissant, il faut que les sujets vivent dans les délices : il faut qu'il travaille à leur procurer toutes sortes de superfluités, avec autant d'attention que les nécessités de la vie.

De Paris, le 14 de la lune
de Chalval 1717.

LETTRE 107

Rica à Ibben.

À Smyrne.

J'ai vu le jeune monarque. Sa vie est bien précieuse à ses sujets : elle ne l'est pas moins à toute l'Europe, par les grands troubles que sa mort pourrait produire. Mais les rois sont comme les dieux ; et, pendant qu'ils vivent, on doit les croire immortels. Sa physionomie est majestueuse, mais charmante : une belle éducation semble concourir avec un heureux naturel, et promet déjà un grand prince.

On dit que l'on ne peut jamais connaître le caractère des rois d'Occident, jusqu'à ce qu'ils aient passé par les deux grandes épreuves, de leur maîtresse, et de leur confesseur. On verra bientôt l'un et l'autre travailler à se saisir de l'esprit de celui-ci ; et il se livrera, pour cela, de grands combats. Car, sous un jeune prince, ces deux puissances sont toujours rivales : mais elles se concilient et se réunissent,

sous un vieux. Sous un jeune prince, le dervis a un rôle bien difficile à soutenir ; la force du roi fait sa faiblesse : mais l'autre triomphe également de sa faiblesse et de sa force.

Lorsque j'arrivai en France, je trouvai le feu roi absolument gouverné par les femmes : et cependant, dans l'âge où il était, je crois que c'était le monarque de la terre qui en avait le moins besoin. J'entendis un jour une femme qui disait : «Il faut que l'on fasse quelque chose pour ce jeune colonel : sa valeur m'est connue ; j'en parlerai au ministre.» Une autre disait : «Il est surprenant que ce jeune abbé ait été oublié ; il faut qu'il soit évêque ; il est homme de naissance, et je pourrais répondre de ses mœurs.» Il ne faut pas pourtant que tu t'imagines que celles qui tenaient ces discours fussent des favorites du prince : elles ne lui avaient peut-être pas parlé deux fois en leur vie ; chose pourtant très facile à faire chez les princes européens. Mais c'est qu'il n'y a personne qui ait quelque emploi à la cour, dans Paris, ou dans les provinces, qui n'ait une femme par les mains de laquelle passent toutes les grâces et quelquefois les injustices qu'il peut faire. Ces femmes ont toutes des relations les unes avec les autres, et forment une espèce de république, dont les membres toujours actifs se secourent et se servent mutuellement : c'est comme un nouvel État dans l'État : et celui qui est à la cour, à Paris, dans les provinces, qui voit agir des ministres, des magistrats, des prélats, s'il ne connaît les femmes qui les gouvernent, est comme un homme qui voit bien une machine qui joue, mais qui n'en connaît point les ressorts.

Crois-tu, Ibben, qu'une femme s'avise d'être la maîtresse d'un ministre pour coucher avec lui ? Quelle idée ! c'est pour lui présenter cinq ou six placets tous les matins : et la

bonté de leur naturel paraît dans l'empressement qu'elles ont de faire du bien à une infinité de gens malheureux, qui leur procurent cent mille livres de rente.

On se plaint, en Perse, de ce que le royaume est gouverné par deux ou trois femmes : c'est bien pis en France, où les femmes en général gouvernent, et non seulement prennent en gros, mais même se partagent en détail toute l'autorité.

De Paris, le dernier de la lune
de Chalval 1717.

LETTRE 108

Usbek à *.**

Il y a une espèce de livres que nous ne connaissons point en Perse, et qui me paraissent ici fort à la mode : ce sont les journaux. La paresse se sent flattée, en les lisant : on est ravi de pouvoir parcourir trente volumes en un quart d'heure.

Dans la plupart des livres, l'auteur n'a pas fait les compliments ordinaires, que les lecteurs sont aux abois : il les fait entrer à demi morts dans une matière noyée au milieu d'une mer de paroles. Celui-ci veut s'immortaliser par un *in-douze*[1], celui-là par un *in-quarto* ; un autre, qui a de plus belles inclinations, vise à *l'in-folio* : il faut donc qu'il étende son sujet à proportion ; ce qu'il fait sans pitié, comptant pour rien la peine du pauvre lecteur, qui se tue à réduire ce que l'auteur a pris tant de peine à amplifier.

Je ne sais, ***, quel mérite il y a à faire de pareils ouvrages : j'en ferais bien autant, si je voulais ruiner ma santé, et un libraire.

1. *In-douze* : livre de petit format, l'in-folio représentant les livres de la plus grande taille.

Le grand tort qu'ont les journalistes, c'est qu'ils ne parlent que des livres nouveaux : comme si la vérité était jamais nouvelle. Il me semble que, jusqu'à ce qu'un homme ait lu tous les livres anciens, il n'a aucune raison de leur préférer les nouveaux.

Mais, lorsqu'ils s'imposent la loi de ne parler que des ouvrages encore tout chauds de la forge, ils s'en imposent une autre, qui est d'être très ennuyeux. Ils n'ont garde de critiquer les livres dont ils font les extraits, quelque raison qu'ils en aient : et, en effet, quel est l'homme assez hardi, pour vouloir se faire dix ou douze ennemis tous les mois ?

La plupart des auteurs ressemblent aux poètes, qui souffriront une volée de coups de bâton sans se plaindre ; mais qui, peu jaloux de leurs épaules, le sont si fort de leurs ouvrages, qu'ils ne sauraient soutenir la moindre critique. Il faut donc bien se donner de garde[1] de les attaquer par un endroit si sensible ; et les journalistes le savent bien. Ils font donc tout le contraire : ils commencent par louer la matière qui est traitée ; première fadeur : de là ils passent aux louanges de l'auteur ; louanges forcées : car ils ont affaire à des gens qui sont encore en haleine, tout prêts à se faire faire raison[2], et à foudroyer, à coups de plume, un téméraire journaliste.

De Paris, le 5 de la lune
de Zilcadé 1718.

1. Se donner de garde : se garder de.
2. Se faire faire raison : se faire rendre justice.

LETTRE 109

Rica à ***.

L'université de Paris est la fille aînée des rois de France, et très aînée ; car elle a plus de neuf cents ans : aussi rêve-t-elle [1] quelquefois.

On m'a conté qu'elle eut, il y a quelque temps, un grand démêlé avec quelques docteurs, à l'occasion de la lettre Q*, qu'elle voulait que l'on prononçât comme un K. La dispute s'échauffa si fort, que quelques-uns furent dépouillés de leurs biens : il fallut que le Parlement terminât le différend ; et il accorda permission, par un arrêt solennel, à tous les sujets du roi de France, de prononcer cette lettre à leur fantaisie. Il faisait beau voir les deux corps de l'Europe les plus respectables, occupés à décider du sort d'une lettre de l'alphabet !

Il semble, mon cher***, que les têtes des plus grands hommes s'étrécissent lorsqu'elles sont assemblées ; et que, là où il y a plus de sages, il y ait aussi moins de sagesse. Les grands corps s'attachent toujours si fort aux minuties, aux vains usages, que l'essentiel ne va jamais qu'après. J'ai ouï dire qu'un roi d'Aragon** ayant assemblé les États d'Aragon et de Catalogne, les premières séances s'employèrent à décider en quelle langue les délibérations seraient conçues : la dispute était vive ; et les États se seraient rompus mille fois, si l'on n'avait imaginé un expédient, qui était que la demande serait faite en langage catalan, et la réponse en aragonais.

De Paris, le 25 de la lune
de Zilhagé 1718.

* Il veut parler de la querelle de Ramus [2].
** C'était en 1610. [Notes de Montesquieu.]
1. Rêver : délirer.
2. Ramus : savant humaniste, par ailleurs mathématicien renommé.

LETTRE 110

Rica à ***.

Le rôle d'une jolie femme est beaucoup plus grave que l'on ne pense. Il n'y a rien de plus sérieux que ce qui se passe le matin à la toilette, au milieu de ses domestiques : un général d'armée n'emploie pas plus d'attention à placer sa droite, ou son corps de réserve, qu'elle en met à poster une mouche [1] qui peut manquer, mais dont elle espère ou prévoit le succès.

Quelle gêne d'esprit, quelle attention, pour concilier sans cesse les intérêts de deux rivaux ; pour paraître neutre à tous les deux, pendant qu'elle est livrée à l'un et à l'autre ; et se rendre médiatrice sur tous les sujets de plainte qu'elle leur donne !

Quelle occupation pour faire succéder et renaître les parties de plaisirs, et prévenir tous les accidents qui pourraient les rompre !

Avec tout cela, la plus grande peine n'est pas de se divertir ; c'est de le paraître. Ennuyez-les tant que vous voudrez ; elles vous le pardonneront, pourvu que l'on puisse croire qu'elles se sont réjouies.

Je fus, il y a quelques jours, d'un souper que des femmes firent à la campagne. Dans le chemin, elles disaient sans cesse : « Au moins, il faudra bien nous divertir. »

Nous nous trouvâmes assez mal assortis, et par conséquent assez sérieux. « Il faut avouer, dit une de ces femmes, que nous nous divertissons bien : il n'y a pas aujourd'hui,

1. Mouche : voir lettre 99.

dans Paris, une partie si gaie que la nôtre.» Comme l'ennui me gagnait, une femme me secoua, et me dit : «Hé bien, ne sommes-nous pas de bonne humeur? – Oui, lui répondis-je en bâillant; je crois que je crèverai à force de rire.» Cependant la tristesse triomphait toujours des réflexions; et, quant à moi, je me sentis conduit, de bâillement en bâillement, dans un sommeil léthargique, qui finit tous mes plaisirs.

De Paris, le 11 de la lune
de Maharram 1718.

LETTRE 111

Usbek à ***.

Le règne du feu roi a été si long, que la fin en avait fait oublier le commencement. C'est aujourd'hui la mode de ne s'occuper que des événements arrivés dans sa minorité; et on ne lit plus que les mémoires de ces temps-là.

Voici le discours qu'un des généraux de la ville de Paris prononça dans un conseil de guerre : et j'avoue que je n'y comprends pas grand-chose.

Messieurs, quoique nos troupes aient été repoussées avec perte, je crois qu'il nous sera facile de réparer cet échec. J'ai six couplets de chanson tout prêts à mettre au jour, qui, je m'assure, remettront toutes choses dans l'équilibre. J'ai fait choix de quelques voix très nettes, qui, sortant de la cavité de certaines poitrines très fortes, émouvront merveilleusement le peuple. Ils sont sur un air qui a fait, jusqu'à présent, un effet tout particulier.

Si cela ne suffit pas, nous ferons paraître une estampe qui fera voir Mazarin pendu.

Par bonheur pour nous, il ne parle pas bien français ; et il l'écorche tellement, qu'il n'est pas possible que ses affaires ne déclinent. Nous ne manquons pas de faire bien remarquer au peuple le ton ridicule dont il prononce. Nous relevâmes, il y a quelques jours, une faute de grammaire si grossière, qu'on en fit des farces par tous les carrefours.

J'espère qu'avant qu'il soit huit jours, le peuple fera, du nom de Mazarin, un mot générique, pour exprimer toutes les bêtes de somme, et celles qui servent à tirer.

Depuis notre défaite, notre musique l'a si furieusement vexé sur le péché originel, que, pour ne pas voir ses partisans réduits à la moitié, il a été obligé de renvoyer tous ses pages.

Ranimez-vous donc ; reprenez courage : et soyez sûrs que nous lui ferons repasser les monts à coups de sifflets.

<div align="right">

De Paris, le 4 de la lune
de Chahban 1718.

</div>

LETTRE 112

Rhédi à Usbek.

À Paris.

Pendant le séjour que je fais en Europe, je lis les historiens anciens et modernes : je compare tous les temps : j'ai du plaisir à les voir passer, pour ainsi dire, devant moi : et j'arrête surtout mon esprit à ces grands changements qui ont rendu les âges si différents des âges, et la terre si peu semblable à elle-même.

Tu n'as peut-être pas fait attention à une chose qui cause tous les jours ma surprise. Comment le monde est-il si peu

peuplé, en comparaison de ce qu'il était autrefois ? Comment la nature a-t-elle pu perdre cette prodigieuse fécondité des premiers temps ? Serait-elle déjà dans sa vieillesse ? et tomberait-elle de langueur ?

J'ai resté plus d'un an en Italie, où je n'ai vu que le débris de cette ancienne Italie, si fameuse autrefois. Quoique tout le monde habite les villes, elles sont entièrement désertes et dépeuplées : il semble qu'elles ne subsistent encore que pour marquer le lieu où étaient ces cités puissantes dont l'histoire a tant parlé.

Il y a des gens qui prétendent que la seule ville de Rome contenait autrefois plus de peuple qu'un grand royaume de l'Europe n'en a aujourd'hui. Il y a eu tel citoyen romain qui avait dix, et même vingt mille esclaves, sans compter ceux qui travaillaient dans les maisons de campagne : et, comme on y comptait quatre ou cinq cent mille citoyens, on ne peut fixer le nombre de ses habitants, sans que l'imagination ne se révolte.

Il y avait autrefois, dans la Sicile, de puissants royaumes, et des peuples nombreux, qui en ont disparu depuis : cette île n'a plus rien de considérable que ses volcans.

La Grèce est si déserte, qu'elle ne contient pas la centième partie de ses anciens habitants.

L'Espagne, autrefois si remplie, ne fait voir aujourd'hui que des campagnes inhabitées ; et la France n'est rien, en comparaison de cette ancienne Gaule dont parle César.

Les pays du nord sont fort dégarnis ; et il s'en faut bien que les peuples y soient, comme autrefois, obligés de se partager, et d'envoyer dehors, comme des essaims, des colonies et des nations entières, chercher de nouvelles demeures.

La Pologne et la Turquie en Europe n'ont presque plus de peuples.

On ne saurait trouver, dans l'Amérique, la cinquantième partie des hommes qui y formaient de si grands empires.

L'Asie n'est guère en meilleur état. Cette Asie mineure, qui contenait tant de puissantes monarchies, et un nombre si prodigieux de grandes villes, n'en a plus que deux ou trois. Quant à la grande Asie, celle qui est soumise au Turc n'est pas plus peuplée : pour celle qui est sous la domination de nos rois, si on la compare à l'état florissant où elle était autrefois, on verra qu'elle n'a qu'une très petite partie des habitants qui y étaient sans nombre du temps des Xerxès et des Darius.

Quant aux petits États qui sont autour de ces grands empires, ils sont réellement déserts : tels sont les royaumes d'Irimette, de Circassie, et de Guriel[1]. Ces princes, avec de vastes États, comptent à peine cinquante mille sujets.

L'Égypte n'a pas moins manqué que les autres pays.

Enfin, je parcours la terre, et je n'y trouve que des délabrements : je crois la voir sortir des ravages de la peste et de la famine.

L'Afrique a toujours été si inconnue, qu'on ne peut en parler si précisément que des autres parties du monde : mais, à ne faire attention qu'aux côtes de la Méditerranée, connues de tout temps, on voit qu'elle a extrêmement déchu de ce qu'elle était sous les Carthaginois et les Romains. Aujourd'hui, ses princes sont si faibles, que ce sont les plus petites puissances du monde.

Après un calcul aussi exact qu'il peut l'être dans ces sortes de choses, j'ai trouvé qu'il y a, à peine, sur la terre la dixième partie des hommes qui y étaient dans les anciens temps. Ce qu'il y a d'étonnant, c'est qu'elle se dépeuple

1. Royaumes d'Irimette, de Circassie et de Guriel : royaumes d'Arménie, assujettis à la Perse.

tous les jours : et, si cela continue, dans dix siècles, elle ne sera qu'un désert.

Voilà, mon cher Usbek, la plus terrible catastrophe qui soit jamais arrivée dans le monde. Mais à peine s'en est-on aperçu, parce qu'elle est arrivée insensiblement, et dans le cours d'un grand nombre de siècles : ce qui marque un vice intérieur, un venin secret et caché, une maladie de langueur, qui afflige la nature humaine.

De Venise, le 10 de la lune
de Rhegeb 1718.

LETTRE 113

Usbek à Rhédi.

À Venise.

[*Changements auxquels la Terre est sujette ; maladies conta-gieuses ; cataclysmes.*]

LETTRE 114

Usbek au même.

[*Causes morales de la dépopulation de la Terre ; effets de la polygamie.*]

LETTRE 115

Usbek au même.

[*Parti que les Romains tiraient de leurs esclaves pour la population.*]

LETTRE 116

Usbek au même.

[*Influence de l'indissolubilité du mariage sur la population.*]

LETTRE 117

Usbek au même.

[*Influence du célibat des prêtres sur la population ; avantages du Protestantisme.*]

LETTRE 118

Usbek au même.

[*Influence de la traite des Nègres sur la population.*]

LETTRE 119

Usbek au même.

[*Influence des idées religieuses sur la population.*]

LETTRE 120

Usbek au même.

[*Influence des mœurs des Sauvages sur la population.*]

LETTRE 121

Usbek au même.

[*Influence des colonies sur la population.*]

LETTRE 122

Usbek au même.

La douceur du gouvernement contribue merveilleusement à la propagation de l'espèce. Toutes les républiques en sont une preuve constante ; et, plus que toutes, la Suisse et la Hollande, qui sont les deux plus mauvais pays de l'Europe, si l'on considère la nature du terrain, et qui cependant sont les plus peuplés.

Rien n'attire plus les étrangers que la liberté, et l'opulence qui la suit toujours : l'une se fait rechercher par elle-même, et nous sommes conduits par nos besoins dans les pays où l'on trouve l'autre.

L'espèce se multiplie dans un pays où l'abondance fournit aux enfants, sans rien diminuer de la subsistance des pères.

L'égalité même des citoyens, qui produit ordinairement l'égalité dans les fortunes, porte l'abondance et la vie dans toutes les parties du corps politique, et la répand partout.

Il n'en est pas de même des pays soumis au pouvoir arbitraire : le prince, les courtisans, et quelques particuliers, possèdent toutes les richesses, pendant que tous les autres gémissent dans une pauvreté extrême.

Si un homme est mal à son aise, et qu'il sente qu'il fera des enfants plus pauvres que lui, il ne se mariera pas ; ou,

s'il se marie, il craindra d'avoir un trop grand nombre d'enfants, qui pourraient achever de déranger sa fortune, et qui descendraient de la condition de leur père.

J'avoue que le rustique ou paysan, étant une fois marié, peuplera[1] indifféremment, soit qu'il soit riche, soit qu'il soit pauvre ; cette considération ne le touche pas : il a toujours un héritage sûr à laisser à ses enfants, qui est son hoyau[2] ; et rien ne l'empêche de suivre aveuglément l'instinct de la nature.

Mais à quoi sert, dans un État, ce nombre d'enfants, qui languissent dans la misère ? Ils périssent presque tous, à mesure qu'ils naissent ; ils ne prospèrent jamais ; faibles et débiles, ils meurent en détail de mille manières, tandis qu'ils sont emportés en gros par les fréquentes maladies populaires que la misère et la mauvaise nourriture produisent toujours : ceux qui en échappent atteignent l'âge viril sans en avoir la force, et languissent tout le reste de leur vie.

Les hommes sont comme les plantes, qui ne croissent jamais heureusement, si elles ne sont bien cultivées : chez les peuples misérables, l'espèce perd, et même quelquefois dégénère.

La France peut fournir un grand exemple de tout ceci. Dans les guerres passées, la crainte où étaient tous les enfants de famille d'être enrôlés dans la milice les obligeait de se marier, et cela dans un âge trop tendre et dans le sein de la pauvreté. De tant de mariages, il naissait bien des enfants, que l'on cherche encore en France, et que la misère, la famine et les maladies en ont fait disparaître.

Que si[3], dans un ciel aussi heureux, dans un royaume

1. Peuplera indifféremment : sous-entendu, un pays.
2. Hoyau : sorte de pioche, pour travailler la terre.
3. Que si : équivalent oratoire de si.

aussi policé que la France, on fait de pareilles remarques, que sera-ce dans les autres États ?

*De Paris, le 23 de la lune
de Rhamazan 1718.*

LETTRE 123

Usbek au mollak Méhémet-Ali,
gardien des trois tombeaux à Com.

[*Désastres des Turcs.*]

LETTRE 124

Usbek à Rhédi.

À Venise.

Quel peut être le motif de ces libéralités immenses que les princes versent sur leurs courtisans ? Veulent-ils se les attacher ? ils leur sont déjà acquis autant qu'ils peuvent l'être. Et, d'ailleurs, s'ils acquièrent quelques-uns de leurs sujets en les achetant, il faut bien, par la même raison, qu'ils en perdent une infinité d'autres en les appauvrissant.

Quand je pense à la situation des princes, toujours entourés d'hommes avides et insatiables, je ne puis que les plaindre : et je les plains encore davantage, lorsqu'ils n'ont pas la force de résister à des demandes toujours onéreuses à ceux qui ne demandent rien.

Je n'entends jamais parler de leurs libéralités, des grâces et des pensions qu'ils accordent, que je ne me livre à mille réflexions : une foule d'idées se présente à mon esprit : il me semble que j'entends publier cette ordonnance :

« Le courage infatigable de quelques-uns de nos sujets à nous demander des pensions, ayant exercé sans relâche notre magnificence royale, nous avons enfin cédé à la multitude des requêtes qu'ils nous ont présentées, lesquelles ont fait jusqu'ici la plus grande sollicitude du trône. Ils nous ont représenté qu'ils n'ont point manqué, depuis notre avènement à la couronne, de se trouver à notre lever ; que nous les avons toujours vus sur notre passage immobiles comme des bornes ; et qu'ils se sont extrêmement élevés pour regarder, sur les épaules les plus hautes, notre sérénité. Nous avons même reçu plusieurs requêtes de la part de quelques personnes du beau sexe, qui nous ont supplié de faire attention qu'il est notoire qu'elles sont d'un entretien très difficile : quelques-unes même très surannées nous ont prié, branlant la tête, de faire attention qu'elles ont fait l'ornement de la cour des rois nos prédécesseurs ; et que, si les généraux de leurs armées ont rendu l'État redoutable par leurs faits militaires, elles n'ont point rendu la cour moins célèbre par leurs intrigues. Ainsi, désirant traiter les suppliants avec bonté, et leur accorder toutes leurs prières, nous avons ordonné ce qui suit :

« Que tout laboureur, ayant cinq enfants, retranchera journellement la cinquième partie du pain qu'il leur donne. Enjoignons aux pères de famille de faire la diminution, sur chacun d'eux, aussi juste que faire se pourra.

« Défendons expressément à tous ceux qui s'appliquent à la culture de leurs héritages, ou qui les ont donnés à titre de ferme, d'y faire aucune réparation, de quelque espèce qu'elle soit.

« Ordonnons que toutes personnes qui s'exercent à des travaux vils et mécaniques, lesquelles n'ont jamais été au

lever de notre majesté, n'achètent désormais d'habits, à eux, à leurs femmes, et à leurs enfants, que de quatre ans en quatre ans : leur interdisons, en outre, très étroitement, ces petites réjouissances qu'ils avaient coutume de faire dans leurs familles les principales fêtes de l'année.

« Et, d'autant que nous demeurons avertis que la plupart des bourgeois de nos bonnes villes sont entièrement occupés à pourvoir à l'établissement de leurs filles, lesquelles ne se sont rendues recommandables, dans notre État, que par une triste et ennuyeuse modestie ; nous ordonnons qu'ils attendront à les marier, jusqu'à ce qu'ayant atteint l'âge limité par les ordonnances, elles viennent à les y contraindre. Défendons à nos magistrats de pourvoir à l'éducation de leurs enfants. »

De Paris, le premier de la lune
de Chalval 1718.

LETTRE 125

Rica à ***.

On est bien embarrassé dans toutes les religions, quand il s'agit de donner une idée des plaisirs qui sont destinés à ceux qui ont bien vécu. On épouvante facilement les méchants par une longue suite de peines, dont on les menace : mais, pour les gens vertueux, on ne sait que leur promettre. Il semble que la nature des plaisirs soit d'être d'une courte durée ; l'imagination a peine à en représenter d'autres.

J'ai vu des descriptions du paradis, capables d'y faire renoncer tous les gens de bon sens : les uns font jouer sans

cesse de la flûte ces ombres heureuses ; d'autres les condamnent au supplice de se promener éternellement ; d'autres enfin, qui les font rêver là-haut aux maîtresses d'ici bas, n'ont pas cru que cent millions d'années fussent un terme assez long, pour leur ôter le goût de ces inquiétudes amoureuses.

Je me souviens, à ce propos, d'une histoire que j'ai ouï raconter à un homme qui avait été dans le pays du Mogol ; elle fait voir que les prêtres indiens ne sont pas moins stériles que les autres, dans les idées qu'ils ont des plaisirs du paradis.

Une femme, qui venait de perdre son mari, vint en cérémonie chez le gouverneur de la ville lui demander la permission de se brûler : mais comme, dans les pays soumis aux Mahométans, on abolit, tant qu'on peut, cette cruelle coutume, il la refusa absolument.

Lorsqu'elle vit ses prières impuissantes, elle se jeta dans un furieux emportement. « Voyez, disait-elle, comme on est gêné ! Il ne sera seulement pas permis à une pauvre femme de se brûler, quand elle en a envie ! A-t-on jamais vu rien de pareil ? Ma mère, ma tante, mes sœurs se sont bien brûlées. Et, quand je vais demander permission à ce maudit gouverneur, il se fâche, et se met à crier comme un enragé. »

Il se trouva là par hasard un jeune bonze : « Homme infidèle, lui dit le gouverneur, est-ce toi qui as mis cette fureur dans l'esprit de cette femme ? – Non, dit-il, je ne lui ai jamais parlé : mais, si elle m'en croit, elle consommera son sacrifice ; elle fera une action agréable au dieu Brama : aussi en sera-t-elle bien récompensée ; car elle retrouvera, dans l'autre monde, son mari, et elle recommencera avec lui un second mariage. – Que dites-vous ? dit la femme surprise.

Je retrouverai mon mari ? Ah ! je ne me brûle pas. Il était jaloux, chagrin, et d'ailleurs si vieux, que, si le dieu Brama n'a point fait sur lui quelque réforme, sûrement il n'a pas besoin de moi. Me brûler pour lui !... pas seulement le bout du doigt pour le retirer du fond des enfers. Deux vieux bonzes, qui me séduisaient, et qui savaient de quelle manière je vivais avec lui, n'avaient garde de me tout dire : mais, si le dieu Brama n'a que ce présent à me faire, je renonce à cette béatitude. Monsieur le gouverneur, je me fais mahométane. Et pour vous, dit-elle en regardant le bonze, vous pouvez, si vous voulez, aller dire à mon mari que je me porte fort bien. »

De Paris, le 2 de la lune
de Chalval 1718.

LETTRE 126

Rica à Usbek.

*À ***.*

[*Expulsion du prince de Cellamare et arrestation du duc du Maine.*]

LETTRE 127

Rica à Ibben.

À Smyrne.

[*Mort de Charles XII et procès du baron de Gœrtz ; funeste influence des ministres sur les princes.*]

LETTRE 128

Rica à Usbek.

*À ****.

Je passais l'autre jour sur le Pont-Neuf, avec un de mes amis : il rencontra un homme de sa connaissance, qu'il me dit être un géomètre ; et il n'y avait rien qui n'y parût : car il était dans une rêverie profonde ; il fallut que mon ami le tirât longtemps par la manche, et le secouât pour le faire descendre jusqu'à lui ; tant il était occupé d'une courbe, qui le tourmentait peut-être depuis plus de huit jours. Ils se firent tous deux beaucoup d'honnêtetés, et s'apprirent réciproquement quelques nouvelles littéraires. Ces discours les menèrent jusque sur la porte d'un café, où j'entrai avec eux.

Je remarquai que notre géomètre y fut reçu de tout le monde avec empressement, et que les garçons du café en faisaient beaucoup plus de cas que de deux mousquetaires qui étaient dans un coin. Pour lui, il parut qu'il se trouvait dans un lieu agréable : car il dérida un peu son visage, et se mit à rire, comme s'il n'avait pas eu la moindre teinture de géométrie.

Cependant son esprit régulier toisait tout ce qui se disait dans la conversation. Il ressemblait à celui qui, dans un jardin, coupait avec son épée la tête des fleurs qui s'élevaient au-dessus des autres. Martyr de sa justesse, il était offensé d'une saillie, comme une vue délicate est offensée par une lumière trop vive. Rien pour lui n'était indifférent, pourvu qu'il fût vrai. Aussi la conversation était-elle singulière. Il était arrivé ce jour-là, de la campagne, avec un homme qui avait vu un château superbe, et des jardins magnifiques : et

il n'avait vu lui, qu'un bâtiment de soixante pieds de long, sur trente-cinq de large; et un bosquet barlong[1] de dix arpents[2] : il aurait fort souhaité que les règles de la perspective eussent été tellement observées, que les allées des avenues eussent paru partout de même largeur; et il aurait donné, pour cela, une méthode infaillible. Il parut fort satisfait d'un cadran qu'il y avait démêlé, d'une structure fort singulière : et il s'échauffa fort contre un savant, qui était auprès de moi, qui malheureusement lui demanda si ce cadran marquait les heures babyloniennes. Un nouvelliste parla du bombardement du château de Fontarabie : et il nous donna soudain les propriétés de la ligne que les bombes avaient décrite en l'air; et, charmé de savoir cela, il voulut en ignorer entièrement le succès. Un homme se plaignait d'avoir été ruiné l'hiver d'auparavant, par une inondation : «Ce que vous me dites là m'est fort agréable, dit alors le géomètre : je vois que je ne me suis pas trompé dans l'observation que j'ai faite; et qu'il est au moins tombé, sur la terre, deux pouces[3] d'eau plus que l'année passée.»

Un moment après, il sortit, et nous le suivîmes. Comme il allait assez vite, et qu'il négligeait de regarder devant lui, il fut rencontré directement par un autre homme : ils se choquèrent rudement; et, de ce coup, ils rejaillirent chacun de leur côté, en raison réciproque de leur vitesse et de leurs masses. Quand ils furent un peu revenus de leur étourdissement, cet homme, portant la main sur le front, dit au géomètre : «Je suis bien aise que vous m'ayez heurté; car j'ai une grande nouvelle à vous apprendre : je viens de donner mon Horace au public. — Comment! dit le géomètre : il y a

1. Une saillie : trait d'esprit.
1. Un barlong : rectangle dont le côté le plus long se présente de face.
2. Arpent : ancienne mesure de surface, variable selon les régions (de 20 à 30 ares).
3. Pouce : ancienne mesure de longueur (environ 2,7 cm).

deux mille ans qu'il y est. – Vous ne m'entendez pas, reprit l'autre : c'est une traduction de cet ancien auteur, que je viens de mettre au jour : il y a vingt ans que je m'occupe à faire des traductions.

– Quoi ! monsieur ! dit le géomètre, il y a vingt ans que vous ne pensez pas ? Vous parlez pour les autres, et ils pensent pour vous ? – Monsieur, dit le savant, croyez-vous que je n'aie pas rendu un grand service au public, de lui rendre la lecture des bons auteurs familière ! – Je ne dis pas tout à fait cela : j'estime autant qu'un autre les sublimes génies que vous travestissez. Mais vous ne leur ressemblerez point ; car, si vous traduisez toujours, on ne vous traduira jamais.

« Les traductions sont comme ces monnaies de cuivre, qui ont bien la même valeur qu'une pièce d'or, et même sont d'un plus grand usage pour le peuple ; mais elles sont toujours faibles et d'un mauvais aloi.

« Vous voulez, dites-vous, faire renaître parmi nous ces illustres morts ; et j'avoue que vous leur donnez bien un corps : mais vous ne leur rendez pas la vie ; il y manque toujours un esprit pour les animer.

« Que ne vous appliquez-vous plutôt à la recherche de tant de belles vérités, qu'un calcul facile nous fait découvrir tous les jours ? » Après ce petit conseil, ils se séparèrent, je crois, très mécontents l'un de l'autre.

De Paris, le dernier de la lune
de Rebiab, 2, 1719.

LETTRE 129

Usbek à Rhédi.
À Venise.

La plupart des législateurs ont été des hommes bornés, que le hasard a mis à la tête des autres, et qui n'ont presque consulté que leurs préjugés et leurs fantaisies.

Il semble qu'ils aient méconnu la grandeur et la dignité même de leur ouvrage : ils se sont amusés à faire des institutions puériles, avec lesquelles ils se sont, à la vérité, conformés aux petits esprits, mais discrédités auprès des gens de bon sens.

Ils se sont jetés dans des détails inutiles ; ils ont donné dans les cas particuliers : ce qui marque un génie étroit, qui ne voit les choses que par parties, et n'embrasse rien d'une vue générale.

Quelques-uns ont affecté de se servir d'une autre langue que la vulgaire ; chose absurde pour un faiseur de lois : comment peut-on les observer, si elles ne sont pas connues ?

Ils ont souvent aboli sans nécessité celles qu'ils ont trouvées établies ; c'est-à-dire qu'ils ont jeté les peuples dans les désordres inséparables des changements.

Il est vrai que, par une bizarrerie qui vient plutôt de la nature que de l'esprit des hommes, il est quelquefois nécessaire de changer certaines lois. Mais le cas est rare ; et, lorsqu'il arrive, il n'y faut toucher que d'une main tremblante : on y doit observer tant de solennités, et apporter tant de précautions, que le peuple en conclue naturellement que les lois sont bien saintes, puisqu'il faut tant de formalités pour les abroger.

Souvent ils les ont faites trop subtiles, et ont suivi des

idées logiciennes, plutôt que l'équité naturelle. Dans la suite, elles ont été trouvées trop dures ; et, par un esprit d'équité, on a cru devoir s'en écarter : mais ce remède était un nouveau mal. Quelles que soient les lois, il faut toujours les suivre, et les regarder comme la conscience publique, à laquelle celle des particuliers doit se conformer toujours.

Il faut pourtant avouer que quelques-uns d'entre eux ont eu une attention qui marque beaucoup de sagesse ; c'est qu'ils ont donné aux pères une grande autorité sur leurs enfants. Rien ne soulage plus les magistrats ; rien ne dégarnit plus les tribunaux ; rien enfin ne répand plus de tranquillité dans un État, où les mœurs font toujours de meilleurs citoyens que les lois.

C'est, de toutes les puissances, celle dont on abuse le moins : c'est la plus sacrée de toutes les magistratures ; c'est la seule qui ne dépend pas des conventions, et qui les a même précédées.

On remarque que, dans les pays où l'on met dans les mains paternelles plus de récompenses et de punitions, les familles sont mieux réglées : les pères sont l'image du créateur de l'univers, qui, quoiqu'il puisse conduire les hommes par son amour, ne laisse pas de se les attacher encore par les motifs de l'espérance et de la crainte.

Je ne finirai pas cette lettre sans te faire remarquer la bizarrerie de l'esprit des Français. On dit qu'ils ont retenu, des lois romaines, un nombre infini de choses inutiles, et même pis ; et ils n'ont pas pris d'elles la puissance paternelle, qu'elles ont établie comme la première autorité légitime.

De Paris, le 4 de la lune
de Gemmadi, 2, 1719.

Rica à ***.

Je te parlerai, dans cette lettre, d'une certaine nation qu'on appelle les nouvellistes, qui s'assemblent dans un jardin magnifique, où leur oisiveté est toujours occupée. Ils sont très inutiles à l'État ; et leurs discours de cinquante ans n'ont pas un effet différent de celui qu'aurait pu produire un silence aussi long : cependant ils se croient considérables, parce qu'ils s'entretiennent de projets magnifiques, et traitent de grands intérêts.

La base de leurs conversations est une curiosité frivole et ridicule : il n'y a point de cabinet si mystérieux, qu'ils ne prétendent pénétrer ; ils ne sauraient consentir à ignorer quelque chose ; ils savent combien notre auguste sultan a de femmes, combien il fait d'enfants toutes les années, et, quoiqu'ils ne fassent aucune dépense en espions, ils sont instruits des mesures qu'il prend pour humilier l'empereur des Turcs et celui des Mogols.

À peine ont-ils épuisé le présent, qu'ils se précipitent dans l'avenir ; et, marchant au-devant de la Providence, ils la préviennent[1] sur toutes les démarches des hommes. Ils conduisent un général par la main ; et, après l'avoir loué de mille sottises qu'il n'a pas faites, ils lui en préparent mille autres qu'il ne fera pas.

Ils font voler les armées comme les grues, et tomber les murailles comme des cartons : ils ont des ponts sur toutes les rivières, des routes secrètes dans toutes les montagnes, des magasins immenses dans les sables brûlants : il ne leur manque que le bon sens.

1. Préviennent : précèdent.

Il y a un homme, avec qui je loge, qui reçut cette lettre d'un nouvelliste : comme elle m'a paru singulière, je la gardai ; la voici.

Monsieur,

Je me trompe rarement dans mes conjectures sur les affaires du temps. Le premier janvier 1711, je prédis que l'empereur Joseph mourrait dans le cours de l'année : il est vrai que, comme il se portait fort bien, je crus que je me ferais moquer de moi, si je m'expliquais d'une manière bien claire ; ce qui fit que je me servis de termes un peu énigmatiques : mais les gens qui savent raisonner m'entendirent bien. Le 17 avril de la même année, il mourut de la petite vérole.

Dès que la guerre fut déclarée entre l'empereur et les Turcs, j'allai chercher nos messieurs dans tous les coins des Tuileries ; je les assemblai près du bassin, et leur prédis qu'on ferait le siège de Belgrade, et qu'il serait pris. J'ai été assez heureux pour que ma prédiction ait été accomplie. Il est vrai que, vers le milieu du siège, je pariai cent pistoles qu'il serait pris le 18 août; il ne fut pris que le lendemain : peut-on perdre à si beau jeu ?*

Lorsque je vis que la flotte d'Espagne débarquait en Sardaigne, je jugeai qu'elle en ferait la conquête : je le dis, et cela se trouva vrai. Enflé de ce succès, j'ajoutai que cette flotte victorieuse irait débarquer à Final, pour faire la conquête du Milanais. Comme je trouvai de la résistance à faire recevoir cette idée, je voulus la soutenir glorieusement : je pariai cinquante pistoles, et je les perdis encore : car ce diable d'Alberoni, malgré la foi des traités, envoya sa

* 1717. [Note de Montesquieu.]

flotte en Sicile et trompa tout à la fois deux grands politiques, le duc de Savoie et moi.

Tout cela, monsieur, me déroute si fort, que j'ai résolu de prédire toujours, et de ne parier jamais. Autrefois, nous ne connaissions point aux Tuileries l'usage des paris, et feu monsieur le comte de L[1]. ne les souffrait guère : mais, depuis qu'une troupe de petits-maîtres s'est mêlée parmi nous, nous ne savons plus où nous en sommes. À peine ouvrons-nous la bouche pour dire une nouvelle, qu'un de ces jeunes gens propose de parier contre.

*L'autre jour, comme j'ouvrais mon manuscrit, et accommodais mes lunettes sur mon nez, un de ces fanfarons, saisissant justement l'intervalle du premier mot au second, me dit : « Je parie cent pistoles que non. » Je fis semblant de n'avoir pas fait d'attention à cette extravagance ; et, reprenant la parole d'une voix plus forte, je dis : « Monsieur le maréchal de *** ayant appris... – Cela est faux, me dit-il : vous avez toujours des nouvelles extravagantes ; il n'y a pas le sens commun à tout cela. » Je vous prie, monsieur, de me faire le plaisir de me prêter trente pistoles ; car je vous avoue que ces paris m'ont fort dérangé. Je vous envoie la copie de deux lettres que j'ai écrites au ministre. Je suis,* etc.

Lettres d'un nouvelliste au ministre.

Monseigneur,

Je suis le sujet le plus zélé que le roi ait jamais eu. C'est moi qui obligeai un de mes amis d'exécuter le projet que

1. Le comte de L : le comte de Lionne, qui disposait d'un réseau de correspondants étrangers.

j'avais formé d'un livre, pour démontrer que Louis le grand était le plus grand de tous les princes qui ont mérité le nom de grand. Je travaille depuis longtemps à un autre ouvrage, qui fera encore plus d'honneur à notre nation, si votre grandeur veut m'accorder un privilège : mon dessein est de prouver que, depuis le commencement de la monarchie, les Français n'ont jamais été battus ; et que ce que les historiens ont dit jusqu'ici de nos désavantages, sont de véritables impostures. Je suis obligé de les redresser en bien des occasions ; et j'ose me flatter que je brille surtout dans la critique. Je suis, monseigneur, etc.

 Monseigneur,

Depuis la perte que nous avons faite de monsieur le comte de L., nous vous supplions d'avoir la bonté de nous permettre d'élire un président. Le désordre se met dans nos conférences ; et les affaires d'État n'y sont pas traitées avec la même discussion que par le passé : nos jeunes gens vivent absolument sans égard pour les anciens et entre eux sans discipline : c'est le véritable conseil de Roboam[1], où les jeunes imposent aux vieillards. Nous avons beau leur représenter que nous étions paisibles possesseurs des Tuileries vingt ans avant qu'ils fussent au monde : je crois qu'ils nous en chasseront à la fin ; et qu'obligés de quitter ces lieux, où nous avons tant de fois évoqué les ombres de nos héros français, il faudra que nous allions tenir nos conférences au jardin du roi, ou dans quelque lieu plus écarté. Je suis...

De Paris, le 7 de la lune
de Gemmadi, 2, 1719.

1. Roboam : dans l'Ancien Testament, fils de Salomon, réputé pour sa dureté.

LETTRE 131

Rhédi à Rica.

À Paris.

Une des choses qui a le plus exercé ma curiosité en arrivant en Europe, c'est l'histoire et l'origine des républiques. Tu sais que la plupart des Asiatiques n'ont pas seulement d'idée de cette sorte de gouvernement, et que l'imagination ne les a pas servis jusqu'à leur faire comprendre qu'il puisse y en avoir sur la terre d'autre que le despotique.

Les premiers gouvernements que nous connaissons étaient monarchiques : ce ne fut que par hasard, et par la succession des siècles, que les républiques se formèrent.

La Grèce ayant été abîmée par un déluge, de nouveaux habitants vinrent la peupler : elle tira presque toutes ses colonies d'Égypte, et des contrées de l'Asie les plus voisines : et, comme ces pays étaient gouvernés par des rois, les peuples qui en sortirent furent gouvernés de même. Mais la tyrannie de ces princes devenant trop pesante, on secoua le joug ; et, du débris de tant de royaumes, s'élevèrent ces républiques, qui firent si fort fleurir la Grèce, seule polie au milieu des barbares.

L'amour de la liberté, la haine des rois, conserva long-temps la Grèce dans l'indépendance, et étendit au loin le gouvernement républicain. Les villes grecques trouvèrent des alliées dans l'Asie mineure : elles y envoyèrent des colonies aussi libres qu'elles, qui leur servirent de remparts contre les entreprises des rois de Perse. Ce n'est pas tout : la Grèce peupla l'Italie ; l'Italie, l'Espagne, et peut-être les Gaules. On sait que cette grande Hespérie, si fameuse chez

les anciens, était au commencement la Grèce, que ses voisins regardaient comme un séjour de félicité : les Grecs, qui ne trouvaient point chez eux ce pays heureux, l'allèrent chercher en Italie ; ceux d'Italie, en Espagne ; ceux d'Espagne, dans la Bétique [1] ou le Portugal : de manière que toutes ces régions portèrent ce nom chez les anciens. Ces colonies grecques apportèrent avec elles un esprit de liberté, qu'elles avaient pris dans ce doux pays. Ainsi on ne voit guère, dans ces temps reculés, de monarchie dans l'Italie, l'Espagne, les Gaules. Tu verras bientôt que les peuples du nord et d'Allemagne n'étaient pas moins libres : et, si l'on trouve des vestiges de quelque royauté parmi eux, c'est qu'on a pris pour des rois les chefs des armées ou des républiques.

Tout ceci se passait en Europe : car, pour l'Asie et l'Afrique, elles ont toujours été accablées sous le despotisme, si vous en exceptez quelques villes de l'Asie mineure dont nous avons parlé, et la république de Carthage en Afrique.

Le monde fut partagé entre deux puissantes républiques, celle de Rome et celle de Carthage : il n'y a rien de si connu que les commencements de la république romaine, et rien qui le soit si peu que l'origine de Carthage. On ignore absolument la suite des princes africains depuis Didon [2], et comment ils perdirent leur puissance. C'eût été un grand bonheur pour le monde que l'agrandissement prodigieux de la république romaine, s'il n'y avait pas eu cette différence injuste, entre les citoyens romains et les peuples vaincus ; si l'on avait donné aux gouverneurs des provinces une

1. La Bétique : nom ancien des provinces d'Andalousie et de Grenade.
2. Didon : d'après l'*Énéide* de Virgile, fondatrice légendaire de Carthage.

autorité moins grande ; si les lois si saintes, pour empêcher leur tyrannie, avaient été observées ; et s'ils ne s'étaient pas servis, pour les faire taire, des mêmes trésors que leur injustice avait amassés.

César opprima la république romaine, et la soumit à un pouvoir arbitraire.

L'Europe gémit longtemps sous un gouvernement militaire et violent ; et la douceur romaine fut changée en une cruelle oppression.

Cependant une infinité de nations inconnues sortirent du nord, se répandirent comme des torrents dans les provinces romaines ; et, trouvant autant de facilité à faire des conquêtes qu'à exercer leurs pirateries, elles démembrèrent l'empire, et fondèrent des royaumes. Ces peuples étaient libres ; et ils bornaient si fort l'autorité de leurs rois, qu'ils n'étaient proprement que des chefs ou des généraux. Ainsi ces royaumes, quoique fondés par la force, ne sentirent point le joug du vainqueur. Lorsque les peuples d'Asie, comme les Turcs et les Tartares, firent des conquêtes, soumis à la volonté d'un seul, ils ne songèrent qu'à lui donner de nouveaux sujets, et à établir, par les armes, son autorité violente : mais les peuples du nord, libres dans leur pays, s'emparant des provinces romaines, ne donnèrent point à leurs chefs une grande autorité. Quelques-uns même de ces peuples, comme les Vandales en Afrique, les Goths en Espagne, déposaient leurs rois dès qu'ils n'en étaient pas satisfaits : et, chez les autres, l'autorité du prince était bornée de mille manières différentes : un grand nombre de seigneurs la partageaient avec lui ; les guerres n'étaient entreprises que de leur consentement : les dépouilles étaient partagées entre le chef et les soldats ; aucun impôt en faveur du prince ; les lois étaient faites dans les assemblées de la

nation. Voilà le principe fondamental de tous ces États, qui se formèrent des débris de l'empire romain.

De Venise, le 20 de la lune
de Rhegeb 1719.

LETTRE 132

Rica à ***.

Je fus, il y a cinq ou six mois, dans un café : j'y remarquai un gentilhomme assez bien mis, qui se faisait écouter : il parlait du plaisir qu'il y avait de vivre à Paris ; il déplorait sa situation d'être obligé d'aller languir dans la province. « J'ai, dit-il, quinze mille livres de rentes en fonds de terre ; et je me croirais plus heureux, si j'avais le quart de ce bien-là en argent et en effets portables partout. J'ai beau presser mes fermiers, et les accabler de frais de justice ; je ne fais que les rendre plus insolvables : je n'ai jamais pu voir cent pistoles à la fois. Si je devais dix mille francs, on me ferait saisir toutes mes terres, et je serais à l'hôpital. »

Je sortis sans avoir fait grande attention à tout ce discours : mais, me trouvant hier dans ce quartier, j'entrai dans la même maison ; et j'y vis un homme grave, d'un visage pâle et allongé, qui, au milieu de cinq ou six discoureurs, paraissait morne et pensif, jusques à ce que, prenant brusquement la parole : « Oui, messieurs, dit-il en haussant la voix, je suis ruiné ; je n'ai plus de quoi vivre : car j'ai actuellement chez moi deux cent mille livres de billets de banque, et cent mille écus d'argent : je me trouve dans une situation affreuse ; je me suis cru riche, et me voilà à l'hôpital. Au moins, si j'avais seulement une petite terre où je pusse me retirer, je

serais sûr d'avoir de quoi vivre; mais je n'ai pas grand comme ce chapeau de fonds de terre. »

Je tournai, par hasard, la tête d'un autre côté; et je vis un autre homme qui faisait des grimaces de possédé. « À qui se fier désormais? s'écriait-il. Il y a un traître, que je croyais si fort de mes amis, que je lui avais prêté mon argent : et il me l'a rendu! quelle perfidie horrible. Il a beau faire; dans mon esprit, il sera toujours déshonoré. »

Tout près de là, était un homme très mal vêtu, qui, élevant les yeux au ciel, disait : « Dieu bénisse les projets de nos ministres! puissé-je voir les actions à deux mille, et tous les laquais de Paris plus riches que leurs maîtres! » J'eus la curiosité de demander son nom. « C'est un homme extrêmement pauvre, me dit-on; aussi a-t-il un pauvre métier : il est généalogiste; et il espère que son art rendra[1], si les fortunes continuent; et que tous ces nouveaux riches auront besoin de lui, pour réformer leur nom, décrasser leurs ancêtres, et orner leurs carrosses[2] : il s'imagine qu'il va faire autant de gens de qualité qu'il voudra; et il tressaillit de joie, de voir multiplier ses pratiques. »

Enfin, je vis entrer un vieillard pâle et sec, que je reconnus pour nouvelliste, avant qu'il se fût assis : il n'était pas du nombre de ceux qui ont une assurance victorieuse contre tous les revers, et présagent toujours les victoires et les trophées; c'était, au contraire, un de ces trembleurs, qui n'ont que des nouvelles tristes. « Les affaires vont bien mal du côté d'Espagne, dit-il : nous n'avons point de cavalerie sur la frontière; et il est à craindre que le prince Pio, qui en a un gros corps, ne fasse contribuer tout le Languedoc. » Il y avait, vis-à-vis de moi, un philosophe assez mal en ordre,

1. Que son art rendra : lui rapportera.
2. Orner leurs carrosses : les armoiries des nobles figurent sur leurs carrosses.

qui prenait le nouvelliste en pitié, et haussait les épaules, à mesure que l'autre haussait la voix. je m'approchai de lui, et il me dit à l'oreille : «Vous voyez que ce fat nous entretient, il y a une heure, de sa frayeur pour le Languedoc : et moi, j'aperçus hier au soir une tache dans le soleil, qui, si elle augmentait, pourrait faire tomber toute la nature en engourdissement ; et je n'ai pas dit un seul mot. »

De Paris, le 17 de la lune
de Rhamazan 1719.

LETTRE 133
Rica à ***.

[*Visite à une bibliothèque publique.*]

LETTRE 134
Rica au même.

[*Livres de théologie.*]

LETTRE 135
Rica au même.

[*Livres de littérature et de sciences.*]

LETTRE 136
Rica au même.

[*Livres d'histoire.*]

LETTRE 137
Rica au même.

[*Livres de poésie.*]

LETTRE 138
Rica à Ibben.
À Smyrne.

Les ministres se succèdent et se détruisent ici, comme les saisons : depuis trois ans, j'ai vu changer quatre fois de système sur les finances. On lève aujourd'hui les tributs en Turquie et en Perse, comme les levaient les fondateurs de ces empires : il s'en faut bien qu'il en soit ici de même. Il est vrai que nous n'y mettons pas tant d'esprit que les Occidentaux. Nous croyons qu'il n'y a pas plus de différence entre l'administration des revenus du prince et celle des biens d'un particulier, qu'il y en a entre compter cent mille tomans [1] ou en compter cent : mais il y a ici bien plus de finesse et de mystère. Il faut que de grands génies travaillent nuit et jour ; qu'ils enfantent sans cesse, et avec douleur, de

1. Tomans : ancienne monnaie d'or de Perse.

nouveaux projets ; qu'ils écoutent les avis d'une infinité de gens, qui travaillent pour eux sans en être priés ; qu'ils se retirent et vivent dans le fond d'un cabinet impénétrable aux grands, et sacré aux petits ; qu'ils aient toujours la tête remplie de secrets importants, de desseins miraculeux, de systèmes nouveaux ; et qu'absorbés dans les méditations, ils soient privés de l'usage de la parole, et quelquefois même de celui de la politesse.

Dès que le feu roi eut fermé les yeux, on pensa à établir une nouvelle administration. On sentait qu'on était mal ; mais on ne savait comment faire pour être mieux. On ne s'était pas bien trouvé de l'autorité sans bornes des ministres précédents ; on la voulut partager. On créa, pour cet effet, six ou sept conseils ; et ce ministère est peut-être celui de tous qui a gouverné la France avec plus de sens : la durée en fut courte, aussi bien, que celle du bien qu'elle produisit.

La France, à la mort du feu roi, était un corps accablé de mille maux : N*** [1] prit le fer à la main, retrancha les chairs inutiles, et appliqua quelques remèdes topiques. Mais il restait toujours un vice intérieur à guérir. Un étranger [2] est venu, qui a entrepris cette cure : après bien des remèdes violents, il a cru lui avoir rendu son embonpoint ; et il l'a seulement rendue bouffie.

Tous ceux qui étaient riches il y a six mois sont à présent dans la pauvreté, et ceux qui n'avaient pas de pain regorgent de richesses. Jamais ces deux extrémités ne se sont touchées de si près. L'étranger a tourné l'État comme un fripier tourne un habit : il fait paraître dessus ce qui était dessous ;

1. N... : le duc de Noailles (voir lettre 98), qui dirigea les finances de 1715 à 1718, et fut écarté en raison de son opposition à Law.
2. Un étranger [...] bouffie : l'Écossais John Law (voir Arrêt sur lecture 4).

et ce qui était dessus, il le met à l'envers. Quelles fortunes inespérées, incroyables même à ceux qui les ont faites! Dieu ne tire pas plus rapidement les hommes du néant. Que de valets servis par leurs camarades, et peut-être demain par leurs maîtres!

Tout ceci produit souvent des choses bizarres. Les laquais qui avaient fait fortune sous le règne passé, vantent aujourd'hui leur naissance : ils rendent, à ceux qui viennent de quitter leur livrée dans une certaine rue[1], tout le mépris qu'on avait pour eux il y a six mois : ils crient de toute leur force : «La noblesse est ruinée; quel désordre dans l'État! quelle confusion dans les rangs! on ne voit que des inconnus faire fortune!» Je te promets que ceux-ci prendront bien leur revanche sur ceux qui viendront après eux; et que, dans trente ans, ces gens de qualité feront bien du bruit.

De Paris, le 1 de la lune
de Zilcadé 1720.

LETTRE 139
Rica au même.

[*Abdications de deux reines de Suède.*]

LETTRE 140
Rica à Usbek.
*À ***.*

Le Parlement de Paris vient d'être relégué dans une petite

1. Une certaine rue : la rue Quincampoix, haut lieu de la spéculation.

ville qu'on appelle Pontoise[1]. Le conseil[2] lui a envoyé enregistrer ou approuver une déclaration qui le déshonore; et il l'a enregistrée d'une manière qui déshonore le conseil.

On menace d'un pareil traitement quelques parlements du royaume.

Ces compagnies sont toujours odieuses : elles n'approchent des rois que pour leur dire de tristes vérités : et, pendant qu'une foule de courtisans leur représentent sans cesse un peuple heureux sous leur gouvernement, elles viennent démentir la flatterie, et apporter aux pieds du trône les gémissements et les larmes dont elles sont dépositaires.

C'est un pesant fardeau, mon cher Usbek, que celui de la vérité, lorsqu'il faut la porter jusqu'aux princes! Ils doivent bien penser que ceux qui s'y déterminent y sont contraints; et qu'ils ne se résoudraient jamais à faire des démarches si tristes et si affligeantes pour ceux qui les font, s'ils n'y étaient forcés par leur devoir, leur respect, et même leur amour.

De Paris, le 21 de la lune
de Gemmadi, 1, 1720.

LETTRE 141

Rica au même.

J'irai te voir sur la fin de la semaine. Que les jours couleront agréablement avec toi !

Je fus présenté, il y a quelques jours, à une dame de la cour, qui avait quelque envie de voir ma figure étrangère. Je

1. Le Parlement de Paris fut exilé à Pontoise de juillet à décembre 1720.
2. Le conseil : le conseil de régence.

la trouvai belle, digne des regards de notre monarque, et d'un rang auguste dans le lieu sacré où son cœur repose.

Elle me fit mille questions sur les mœurs des Persans, et sur la manière de vivre des Persanes. Il me parut que la vie du sérail n'était pas de son goût, et qu'elle trouvait de la répugnance à voir un homme partagé entre dix ou douze femmes. Elle ne put voir, sans envie, le bonheur de l'un ; et sans pitié, la condition des autres. Comme elle aime la lecture, surtout celle des poètes et des romans, elle souhaita que je lui parlasse des nôtres. Ce que je lui en dis redoubla sa curiosité : elle me pria de lui faire traduire un fragment de quelques-uns de ceux que j'ai apportés. Je le fis ; et je lui envoyai, quelques jours après, un conte persan. Peut-être seras-tu bien aise de le voir travesti.

Du temps de Cheik-ali-Can, il y avait, en Perse, une femme nommée Zuléma : elle savait par cœur tout le saint Alcoran ; il n'y avait point de dervis qui entendît mieux qu'elle les traditions des saints prophètes ; les docteurs arabes n'avaient rien dit de si mystérieux, qu'elle n'en comprît tous les sens ; et elle joignait, à tant de connaissances, un certain caractère d'esprit enjoué, qui laissait à peine deviner si elle voulait amuser ceux à qui elle parlait, ou les instruire.

Un jour qu'elle était avec ses compagnes dans une des salles du sérail, une d'elles lui demanda ce qu'elle pensait de l'autre vie ; et si elle ajoutait foi à cette ancienne tradition de nos docteurs, que le paradis n'est fait que pour les hommes.

C'est le sentiment commun, leur dit-elle : il n'y a rien que l'on n'ait fait pour dégrader notre sexe. Il y a même une nation répandue par toute la Perse, qu'on appelle la nation

juive, qui soutient, par l'autorité de ses livres sacrés, que nous n'avons point d'âme.

Ces opinions si injurieuses n'ont d'autre origine que l'orgueil des hommes, qui veulent porter leur supériorité au-delà même de leur vie : et ne pensent pas que, dans le grand jour, toutes les créatures paraîtront devant Dieu comme le néant, sans qu'il y ait entre elles de prérogatives que celles que la vertu y aura mises.

Dieu ne se bornera point dans ses récompenses : et comme les hommes qui auront bien vécu, et bien usé de l'empire qu'ils ont ici-bas sur nous, seront dans un paradis plein de beautés célestes et ravissantes, et telles que, si un mortel les avait vues, il se donnerait aussitôt la mort, dans l'impatience d'en jouir ; aussi les femmes vertueuses iront dans un lieu de délices, où elles seront enivrées d'un torrent de voluptés, avec des hommes divins qui leur seront soumis : chacune d'elles aura un sérail, dans lequel ils seront enfermés ; et des eunuques, encore plus fidèles que les nôtres, pour les garder.

J'ai lu, ajouta-t-elle, dans un livre arabe, qu'un homme, nommé Ibrahim, était d'une jalousie insupportable. Il avait douze femmes extrêmement belles, qu'il traitait d'une manière très dure : il ne se fiait plus à ses eunuques, ni aux murs de son sérail ; il les tenait presque toujours sous la clef, enfermées dans leur chambre, sans qu'elles pussent se voir, ni se parler ; car il était même jaloux d'une amitié innocente : toutes ses actions prenaient la teinture de sa brutalité naturelle : jamais une douce parole ne sortit de sa bouche ; et jamais il ne fit le moindre signe, qui n'ajoutât quelque chose à la rigueur de leur esclavage.

Un jour qu'il les avait toutes assemblées dans une salle de son sérail, une d'entre elles, plus hardie que les autres, lui

reprocha son mauvais naturel. « Quand on cherche si fort les moyens de se faire craindre, lui dit-elle, on trouve toujours auparavant ceux de se faire haïr. Nous sommes si malheureuses, que nous ne pouvons nous empêcher de désirer un changement : d'autres, à ma place, souhaiteraient votre mort ; je ne souhaite que la mienne ; et, ne pouvant espérer d'être séparée de vous que par là, il me sera encore bien doux d'en être séparée. » Ce discours, qui aurait dû le toucher, le fit entrer dans une furieuse colère ; il tira son poignard, et le lui plongea dans le sein. « Mes chères compagnes, dit-elle d'une voix mourante, si le ciel a pitié de ma vertu, vous serez vengées. » À ces mots, elle quitta cette vie infortunée, pour aller dans le séjour des délices, où les femmes qui ont bien vécu jouissent d'un bonheur qui se renouvelle toujours.

D'abord elle vit une prairie riante, dont la verdure était relevée par les peintures des fleurs les plus vives : un ruisseau, dont les eaux étaient plus pures que le cristal, y faisait un nombre infini de détours. Elle entra ensuite dans des bocages charmants, dont le silence n'était interrompu que par le doux chant des oiseaux. De magnifiques jardins se présentèrent ensuite ; la nature les avait ornés avec sa simplicité, et toute sa magnificence. Elle trouva enfin un palais superbe, préparé pour elle, et rempli d'hommes célestes, destinés à ses plaisirs.

Deux d'entre eux se présentèrent aussitôt pour la déshabiller : d'autres la mirent dans le bain, et la parfumèrent des plus délicieuses essences : on lui donna ensuite des habits infiniment plus riches que les siens : après quoi, on la mena dans une grande salle, où elle trouva un feu fait avec des bois odoriférants, et une table couverte des mets les plus exquis. Tout semblait concourir au ravissement de ses sens :

elle entendait, d'un côté, une musique d'autant plus divine qu'elle était plus tendre ; de l'autre, elle ne voyait que des danses de ces hommes divins, uniquement occupés à lui plaire. Cependant tant de plaisirs ne devaient servir qu'à la conduire insensiblement à des plaisirs plus grands. On la mena dans sa chambre : et, après l'avoir encore une fois déshabillée, on la porta dans un lit superbe, où deux hommes d'une beauté charmante la reçurent dans leurs bras. C'est pour lors qu'elle fut enivrée, et que ses ravissements passèrent même ses désirs. « Je suis toute hors de moi, leur disait-elle : je croirais mourir, si je n'étais sûre de mon immortalité. C'en est trop, laissez-moi ; je succombe sous la violence des plaisirs. Oui, vous rendez un peu le calme à mes sens ; je commence à respirer, et à revenir à moi-même. D'où vient que l'on a ôté les flambeaux ? Que ne puis-je à présent considérer votre beauté divine ? que ne puis-je voir... Mais, pourquoi voir ? Vous me faites rentrer dans mes premiers transports. Ô dieux ! que ces ténèbres sont aimables ! Quoi ! je serai immortelle, et immortelle avec vous ! je serai... Non, je vous demande grâce ; car je vois bien que vous êtes gens à n'en demander jamais. »

Après plusieurs commandements réitérés, elle fut obéie : mais elle ne le fut que lorsqu'elle voulut l'être bien sérieusement. Elle se reposa languissamment, et s'endormit dans leurs bras. Deux moments de sommeil réparèrent sa lassitude : elle reçut deux baisers, qui l'enflammèrent soudain, et lui firent ouvrir les yeux. « Je suis inquiète, dit-elle ; je crains que vous ne m'aimiez plus. » C'était un doute dans lequel elle ne voulait pas rester longtemps : aussi eut-elle avec eux tous les éclaircissements qu'elle pouvait désirer. « Je suis désabusée, s'écria-t-elle ; pardon, pardon ; je suis sûre de vous. Vous ne me dites rien ; mais vous prouvez

mieux que tout ce que vous me pourriez dire : oui, oui, je vous le confesse, on n'a jamais tant aimé. Mais, quoi ! vous vous disputez tous deux l'honneur de me persuader ! Ah ! si vous vous disputez, si vous joignez l'ambition au plaisir de ma défaite, je suis perdue ; vous serez tous deux vainqueurs, il n'y aura que moi de vaincue : mais je vous vendrai bien cher la victoire. »

Tout ceci ne fut interrompu que par le jour. Ses fidèles et aimables domestiques entrèrent dans sa chambre, et firent lever ces deux jeunes hommes, que deux vieillards ramenèrent dans les lieux où ils étaient gardés pour ses plaisirs. Elle se leva ensuite, et parut d'abord à cette cour idolâtre dans les charmes d'un déshabillé simple, et ensuite couverte des plus somptueux ornements. Cette nuit l'avait embellie ; elle avait donné de la vie à son teint, et de l'expression à ses grâces. Ce ne fut, pendant tout le jour, que danses, que concerts, que festins, que jeux, que promenades ; et l'on remarquait qu'Anaïs se dérobait de temps en temps, et volait vers ses deux jeunes héros : après quelques précieux instants d'entrevue, elle revenait vers la troupe qu'elle avait quittée, toujours avec un visage plus serein. Enfin, sur le soir, on la perdit tout à fait : elle alla s'enfermer dans le sérail, où elle voulait, disait-elle, faire connaissance avec ces captifs immortels qui devaient à jamais vivre avec elle. Elle visita donc les appartements de ces lieux les plus reculés et les plus charmants, où elle compta cinquante esclaves d'une beauté miraculeuse : elle erra toute la nuit de chambre en chambre, recevant partout des hommages toujours différents, et toujours les mêmes.

Voilà comment l'immortelle Anaïs passait sa vie, tantôt dans des plaisirs éclatants, tantôt dans des plaisirs solitaires ; admirée d'une troupe brillante, ou bien aimée d'un

amant éperdu : souvent elle quittait un palais enchanté, pour aller dans une grotte champêtre : les fleurs semblaient naître sous ses pas, et les jeux se présentaient en foule au-devant d'elle.

Il y avait plus de huit jours qu'elle était dans cette demeure heureuse, que, toujours hors d'elle-même, elle n'avait pas fait une seule réflexion : elle avait joui de son bonheur sans le connaître, et sans avoir eu un seul de ces moments tranquilles, où l'âme se rend, pour ainsi dire, compte à elle-même, et s'écoute dans le silence des passions.

Les bienheureux ont des plaisirs si vifs, qu'ils peuvent rarement jouir de cette liberté d'esprit : c'est pour cela qu'attachés invinciblement aux objets présents, ils perdent entièrement la mémoire des choses passées, et n'ont plus aucun souci de ce qu'ils ont connu ou aimé dans l'autre vie.

Mais Anaïs, dont l'esprit était vraiment philosophe, avait passé presque toute sa vie à méditer : elle avait poussé ses réflexions beaucoup plus loin qu'on n'aurait dû l'attendre d'une femme laissée à elle-même. La retraite austère que son mari lui avait fait garder ne lui avait laissé que cet avantage.

C'est cette force d'esprit qui lui avait fait mépriser la crainte dont ses compagnes étaient frappées, et la mort qui devait être la fin de ses peines, et le commencement de sa félicité.

Ainsi elle sortit peu à peu de l'ivresse des plaisirs, et s'enferma seule dans un appartement de son palais. Elle se laissa aller à des réflexions bien douces sur sa condition passée, et sur sa félicité présente ; elle ne put s'empêcher de s'attendrir sur le malheur de ses compagnes : on est sensible à des tourments que l'on a partagés. Anaïs ne se tint pas dans les simples bornes de la compassion : plus tendre envers ces infortunées, elle se sentit portée à les secourir.

Elle donna ordre à un de ces jeunes hommes, qui étaient auprès d'elle, de prendre la figure de son mari ; d'aller dans son sérail, de s'en rendre maître, de l'en chasser ; et d'y rester à sa place, jusqu'à ce qu'elle le rappelât.

L'exécution fut prompte : il fendit les airs, arriva à la porte du sérail d'Ibrahim, qui n'y était pas. Il frappe ; tout lui est ouvert ; les eunuques tombent à ses pieds. Il vole vers les appartements où les femmes d'Ibrahim étaient enfermées. Il avait, en passant, pris les clefs dans la poche de ce jaloux, à qui il s'était rendu invisible. Il entre, et les surprend d'abord par son air doux et affable ; et, bientôt après, il les surprend davantage par ses empressements, et par la rapidité de ses entreprises. Toutes eurent leur part de l'étonnement ; et elles l'auraient pris pour un songe, s'il y eût eu moins de réalité.

Pendant que ces nouvelles scènes se jouent dans le sérail, Ibrahim heurte, se nomme, tempête et crie. Après avoir essuyé bien des difficultés, il entre, et jette les eunuques dans un désordre extrême. Il marche à grands pas ; mais il recule en arrière, et tombe comme des nues, quand il voit le faux Ibrahim, sa véritable image, dans toutes les libertés d'un maître. Il crie au secours ; il veut que les eunuques lui aident à tuer cet imposteur : mais il n'est pas obéi. Il n'a plus qu'une bien faible ressource ; c'est de s'en rapporter au jugement de ses femmes. Dans une heure, le faux Ibrahim avait séduit tous ses juges. L'autre est chassé, et traîné indignement hors du sérail ; et il aurait reçu la mort mille fois, si son rival n'avait ordonné qu'on lui sauvât la vie. Enfin, le nouvel Ibrahim, resté maître du champ de bataille, se montra de plus en plus digne d'un tel choix, et se signala par des miracles jusqu'alors inconnus. « Vous ne ressemblez pas à Ibrahim, disaient ces femmes. – Dites, dites plutôt que

cet imposteur ne me ressemble pas, disait le triomphant Ibrahim : comment faut-il faire pour être votre époux, si ce que je fais ne suffit pas ?

– Ah ! nous n'avons garde de douter, dirent les femmes : si vous n'êtes pas Ibrahim, il nous suffit que vous ayez si bien mérité de l'être : vous êtes plus Ibrahim en un jour, qu'il ne l'a été dans le cours de dix années. – Vous me promettez donc, reprit-il, que vous vous déclarerez en ma faveur contre cet imposteur. – N'en doutez pas, dirent-elles d'une commune voix ; nous vous jurons une fidélité éternelle : nous n'avons été que trop longtemps abusées : le traître ne soupçonnait point notre vertu, il ne soupçonnait que sa faiblesse. Nous voyons bien que les hommes ne sont point faits comme lui ; c'est à vous, sans doute, qu'ils ressemblent. Si vous saviez combien vous nous le faites haïr !
– Ah ! je vous donnerai souvent de nouveaux sujets de haine, reprit le faux Ibrahim ; vous ne connaissez point encore tout le tort qu'il vous a fait. – Nous jugeons de son injustice par la grandeur de votre vengeance, reprirent-elles. – Oui, vous avez raison, dit l'homme divin ; j'ai mesuré l'expiation au crime : je suis bien aise que vous soyez contentes de ma manière de punir. – Mais, dirent ces femmes, si cet imposteur revient, que ferons-nous ? – Il lui serait, je crois, difficile de vous tromper, répondit-il : dans la place que j'occupe auprès de vous, on ne se soutient guère par la ruse : et d'ailleurs je l'enverrai si loin, que vous n'entendrez plus parler de lui. Pour lors, je prendrai sur moi le soin de votre bonheur. Je ne serai point jaloux ; je saurai m'assurer de vous, sans vous gêner ; j'ai assez bonne opinion de mon mérite, pour croire que vous me serez fidèles : si vous n'étiez pas vertueuses avec moi, avec qui le seriez-vous ? » Cette conversation dura longtemps entre lui

et ces femmes, qui, plus frappées de la différence des deux Ibrahims, que de leur ressemblance, ne songeaient pas même à se faire éclaircir de tant de merveilles. Enfin, le mari désespéré revint encore les troubler : il trouva toute sa maison dans la joie, et ses femmes plus incrédules que jamais. La place n'était pas tenable pour un jaloux ; il sortit furieux. Et un instant après le faux Ibrahim le suivit, le prit, le transporta dans les airs, et le laissa à deux mille lieues de là.

Ô dieux ! dans quelle désolation se trouvèrent ces femmes, dans l'absence de leur cher Ibrahim ! Déjà leurs eunuques avaient repris leur sévérité naturelle ; toute la maison était en larmes ; elles s'imaginaient quelquefois que tout ce qui leur était arrivé n'était qu'un songe ; elles se regardaient toutes les unes les autres, et se rappelaient les moindres circonstances de ces étranges aventures. Enfin, le céleste Ibrahim revint, toujours plus aimable ; il leur parut que son voyage n'avait pas été pénible. Le nouveau maître prit une conduite si opposée à celle de l'autre, qu'elle surprit tous les voisins. Il congédia tous les eunuques, rendit sa maison accessible à tout le monde : il ne voulut pas même souffrir que ses femmes se voilassent. C'était une chose singulière de les voir, dans les festins, parmi des hommes, aussi libres qu'eux. Ibrahim crut, avec raison, que les coutumes du pays n'étaient pas faites pour des citoyens comme lui. Cependant il ne se refusait aucune dépense : il dissipa avec une immense profusion les biens du jaloux, qui, de retour trois ans après des pays lointains où il avait été transporté, ne trouva plus que les femmes, et trente-six enfants.

De Paris, le 26 de la lune
de Gemmadi 1720.

LETTRE 142

Rica à Usbek.

*À ****.

Voici une lettre que je reçus hier d'un savant : elle te paraîtra singulière.

Monsieur,

Il y a six mois que j'ai recueilli la succession d'un oncle très riche, qui m'a laissé cinq ou six cent mille livres, et une maison superbement meublée. Il y a plaisir d'avoir du bien, lorsqu'on en sait faire un bon usage. Je n'ai point d'ambition, ni de goût pour les plaisirs : je suis presque toujours enfermé dans un cabinet, où je mène la vie d'un savant. C'est dans ce lieu que l'on trouve un curieux amateur de la vénérable Antiquité.

Lorsque mon oncle eut fermé les yeux, j'aurais fort souhaité de le faire enterrer avec les cérémonies observées par les anciens Grecs et Romains : mais je n'avais pour lors ni lacrimatoires[1], ni urnes, ni lampes antiques.

Mais depuis, je me suis bien pourvu de ces précieuses raretés. Il y a quelques jours que je vendis ma vaisselle d'argent, pour acheter une lampe de terre qui avait servi à un philosophe stoïcien. Je me suis défait de toutes les glaces dont mon oncle avait couvert presque tous les murs de ses appartements, pour avoir un petit miroir un peu fêlé, qui fut autrefois à l'usage de Virgile : je suis charmé d'y voir ma figure représentée, au lieu de celle du cygne de Mantoue[2].

1. Lacrimatoires : petits vases antiques, destinés, dit-on, à recueillir des larmes.
2. Le cygne de Mantoue : Virgile.

Ce n'est pas tout : j'ai acheté cent louis d'or cinq ou six pièces d'une monnaie de cuivre qui avait cours il y a deux mille ans. Je ne sache pas avoir à présent dans ma maison un seul meuble qui n'ait été fait avant la décadence de l'Empire. J'ai un petit cabinet de manuscrits fort précieux et fort chers : quoique je me tue la vue à les lire, j'aime beaucoup mieux m'en servir, que des exemplaires imprimés, qui ne sont pas si corrects, et que tout le monde a entre les mains. Quoique je ne sorte presque jamais, je ne laisse pas d'avoir une passion démesurée de connaître tous les anciens chemins qui étaient du temps des Romains. Il y en a un qui est près de chez moi, qu'un proconsul des Gaules fit faire, il y a environ douze cents ans : lorsque je vais à ma maison de campagne, je ne manque jamais d'y passer, quoiqu'il soit très incommode, et qu'il m'allonge de plus d'une lieue. Mais, ce qui me fait enrager, c'est qu'on y a mis des poteaux de bois de distance en distance, pour marquer l'éloignement des villes voisines. Je suis désespéré de voir ces misérables indices, au lieu des colonnes milliaires[1] qui y étaient autrefois : je ne doute pas que je ne les fasse rétablir par mes héritiers, et que je ne les engage à cette dépense par mon testament. Si vous avez, monsieur, quelque manuscrit persan, vous me ferez plaisir de m'en accommoder : je vous le paierai tout ce que vous voudrez; et je vous donnerai, par-dessus le marché, quelques ouvrages de ma façon, par lesquels vous verrez que je ne suis point un membre inutile de la république des lettres. Vous y remarquerez, entre autres, une dissertation, où je fais voir que la couronne, dont on se servait autrefois dans les triomphes, était de chêne, et mon pas de laurier : vous en admirerez une autre,

1. Colonnes milliaires : dans l'Antiquité, colonnes qui se dressaient sur les routes tous les mille pas (environ 1,4 km).

où je prouve, par de doctes conjectures tirées des plus graves auteurs grecs, que Cambyse fut blessé à la jambe gauche, et non pas à la droite ; une autre, où je démontre qu'un petit front était une beauté très recherchée chez les Romains. Je vous enverrai encore un volume in-quarto, *en forme d'explication d'un vers du sixième livre de l'*Énéide *de Virgile. Vous ne recevrez tout ceci que dans quelques jours : et, quant à présent, je me contente de vous envoyer ce fragment d'un ancien mythologiste grec, qui n'avait point paru jusque ici, et que j'ai découvert dans la poussière d'une bibliothèque. Je vous quitte pour une affaire importante que j'ai sur les bras : il s'agit de restituer un beau passage de Pline le naturaliste, que les copistes du cinquième siècle ont étrangement défiguré. Je suis, etc.*

[*Fragment d'un ancien Mythologiste.*]

> *De Paris, le 9 de la lune*
> *de Chahban 1720.*

LETTRE 143

Rica à Nathanaël Lévi,
médecin juif à Livourne.

Tu me demandes ce que je pense de la vertu des amulettes, et de la puissance des talismans. Pourquoi t'adresses-tu à moi ? Tu es juif, et je suis mahométan ; c'est-à-dire, que nous sommes tous deux bien crédules.

Je porte toujours sur moi plus de deux mille passages du saint Alcoran : j'attache à mes bras un petit paquet, où sont écrits les noms de plus de deux cents dervis : ceux d'Hali,

de Fatmé, et de tous les purs, sont cachés en plus de vingt endroits de mes habits.

Cependant, je ne désapprouve point ceux qui rejettent cette vertu que l'on attribue à de certaines paroles. Il nous est bien plus difficile de répondre à leurs raisonnements, qu'à eux de répondre à nos expériences.

Je porte tous ces chiffons sacrés par une longue habitude, pour me conformer à une pratique universelle : je crois que, s'ils n'ont pas plus de vertu que les bagues et les autres ornements dont on se pare, ils n'en ont pas moins. Mais toi, tu mets toute ta confiance sur quelques lettres mystérieuses ; et, sans cette sauvegarde, tu serais dans un effroi continuel.

Les hommes sont bien malheureux ! Ils flottent sans cesse entre de fausses espérances et des craintes ridicules : et, au lieu de s'appuyer sur la raison, ils se font des monstres qui les intimident, ou des fantômes qui les séduisent.

Quel effet veux-tu que produise l'arrangement de certaines lettres ? quel effet veux-tu que leur dérangement puisse troubler ? Quelle relation ont-elles avec les vents, pour apaiser les tempêtes ; avec la poudre à canon, pour en vaincre l'effort ; avec ce que les médecins appellent l'humeur peccante et la cause morbifique des maladies, pour les guérir ?

Ce qu'il y a d'extraordinaire, c'est que ceux qui fatiguent leur raison pour lui faire rapporter de certains événements à des vertus occultes, n'ont pas un moindre effort à faire pour s'empêcher d'en voir la véritable cause.

Tu me diras que de certains prestiges ont fait gagner une bataille : et moi, je te dirai qu'il faut que tu t'aveugles, pour ne pas trouver, dans la situation du terrain, dans le nombre ou dans le courage des soldats, dans l'expérience des capi-

taines, des causes suffisantes pour produire cet effet dont tu veux ignorer la cause.

Je te passe, pour un moment, qu'il y ait des prestiges : passe-moi, à mon tour, pour un moment, qu'il n'y en ait point ; car cela n'est pas impossible. Ce que tu m'accordes n'empêche pas que deux armées ne puissent se battre : veux-tu que, dans ce cas-là, aucune des deux ne puisse remporter la victoire ?

Crois-tu que leur sort restera incertain, jusqu'à ce qu'une puissance invisible vienne le déterminer ? que tous les coups seront perdus, toute la prudence vaine, et tout le courage inutile ?

Penses-tu que la mort, dans ces occasions, rendue présente de mille manières, ne puisse pas produire dans les esprits ces terreurs paniques, que tu as tant de peine à expliquer ? Veux-tu que, dans une armée de cent mille hommes, il ne puisse pas y avoir un seul homme timide ? Crois-tu que le découragement de celui-ci ne puisse pas produire le découragement d'un autre ? que le second, qui quitte un troisième, ne lui fasse pas bientôt abandonner un quatrième ? Il n'en faut pas davantage pour que le désespoir de vaincre saisisse soudain toute une armée, et la saisisse d'autant plus facilement qu'elle se trouve plus nombreuse.

Tout le monde sait, et tout le monde sent que les hommes, comme toutes les créatures qui tendent à conserver leur être, aiment passionnément la vie ; on sait cela en général : et on cherche pourquoi, dans une certaine occasion particulière, ils ont craint de la perdre ?

Quoique les livres sacrés de toutes les nations soient remplis de ces terreurs paniques ou surnaturelles, je n'imagine rien de si frivole ; parce que, pour s'assurer qu'un effet, qui peut être produit par cent mille causes naturelles, est surna-

turel, il faut avoir auparavant examiné si aucune de ces causes n'a agi ; ce qui est impossible.

Je ne t'en dirai pas davantage, Nathanaël : il me semble que la matière ne mérite pas d'être si sérieusement traitée.

De Paris, le 20 de la lune
de Chahban 1720.

P.-S. Comme je finissais, j'ai entendu crier dans la rue une lettre d'un médecin de province à un médecin de Paris (car ici toutes les bagatelles s'impriment, se publient, et s'achètent). J'ai cru que je ferais bien de te l'envoyer, parce qu'elle a du rapport à notre sujet.

[*Lettre d'un Médecin de Province.*] [1]

LETTRE 144

Rica à Usbek.

Je trouvai, il y a quelques jours, dans une maison de campagne où j'étais allé, deux savants qui ont ici une grande célébrité. Leur caractère me parut admirable. La conversation du premier, bien appréciée, se réduisait à ceci : « Ce que j'ai dit est vrai, parce que je l'ai dit. » La conversation du second portait sur autre chose : « Ce que je n'ai pas dit n'est pas vrai, parce que je ne l'ai pas dit. »

J'aimais assez le premier : car qu'un homme soit opiniâtre, cela ne me fait absolument rien ; mais qu'il soit impertinent, cela me fait beaucoup. Le premier défend ses opinions ; c'est son bien : le second attaque les opinions des autres ; et c'est le bien de tout le monde.

1. Il s'agit en fait d'une satire des livres ennuyeux, qui peuvent servir de somnifère ou de vomitif...

Oh, mon cher Usbek ! que la vanité sert mal ceux qui en ont une dose plus forte que celle qui est nécessaire pour la conservation de la nature ! Ces gens-là veulent être admirés, à force de déplaire. Ils cherchent à être supérieurs ; et ils ne sont pas seulement égaux.

Hommes modestes, venez, que je vous embrasse. Vous faites la douceur et le charme de la vie. Vous croyez que vous n'avez rien ; et moi, je vous dis que vous avez tout. Vous pensez que vous n'humiliez personne ; et vous humiliez tout le monde. Et, quand je vous compare dans mon idée avec ces hommes absolus que je vois partout, je les précipite de leur tribunal, et je les mets à vos pieds.

De Paris, le 22 de la lune
de Chahban 1720.

LETTRE 145

Usbek à ***.

Un homme d'esprit est ordinairement difficile dans les sociétés. Il choisit peu de personnes ; il s'ennuie avec tout ce grand nombre de gens qu'il lui plaît appeler mauvaise compagnie ; il est impossible qu'il ne fasse un peu sentir son dégoût : autant d'ennemis.

Sûr de plaire quand il voudra, il néglige très souvent de le faire.

Il est porté à la critique, parce qu'il voit plus de choses qu'un autre, et les sent mieux.

Il ruine presque toujours sa fortune, parce que son esprit lui fournit pour cela un plus grand nombre de moyens.

Il échoue dans ses entreprises, parce qu'il hasarde beaucoup. Sa vue, qui se porte toujours loin, lui fait voir des

objets qui sont à de trop grandes distances. Sans compter que, dans la naissance d'un projet, il est moins frappé des difficultés qui viennent de la chose, que des remèdes qui sont de lui, et qu'il tire de son propre fonds.

Il néglige les menus détails, dont dépend cependant la réussite de presque toutes les grandes affaires.

L'homme médiocre, au contraire, cherche à tirer parti de tout : il sent bien qu'il n'a rien à perdre en négligences.

L'approbation universelle est, plus ordinairement, pour l'homme médiocre. On est charmé de donner à celui-ci, on est enchanté d'ôter à celui-là. Pendant que l'envie fond sur l'un, et qu'on ne lui pardonne rien, on supplée tout en faveur de l'autre : la vanité se déclare pour lui.

Mais, si un homme d'esprit a tant de désavantages, que dirons-nous de la dure condition des savants ?

Je n'y pense jamais, que je ne me rappelle une lettre d'un d'eux à un de ses amis. La voici :

Monsieur,

Je suis un homme qui m'occupe, toutes les nuits, à regarder avec des lunettes de trente pieds, ces grands corps qui roulent sur nos têtes : et, quand je veux me délasser, je prends mes petits microscopes, et j'observe un ciron[1] *ou une mite.*

Je ne suis point riche, et je n'ai qu'une seule chambre : je n'ose même y faire du feu, parce que j'y tiens mon thermomètre, et que la chaleur étrangère le ferait hausser. L'hiver dernier, je pensai mourir de froid : et, quoique mon thermomètre, qui était au plus bas degré, m'avertît que mes

1. Un ciron : animal minuscule régulièrement cité comme exemple de la plus extrême petitesse.

mains allaient se geler, je ne me dérangeai point. Et j'ai la consolation d'être instruit exactement des changements de temps les plus insensibles de toute l'année passée.

Je me communique fort peu : et, de tous les gens que je vois, je n'en connais aucun. Mais il y a un homme à Stockholm, un autre à Leipzig, un autre à Londres, que je n'ai jamais vus, et que je ne verrai sans doute jamais, avec lesquels j'entretiens une correspondance si exacte, que je ne laisse pas passer un courrier sans leur écrire.

*Mais, quoique je ne connaisse personne dans mon quartier, j'y suis dans une si mauvaise réputation, que je serai, à la fin, obligé de le quitter. Il y a cinq ans que je fus rudement insulté par une de mes voisines, pour avoir fait la dissection d'un chien qu'elle prétendait lui appartenir. La femme d'un boucher, qui se trouva là, se mit de la partie. Et, pendant que celle-là m'accablait d'injures, celle-ci m'assommait à coups de pierre, conjointement avec le docteur***, qui était avec moi, et qui reçut un coup terrible sur l'os frontal et occipital, dont le siège de sa raison fut très ébranlé.*

Depuis ce temps-là, dès qu'il s'écarte quelque chien au bout de la rue, il est aussitôt décidé qu'il a passé par mes mains. Une bonne bourgeoise, qui en avait perdu un petit, qu'elle aimait, disait-elle, plus que ses enfants, vint l'autre jour s'évanouir dans ma chambre ; et, ne le trouvant pas, elle me cita devant le magistrat. Je crois que je ne serai jamais délivré de la malice importune de ces femmes, qui, avec leurs voix glapissantes, m'étourdissent sans cesse de l'oraison funèbre de tous les automates[1] *qui sont morts depuis dix ans.*

Je suis, etc.

1. Automates : selon Descartes, les animaux n'étaient que des «machines» dépourvues de sensibilité.

Tous les savants étaient autrefois accusés de magie. Je n'en suis point étonné. Chacun disait en lui-même : «J'ai porté les talents naturels aussi loin qu'ils peuvent aller; cependant un certain savant a des avantages sur moi : il faut bien qu'il y ait là quelque diablerie.»

À présent que ces sortes d'accusations sont tombées dans le décri[1], on a pris un autre tour; et un savant ne saurait guère éviter le reproche d'irréligion ou d'hérésie. Il a beau être absous par le peuple : la plaie est faite; elle ne se fermera jamais bien. C'est toujours, pour lui, un endroit malade. Un adversaire viendra, trente ans après, lui dire modestement : «À Dieu ne plaise que je dise que ce dont on vous accuse soit vrai; mais, vous avez été obligé de vous défendre.» C'est ainsi qu'on tourne contre lui la justification même.

S'il écrit quelque histoire, et qu'il ait de la noblesse dans l'esprit, et quelque droiture dans le cœur, on lui suscite mille persécutions. On ira contre lui soulever le magistrat, sur un fait qui s'est passé il y a mille ans. Et on voudra que sa plume soit captive, si elle n'est pas vénale.

Plus heureux cependant que ces hommes lâches, qui abandonnent leur foi pour une médiocre pension; qui, à prendre toutes leurs impostures en détail, ne les vendent pas seulement une obole; qui renversent la constitution de l'empire, diminuent les droits d'une puissance, augmentent ceux d'une autre, donnent aux princes, ôtent aux peuples, font revivre des droits surannés, flattent les passions qui sont en crédit de leur temps, et les vices qui sont sur le trône; imposant à la postérité, d'autant plus indignement qu'elle a moins de moyens de détruire leur témoignage.

1. Sont tombées dans le décri : sont décriées, méprisées.

Mais ce n'est point assez, pour un auteur, d'avoir essuyé toutes ces insultes ; ce n'est point assez, pour lui, d'avoir été dans une inquiétude continuelle sur le succès de son ouvrage. Il voit le jour, enfin, cet ouvrage qui lui a tant coûté. Il lui attire des querelles de toutes parts. Et comment les éviter ? Il avait un sentiment ; il l'a soutenu par ses écrits : il ne savait pas qu'un homme, à deux cents lieues de lui, avait dit tout le contraire. Voilà cependant la guerre qui se déclare.

Encore, s'il pouvait espérer d'obtenir quelque considération ! Non. Il n'est, tout au plus, estimé que de ceux qui se sont appliqués au même genre de science que lui. Un philosophe a un mépris souverain pour un homme qui a la tête chargée de faits : et il est, à son tour, regardé comme un visionnaire par celui qui a une bonne mémoire.

Quant à ceux qui font profession d'une orgueilleuse ignorance, ils voudraient que tout le genre humain fût enseveli dans l'oubli où ils seront eux-mêmes.

Un homme, à qui il manque un talent, se dédommage en le méprisant : il ôte cet obstacle qu'il rencontrait entre le mérite et lui ; et, par là, se trouve au niveau de celui dont il redoute les travaux.

Enfin, il faut joindre, à une réputation équivoque, la privation des plaisirs, et la perte de la santé.

De Paris, le 26 de la lune
de Chahban 1720.

Usbek à Rhédi.

À Venise.

Il y a longtemps que l'on a dit que la bonne foi était l'âme d'un grand ministère.

Un particulier peut jouir de l'obscurité où il se trouve ; il ne se décrédite que devant quelques gens ; il se tient couvert devant les autres : mais un ministre qui manque à la probité a autant de témoins, autant de juges, qu'il y a de gens qu'il gouverne.

Oserai-je le dire ? le plus grand mal que fait un ministre sans probité n'est pas de desservir son prince, et de ruiner son peuple ; il y en a un autre, à mon avis, mille fois plus dangereux : c'est le mauvais exemple qu'il donne.

Tu sais que j'ai longtemps voyagé dans les Indes. J'y ai vu une nation, naturellement généreuse, pervertie en un instant, depuis le dernier des sujets jusqu'aux plus grands, par le mauvais exemple d'un ministre : j'y ai vu tout un peuple, chez qui la générosité, la probité, la candeur et la bonne foi, ont passé de tout temps pour les qualités naturelles, devenir tout à coup le dernier des peuples ; le mal se communiquer, et n'épargner pas même les membres les plus sains ; les hommes les plus vertueux faire des choses indignes ; et violer les premiers principes de la justice, sur ce vain prétexte qu'on la leur avait violée.

Ils appelaient des lois odieuses en garantie des actions les plus lâches ; et nommaient nécessité, l'injustice et la perfidie.

J'ai vu la foi des contrats bannie, les plus saintes conven-

tions anéanties, toutes les lois des familles renversées. J'ai vu des débiteurs avares, fiers d'une insolente pauvreté, instruments indignes de la fureur des lois et de la rigueur des temps, feindre un paiement au lieu de le faire, et porter le couteau dans le sein de leurs bienfaiteurs.

J'en ai vu d'autres, plus indignes encore, acheter presque pour rien, ou plutôt ramasser de terre des feuilles de chêne, pour les mettre à la place de la substance des veuves et des orphelins.

J'ai vu naître soudain, dans tous les cœurs, une soif insatiable des richesses. J'ai vu se former, en un moment, une détestable conjuration de s'enrichir, non par un honnête travail et une généreuse industrie, mais par la ruine du prince, de l'État et des concitoyens.

J'ai vu un honnête citoyen, dans ces temps malheureux, ne se coucher qu'en disant : « J'ai ruiné une famille aujourd'hui ; j'en ruinerai une autre demain. »

« Je vais, disait un autre, avec un homme noir qui porte une écritoire à la main et un fer pointu à l'oreille, assassiner tous ceux à qui j'ai de l'obligation[1]. »

Un autre disait : « Je vois que j'accommode mes affaires : il est vrai que, lorsque j'allai il y a trois jours faire un certain paiement, je laissai toute une famille en larmes, que je dissipai la dot de deux honnêtes filles, que j'ôtai l'éducation à un petit garçon ; le père en mourra de douleur, la mère périt de tristesse : mais je n'ai fait que ce qui est permis par la loi. »

Quel plus grand crime que celui que commet un ministre, lorsqu'il corrompt les mœurs de toute une nation, dégrade les âmes les plus généreuses, ternit l'éclat des dignités, obs-

1. Tous ceux à qui j'ai de l'obligation : à qui je dois de la reconnaissance.

curcit la vertu même, et confond la plus haute naissance dans le mépris universel ?

Que dira la postérité, lorsqu'il lui faudra rougir de la honte de ses pères ? Que dira le peuple naissant, lorsqu'il comparera le fer de ses aïeux, avec l'or de ceux à qui il doit immédiatement le jour ? Je ne doute pas que les nobles ne retranchent de leurs quartiers un indigne degré de noblesse qui les déshonore, et ne laissent la génération présente dans l'affreux néant où elle s'est mise.

De Paris, le 11 de la lune
de Rhamazan 1720.

Arrêt sur lecture 4

Désormais Rica et Usbek ne s'étonnent plus du moindre spectacle. Mais ils s'interrogent de manière plus sérieuse, et parfois plus douloureuse, sur une société en pleine mutation, celle de **la Régence**, et sur des sujets graves – alors que justement le temps de la régence est traditionnellement considéré comme « léger » ou « futile ». Le ton a changé, et Rica même a perdu de son mordant pour devenir amer. La réflexion s'approfondit en s'étalant sur des séries de lettres, qui ressemblent à de petits traités artificiellement découpés en lettres successives. Du sérail, aucune nouvelle ou presque en cinq ans : étrange silence… Mais le souvenir de leur pays n'a pas pour autant disparu de l'esprit des deux Persans devenus parisiens.

Grandes espérances, grandes déceptions

Le temps du roman (temps narré ou fictif) rejoint désormais le temps de l'écriture (temps réel de l'auteur) : on est alors entre 1715 et 1720 ; Usbek et Montesquieu partagent les mêmes attentes, les

mêmes inquiétudes devant un régime politique nouveau, et une société qui ne change guère en bien. Aux bouleversements causés par la crise financière en France et aux protestations qu'ils soulèvent, s'ajoute la peur d'une évolution lente à l'échelle du monde entier : l'humanité risque de disparaître. Comment réagir devant des dangers aussi divers ? Comme d'habitude, les Français se réfugient dans la futilité, et peut-être les Persans sont-ils les seuls à percevoir l'étendue d'un désastre à venir.

La crise financière

Une situation catastrophique – Bien avant la mort de Louis XIV, on savait que les caisses de l'État étaient vides, tandis qu'il fallait continuer à payer rentes et pensions à des gens dont c'était parfois la seule ressource. Augmenter l'impôt ? La solution est tentante (voir la lettre 124), mais elle consiste à pressurer les paysans, d'où provient l'essentiel de ces revenus de l'État. Sinon, l'État est contraint de « faire banqueroute », c'est-à-dire ne pas payer ses dettes, avec les conséquences sociales immédiates que l'on imagine à court terme, et des conséquences économiques à plus ou moins long terme (qui osera encore prêter de l'argent à l'État si c'est pour le perdre ?).

Le problème est tellement brûlant que dès 1715 le Régent fait appel aux bonnes volontés susceptibles de lui suggérer quelque solution. Montesquieu lui-même rédige alors un *Mémoire sur les dettes de l'État*, que le Régent reçoit parmi des dizaines d'autres propositions. Mais le miracle va venir d'ailleurs.

Un sauveur – L'Écossais John Law propose un remède : fonder une banque qui émettrait une monnaie de papier (l'ancêtre de nos billets de banque) et éteindrait progressivement la dette publique (1716-1717). Cette initiative (le « Système » de Law) est soutenue par la création de « compagnies », établissements chargés de mettre en valeur les colonies, qui obtiennent le monopole du commerce

La rue Quincampoix à Paris, le jour de la banqueroute de Law en 1720. La ruine des spécu-
lateurs provoque des émeutes violentes (gravure).

extérieur de la France (Compagnie des Indes, du Mississippi), puis divers monopoles en France même (tabac, frappe des monnaies). D'abord prospères (1718-1719), celles-ci font l'objet d'une spéculation effrénée, soutenue par une publicité considérable ; ainsi le capital de la Compagnie du Mississippi est constitué d'actions initialement vendues 500 livres, qui atteignent en quelques mois le cours de 18 000 livres !

Durant l'année 1720, le mouvement se renverse : les actions ne rapportant guère, les spéculateurs préfèrent s'en débarrasser après avoir fait fortune ; les cours s'effondrent donc, et de simples particuliers sans compétence financière, qui y ont placé tout leur argent, se retrouvent sur la paille : c'est par exemple le cas de Marivaux. Law est obligé de s'enfuir devant l'émeute qui agite Paris.

Conséquences sociales et morales dramatiques – Durant ces cinq années, des fortunes colossales se sont édifiées, d'autres ont disparu ; d'où l'impression d'une instabilité généralisée : l'acharnement spéculatif tient lieu de mérite ; des gens méprisables deviennent richissimes et prennent leur revanche ; l'argent lui-même devient une valeur hautement digne d'intérêt, et tend à primer sur la naissance, le mérite personnel, la fortune traditionnelle, fondée sur les biens fonciers (la terre).

Conséquence secondaire : peut-être est-ce de cette époque qu'il faut dater l'apparition de l'argent en littérature. Ce n'est plus en effet une réalité vulgaire qu'il faut cacher, mais un agent, voire un acteur de la comédie sociale, que les romans, de plus en plus soucieux de réalisme à partir du XVIIIe siècle, vont montrer à l'œuvre. Regardez quelle place il occupe chez Balzac (*Le Père Goriot, Illusions perdues*), Flaubert (*Madame Bovary, L'Éducation sentimentale*), Maupassant (*Bel-Ami*), et surtout Zola (*L'Argent*).

Les *Lettres persanes* consacrent plusieurs passages à ce phénomène, qui a marqué durablement les esprits (lettres 98, 132, 138, 146). Montesquieu reviendra tout au long de sa vie sur cette crise :

en 1728, il rencontre Law en exil à Venise, et s'entretient longuement avec lui. Il ne le tient pas pour un malhonnête homme, plutôt pour un doctrinaire qui préfère ses idées à la réalité. Mais il le considère surtout comme dangereux, car Law, en bouleversant les rangs et les fortunes, a détruit une structure sociale ; de plus, il a fait intervenir l'État dans un processus économique et l'a conduit à une banqueroute pure et simple, lui ôtant tout crédit. Law a donc ouvert la voie au despotisme : c'est ce que Montesquieu ne peut lui pardonner.

Une sourde inquiétude

La dépopulation – Cette crise dont la France n'est pas encore sortie quand paraissent les *Lettres persanes* n'est pas le seul motif d'inquiétude. Montesquieu est persuadé que le monde se dépeuple et que l'humanité va à sa perte. Certes, on peut régler la question en montrant qu'il se trompait (comme l'ont fait depuis longtemps les démographes), et que le XVIIIe siècle est justement une période d'expansion dans toute l'Europe : 140 millions d'habitants en 1650, 175 en 1750, 22 millions en France en 1690, 26 un siècle plus tard !

Mais on peut envisager les choses autrement. D'une part en remarquant qu'en 1721 il est encore impossible de deviner cette tendance : plusieurs années de mauvaises récoltes à partir de l'hiver meurtrier de 1709 ont accru la mortalité et fait baisser la natalité ; et Marseille vient de connaître (1720-1721) une épidémie de peste dont nul ne sait encore qu'elle sera la dernière en Occident.

D'autre part, et c'est sans doute plus important encore, il faut considérer l'état d'esprit qui transparaît ici. Pour Montesquieu, l'humanité est dans une phase de repli, elle est menacée par l'homme lui-même, par les institutions peu sensées qu'il met en place. Ainsi, il met en relation (122) régime politique et démographie, prospérité économique et population : un peuple heureux est un peuple qui s'accroît, comme le montrait déjà l'histoire des Troglodytes (14). Si

Montesquieu considère que la France s'affaiblit, cela veut dire que les Français, dans leur immense majorité, souffrent des conditions de vie économiques, politiques, morales, qui sont les leurs.

Futilité des Français – Mais de cela, les Français ne se soucient guère, et Usbek semble être le seul à se préoccuper des plus graves problèmes. À Paris on préfère s'intéresser à des détails de prononciation (109, 111), ou passer son temps à essayer de séduire ou de se distraire, comme le font les femmes (110). Ce qui, dans la première moitié de l'ouvrage (voir Arrêt 2), apparaissait comme une satire destinée à susciter le rire, semble désormais plus grinçant : comment peut-on passer son temps à des querelles aussi vaines quand les enjeux sont si graves ? Deux lettres (144 et 145) illustrent particulièrement le décalage croissant d'Usbek dans la société parisienne qui est désormais devenue sienne : un homme d'esprit est sûr d'être critiqué ou jalousé, pas un homme médiocre ; et comment ménager la susceptibilité d'hommes vaniteux et opiniâtres ? Lui qui souffrait de ne pouvoir être libre à la cour de Perse, qui est poursuivi de doutes sur les questions religieuses, morales et politiques, n'a guère trouvé en France de quoi satisfaire son appétit de raison.

Satire des savants – La critique vise encore les femmes (99, 107, 110), et des hommes qui se croient importants (et qui, nous allons le voir, le sont sans doute de plus en plus : les journalistes), mais elle s'attarde particulièrement sur les savants. L'université se préoccupe d'un problème de prononciation, et qui plus est dans une langue morte, le latin (109). Un géomètre (on dirait aujourd'hui : un mathématicien) est incapable de voir le monde autrement qu'à travers la géométrie (128), un savant perd son temps à traduire l'œuvre d'autrui au lieu de penser par lui-même (128), un amateur d'antiquités vit exclusivement dans le passé (142), un physicien anatomiste, lui aussi hors du monde, poursuit ses recherches au péril de sa vie (145). C'est un tir groupé ! Sont-ils tous seulement ridicules ? Cette dernière lettre montre justement que la science (y compris

l'histoire) est toujours en butte aux attaques des savants eux-mêmes, des ignorants, et du pouvoir. Là encore, la satire est amère.

La voie de la politique

La réflexion d'Usbek, et aussi de Rica, se tourne vers un autre domaine, et ils ne se contentent plus désormais de décrire : comme le répétera inlassablement *L'esprit des lois*, il faut chercher « la raison des choses ». C'est la politique qui apparaît comme une clef de compréhension du monde contemporain, et celle-ci s'enracine aussi dans l'histoire.

La complexité du droit

Quand Usbek s'intéresse au droit public (qui définit les règles d'exercice de la souveraineté) ou aux rapports entre les nations (qui relève du « droit des gens »), ce n'est pas pour essayer d'en définir le détail, mais pour établir des principes généraux fondés sur la justice (94-95). D'ores et déjà Montesquieu manifeste son désir de comprendre le monde humain, en considérant que les hommes ne sont pas « uniquement conduits par leurs fantaisies » (Préface de *L'esprit des lois*). Il est fasciné par les découvertes de Newton (qui commencent alors seulement à être diffusées en France) sur l'attraction universelle. À ses yeux, leur mérite principal est de présenter une loi unique pour l'ensemble des phénomènes physiques, depuis le moindre caillou sur terre jusqu'à l'ensemble des planètes : c'est expliquer « par une mécanique simple, l'ordre de l'architecture divine » (97).

Faire des réformes ?

À cet ordre admirable s'oppose le désordre des lois françaises. Montesquieu laisse à Rica le soin de l'exposer sous forme satirique : au

long de l'histoire se sont accumulées des lois d'origines diverses, contradictoires, étrangères au pays, et, finalement, nuisibles (100). Il ne laisse pas entendre qu'il suffirait de réformer quelques lois pour aplanir toutes les difficultés : « Il n'y faut toucher que d'une main tremblante » (129). Rien ne définit mieux l'attitude de Montesquieu, juriste de formation et toujours conscient qu'un gouvernement repose sur un équilibre fragile. Quand on réforme, le remède est parfois pire que le mal – mais rien n'est pire que l'immobilisme, le conservatisme forcené ou le respect aveugle des traditions : c'est d'ailleurs le signe même du despotisme qu'un tel immobilisme (103).

L'objectif de Montesquieu, à travers les efforts de compréhension du Persan, est de montrer qu'il faut d'abord saisir les phénomènes dans leur ensemble (c'est l'étymologie même du verbe *comprendre*) avant de toucher au moindre détail. Dans le monde moral, social ou politique comme dans le monde physique, tout se tient. Nous l'avons d'ailleurs déjà vu : bonheur et croissance démographique (122), mais aussi prospérité du prince et prospérité des sujets (106) sont étroitement liés. C'est pourquoi les déclarations péremptoires des « nouvellistes » (130), qui jugent de tout à la place des gouvernants, sont toujours prétentieuses et sans intérêt.

République, monarchie ou despotisme ?
Usbek avait déjà posé la question beaucoup plus tôt : quel est le meilleur gouvernement (80) ? Il s'appuyait sur un critère, qui était l'efficacité et la conformité avec l'« inclination » des hommes. Il y revient, avec de nouveaux moyens d'appréciation : le meilleur régime politique est celui qui favorise le bonheur, la prospérité économique, les relations harmonieuses entre le gouvernement et la nation ; le pire est celui qui s'appuie sur la violence et l'accroît. Tel est le cas du despotisme persan (102).

Le principal caractère des monarchies, c'est un délicat équilibre,

tandis que le despotisme est plus facile à faire respecter, puisqu'il suffit de faire régner la terreur. La Terre doit-elle donc à plus ou moins long terme se couvrir de despotes ? Ce serait inquiétant pour les pays européens, qui vivent sous des régimes modérés. En fait, si le despotisme est fort, le despote est fragile, et sa place est peu enviable (103) : il est donc permis de ne pas être trop pessimiste.

Le cas des républiques est à part : à l'époque de Montesquieu, on peut légitimement se demander si ce régime, réservé à de petits États ou à des époques anciennes, est applicable aux grandes nations modernes. Montesquieu lui-même n'est pas républicain (cela n'empêchera cependant pas certains révolutionnaires de se réclamer de lui) ; il n'est favorable à la république que si elle favorise la liberté (131) – ce qui fut le cas à Athènes ou à Rome, avant que celle-ci soit soumise à César et aux empereurs.

En ce sens, le royaume franc, qui repose sur l'esprit de liberté et limite les pouvoirs du roi, est intermédiaire entre une monarchie et une république. Or c'est de ce royaume franc, fondé par Clovis au Ve siècle, que la monarchie française tire directement son origine ; elle se vante même de cette fondation ancienne. La France de Louis XIV ne l'aurait-elle pas quelque peu oublié ? Rappelez-vous : on ne peut réformer un point sans tenir compte d'un ensemble, et de l'esprit de toute l'institution. La monarchie ne pourrait-elle être réformée en revenant à la liberté primitive des guerriers francs ? C'est ce que suggère discrètement Montesquieu, et *L'esprit des lois* ne dira pas autre chose.

Un nouveau pouvoir ? La presse et l'opinion

Le XVIIIe siècle se caractérise par l'extraordinaire développement de la presse, née au siècle précédent. L'époque de la Révolution verra culminer ce mouvement ; et on compte finalement plusieurs centaines de titres publiés en français tout au long du siècle – on en découvre encore de nos jours ! Les « journaux » sont parfois de simples

feuilles, entièrement dues à un seul rédacteur (comme Marivaux qui, en 1721, lance son premier journal, *Le Spectateur français*), ou se présentent au contraire sous forme de fascicules qui peuvent être ensuite reliés : plusieurs centaines de pages chaque année pour le *Journal des savants* (qui existe toujours), très surveillé par le pouvoir, ou le *Mercure*.

Beaucoup de « journalistes » sont aussi hommes de lettres (et beaucoup d'hommes de lettres se font occasionnellement journalistes). Ainsi Diderot, à partir de 1759, contribue à la *Correspondance littéraire* de son ami Grimm, en fournissant des articles de critique artistique, qui seront rassemblés ultérieurement sous le nom de *Salons* et constituent depuis lors une œuvre à part entière.

Les « gazettes » donnent des nouvelles, les « journaux » à proprement parler présentent surtout les ouvrages nouveaux, et en fournissent de longs extraits ; c'est à cela que fait allusion la lettre 108. Les « nouvelles à la main » (dont fera partie la *Correspondance littéraire*, à partir de 1755), strictement confidentielles, sont adressées à de riches abonnés qui veulent être tenus au courant de l'actualité parisienne dans tous les domaines ; c'est le cas de plusieurs princes allemands. Elles sont fournies par les « nouvellistes » dont Rica se moque (130).

Ainsi Montesquieu témoigne de l'importance du phénomène et de l'influence croissante des journalistes sur l'opinion : sa bibliothèque, dont la moitié des livres ont été conservés et se trouvent aujourd'hui à Bordeaux, contenait de nombreux journaux. Mais l'heure n'est pas encore au pouvoir de la presse : en 1721, celle-ci se contente d'éveiller l'attention des lecteurs et de les habituer à la circulation des nouvelles et des idées.

Pour une lecture

L'histoire d'Anaïs et d'Ibrahim (141) : conte de fées ou conte philosophique ? Depuis « J'ai lu, ajouta-t-elle… » (p. 288) jusqu'à la fin de la lettre (p. 295).

> La lecture méthodique de ce passage présente l'avantage de permettre l'étude d'un texte relativement long, difficilement abordable par le biais du commentaire composé, qui entre davantage dans le détail du texte.

Introduction

Situation – Usbek est silencieux depuis la lettre 130 (août 1719) jusqu'à la lettre 144 (octobre 1720). C'est Rica qui lui donne des nouvelles ; s'il est toujours aussi moqueur, il lui arrive désormais d'aborder des sujets très sérieux ; c'est le cas ici. Son récit est triplement enchâssé : Rica raconte à une grande dame un « conte persan », lui-même raconté par la sage Zuléma. Ce conte est l'histoire d'Ibrahim, et bientôt il devient en fait l'histoire d'Anaïs, sa femme.

Caractérisation – Récit merveilleux, qui fait appel au surnaturel, et aussi réflexion sur la condition de la femme et son bonheur, ce « conte » joue sur deux tableaux. À ce triple enchâssement s'en ajoute un autre : l'histoire est racontée à Usbek, qui pourrait bien ressembler à Ibrahim… Construction vertigineuse, mise en abyme* du roman… De ce fait, on se demande si cette histoire libertine ne serait pas une préfiguration (sur le mode léger) d'un dénouement qui, par contre, sera tragique.

Plan – Les circonstances de la mort d'Anaïs tiennent lieu d'exposition, en révélant la méchanceté d'Ibrahim, le courage et la vertu d'Anaïs (p. 289). Le développement se fait ensuite en deux temps : Anaïs découvre le paradis et les plaisirs de l'amour (p. 289-292, jusqu'à « Mais Anaïs, dont l'esprit… ») ; puis envoie un faux Ibrahim sur terre, qui remplace avantageusement le vrai auprès de ses femmes.

Développement : les axes de lecture

1 – Un principe narratif : l'inversion

Montesquieu joue sur un ressort ancien du conte : le monde inversé. Le sérail est composé d'hommes (gardés par des vieillards) dont la seule fonction est de servir aux plaisirs d'Anaïs. De ce fait, son bonheur est parfait – inversion de son malheur sur terre. De même, entre le vrai Ibrahim, méchant, jaloux, qui enferme ses femmes sans être capable de les satisfaire sexuellement, et le faux Ibrahim, séduisant, aimable et vigoureux, la symétrie est remarquable.

Ce principe d'inversion permet aussi de désigner le paradis comme étant à l'opposé de ce qu'offre le monde humain ; à la frustration sexuelle qui caractérise le sérail correspond donc la satisfaction des sens ; alors qu'Anaïs était une femme confondue parmi d'autres, elle règne désormais sur une cour. La suite de plaisirs qui s'offre à elle (« des plaisirs si vifs que [les bienheureux] peuvent rarement jouir de cette liberté d'esprit ») semble répondre aussi à l'ennui des réunions mondaines où l'on se sent obligé de s'amuser, ou du moins de le proclamer (110).

Montesquieu exploite longuement le procédé (p. 290-291) pour renforcer l'érotisme de la scène (« C'en est trop, laissez-moi… ») ; peut-être peut-on y voir aussi une inversion de l'attitude habituelle de la femme dans le roman libertin, qui souvent s'évanouit (ou plutôt feint de s'évanouir) au moment décisif. D'autres références littéraires s'imposent aussi : le conte de Psyché, illustre depuis l'Antiquité et renouvelé par La Fontaine, montre une jeune fille emportée dans un palais merveilleux et livrée à un mari qu'elle ne doit jamais voir – en fait, le dieu de l'Amour lui-même, dont elle s'efforce de connaître l'identité. Anaïs au contraire préfère l'obscurité pour mieux profiter des plaisirs de l'amour.

2 – Le libertinage

On vient de le voir, Montesquieu joue des procédés habituels du conte libertin pour les réutiliser ou les détourner : cela assure une sorte de connivence avec son lecteur. Son insistance sur les plaisirs sensuels qui s'offrent à Anaïs pourrait contredire la leçon de l'histoire des Troglodytes (11-14), selon laquelle la satisfaction des sens ne saurait assurer le bonheur. Mais on est dans un univers littéraire de fantaisie ou de convention, dont le décor n'a guère besoin d'être décrit, sinon par des superlatifs ou des expressions convenues (« souvent elle quittait un palais enchanté […] les fleurs semblaient naître sous ses pas »).

La place faite au plaisir féminin en ce paradis constitue évidemment le fait majeur. À la première transgression, la pratique de l'amour, s'en ajoute une seconde, la manière d'en parler ; Anaïs ne parle que pour décrire ses plaisirs ou les renforcer : on opposera ces passages au style direct au paragraphe qui sert de transition avec le monde humain, où ses ordres sont transcrits au style indirect (« Elle donna ordre à un de ces jeunes hommes… »). L'érotisme idéal de ce paradis, sans contrainte ni culpabilité, ne peut être formulé que par celle qui le vit. Ainsi se trouve affirmée une vision féminine de l'amour.

La seconde partie présente un ton nettement différent, voire un changement de registre : le plaisir sexuel est constamment évoqué chez le faux Ibrahim, mais sous la forme de l'allusion plaisante, pour témoigner des avantages que présente le faux mari sur le vrai : « il les surprend davantage par ses empressements, et par la rapidité de ses entreprises » ; « [il] se signala par des miracles jusqu'alors inconnus » ; « je suis bien aise que vous soyez contentes de ma manière de punir » ; « il leur parut que son voyage n'avait pas été pénible ». Le retour au monde réel se traduit donc par un nouveau mode d'évocation de l'amour, où il est plus question de vigueur amoureuse que de sensualité proprement dite. Cela correspondrait-il à une vision

masculine de l'amour ? Ou plutôt au souci de varier le mode d'expression en opposant les deux mondes ?

3 – Les leçons du conte

Certaines leçons sont évidentes : la liberté est la condition du bonheur, la vertu s'épanouit mieux quand on vit sans contrainte, la prospérité accompagne le bonheur – ce dont témoignent les « trente-six enfants » qui naissent en trois ans. D'autres sont sous-entendues, et peut-être pas très claires : seul un être surnaturel serait capable de rendre toutes ces femmes heureuses… Il est en tout cas certain que les effets d'inversion ne sont pas seulement destinés à faire de ce récit un conte merveilleux et plaisant : c'est bien le droit au plaisir des femmes qui est ici revendiqué, de manière sérieuse, tout autant qu'une relation plus simple, moins conflictuelle, entre hommes et femmes – en tout cas une relation qui ne soit pas dissymétrique, en mettant les unes au pouvoir des autres.

Montesquieu n'est pas dupe de son récit : où est la vérité ? Pas chez les femmes, qui voient très bien la différence entre le vrai et le faux Ibrahim, mais préfèrent le faux (« Si vous n'êtes pas Ibrahim, il nous suffit que vous ayez si bien mérité de l'être »). Elles sont d'ailleurs parfaitement excusables : le vrai Ibrahim n'a que ce qu'il mérite.

Quant à Anaïs, personnage tragique par sa mort, héroïne libertine dans son immortalité, et philosophe à ses heures (comme peut l'être aussi la narratrice Zuléma), elle annonce par bien des traits la femme d'Usbek, Roxane, telle qu'elle ne se révélera que dans la suite du roman. La vérité, qu'Usbek comprendra plus tard seulement, lui apparaît d'ores et déjà grâce à un personnage fictif et presque inconsistant, comme il en est tant dans les contes.

Conclusion

Ainsi le « conte persan » adressé à la grande dame française doit en

fait être lu par des hommes, et surtout par un Persan nommé Usbek. La lettre 28, au début du roman, montrait Paris comme un monde inversé, où les spectateurs étaient pris pour des acteurs. La lettre 141, à la fin du roman, montre des Persans, Anaïs et Ibrahim, reflets de Roxane et Usbek, jouant une étrange comédie sous le regard de la dame française, et même de tous les lecteurs. Les événements vont se précipiter en Perse et mettre fin à ce complexe jeu de miroirs, où l'on ne sait plus distinguer le vrai du faux, le réel du fictif.

à vous...

1 – Discussion/argumentation – « Les progrès des sciences et des arts » sont-ils utiles à l'humanité (lettres 105-106) ? Présentez sous forme de tableau les arguments de Rhédi et ceux d'Usbek qui leur répondent.

2 – Résumé/argumentation – Résumez la démonstration d'Usbek dans la lettre 122.

3 – Argumentation personnelle – Reprenez méthodiquement le portrait du savant « antiquisant » de la lettre 142, dites en quoi chaque trait est ridicule ou inquiétant, et essayez de retourner chaque fois l'argument pour en voir l'aspect positif.

4 – Lecture méthodique – Lettres 107 à 111. Faites préalablement ressortir l'unité de ces cinq lettres.

5 – À la manière de... la lettre 128 – Un financier raconte à sa manière un concert.
Un « géomètre » raconte à sa manière un coup de foudre entre deux personnes.

Le Grand Eunuque à Usbek.

À Paris.

Les choses sont venues à un état qui ne se peut plus soutenir : tes femmes se sont imaginées que ton départ leur laissait une impunité entière : il se passe ici des choses horribles : je tremble moi-même au cruel récit que je vais te faire.

Zélis, allant il y a quelques jours à la mosquée, laissa tomber son voile, et parut presque à visage découvert devant tout le peuple.

J'ai trouvé Zachi couchée avec une de ses esclaves, chose si défendue par les lois du sérail.

J'ai surpris, par le plus grand hasard du monde, une lettre que je t'envoie : je n'ai jamais pu découvrir à qui elle était adressée.

Hier au soir, un jeune garçon fut trouvé dans le jardin du sérail, et il se sauva par-dessus les murailles.

Ajoute à cela ce qui n'est pas parvenu à ma connaissance ; car sûrement tu es trahi. J'attends tes ordres : et, jus-

qu'à l'heureux moment que je les recevrai, je vais être dans une situation mortelle. Mais, si tu ne mets toutes ces femmes à ma discrétion, je ne te réponds d'aucune d'elles, et j'aurai tous les jours des nouvelles aussi tristes à te mander.

*Du sérail d'Ispahan, le 1 de la lune
de Rhegeb 1717.*

LETTRE 148

Usbek au Premier Eunuque.

Au sérail d'Ispahan.

Recevez, par cette lettre, un pouvoir sans bornes sur tout le sérail : commandez avec autant d'autorité que moi-même : que la crainte et la terreur marchent avec vous : courez d'appartements en appartements porter les punitions et les châtiments : que tout vive dans la consternation ; que tout fonde en larmes devant vous : interrogez tout le sérail : commencez par les esclaves ; n'épargnez pas mon amour : que tout subisse votre tribunal redoutable : mettez au jour les secrets les plus cachés : purifiez ce lieu infâme ; et faites-y rentrer la vertu bannie. Car, dès ce moment, je mets sur votre tête les moindres fautes qui se commettront. Je soupçonne Zélis d'être celle à qui la lettre que vous avez surprise s'adressait : examinez cela avec des yeux de lynx.

*De ***, le 11 de la lune
de Zilhagé 1718.*

LETTRE 149

Narsit à Usbek.

À Paris.

Le grand eunuque vient de mourir, magnifique seigneur : comme je suis le plus vieux de tes esclaves, j'ai pris sa place, jusqu'à ce que tu aies fait connaître sur qui tu veux jeter les yeux.

Deux jours après sa mort, on m'apporta une de tes lettres qui lui était adressée : je me suis bien gardé de l'ouvrir ; je l'ai enveloppée avec respect, et l'ai serrée, jusqu'à ce que tu m'aies fait connaître tes sacrées volontés.

Hier, un esclave vint, au milieu de la nuit, me dire qu'il avait trouvé un jeune homme dans le sérail : je me levai, j'examinai la chose, et je trouvai que c'était une vision.

Je te baise les pieds, sublime seigneur ; et je te prie de compter sur mon zèle, mon expérience et ma vieillesse.

Du sérail d'Ispahan, le 5 de la lune
de Gemmadi, 1, 1718.

LETTRE 150

Usbek à Narsit.

Au sérail d'Ispahan.

Malheureux que vous êtes ! vous avez dans vos mains des lettres qui contiennent des ordres prompts et violents : le moindre retardement peut me désespérer ; et vous demeurez tranquille, sous un vain prétexte !

Il se passe des choses horribles : j'ai peut-être la moitié de mes esclaves qui méritent la mort. Je vous envoie la lettre que le premier eunuque m'écrivit là-dessus, avant de mourir. Si vous aviez ouvert le paquet qui lui est adressé, vous y auriez trouvé des ordres sanglants. Lisez-les donc, ces ordres : et vous périrez, si vous ne les exécutez pas.

*De ***, le 25 de la lune*
de Chalval 1718.

LETTRE 151

Solim à Usbek.

À Paris.

Si je gardais plus longtemps le silence, je serais aussi coupable que tous ces criminels que tu as dans le sérail.

J'étais le confident du grand eunuque, le plus fidèle de tes esclaves. Lorsqu'il se vit près de sa fin, il me fit appeler, et me dit ces paroles : « Je me meurs : mais le seul chagrin que j'aie en quittant la vie, c'est que mes derniers regards ont trouvé les femmes de mon maître criminelles. Le ciel puisse le garantir de tous les malheurs que je prévois ! Puisse, après ma mort, mon ombre menaçante venir avertir ces perfides de leur devoir, et les intimider encore ! Voilà les clefs de ces redoutables lieux ; va les porter au plus vieux des noirs. Mais si, après ma mort, il manque de vigilance, songe à en avertir ton maître. » En achevant ces mots, il expira dans mes bras.

Je sais ce qu'il t'écrivit, quelque temps avant sa mort, sur la conduite de tes femmes : il y a, dans le sérail, une lettre qui aurait porté la terreur avec elle, si elle avait été ouverte. Celle que tu as écrite depuis a été surprise à trois lieues

d'ici. Je ne sais ce que c'est ; tout se tourne malheureusement.

Cependant tes femmes ne gardent plus aucune retenue : depuis la mort du grand eunuque, il semble que tout leur soit permis : la seule Roxane est restée dans le devoir, et conserve de la modestie. On voit les mœurs se corrompre tous les jours. On ne trouve plus sur le visage de tes femmes cette vertu mâle et sévère qui y régnait autrefois : une joie nouvelle, répandue dans ces lieux, est un témoignage infaillible, selon moi, de quelque satisfaction nouvelle. Dans les plus petites choses, je remarque des libertés jusqu'alors inconnues. Il règne, même parmi tes esclaves, une certaine indolence pour leur devoir, et pour l'observation des règles, qui me surprend ; ils n'ont plus ce zèle ardent pour ton service, qui semblait animer tout le sérail.

Tes femmes ont été huit jours à la campagne, à une de tes maisons les plus abandonnées. On dit que l'esclave qui en a soin a été gagné ; et qu'un jour avant qu'elles arrivassent, il avait fait cacher deux hommes dans un réduit de pierre qui est dans la muraille de la principale chambre, d'où ils sortaient le soir, lorsque nous étions retirés. Le vieux eunuque, qui est à présent à notre tête, est un imbécile à qui l'on fait croire tout ce qu'on veut.

Je suis agité d'une colère vengeresse contre tant de perfidies : et, si le ciel voulait, pour le bien de ton service, que tu me jugeasses capable de gouverner, je te promets que, si tes femmes n'étaient pas vertueuses, au moins elles seraient fidèles.

*Du sérail d'Ispahan, le 6 de la lune
de Rebiab, 1, 1719.*

Narsit à Usbek.

À Paris.

Roxane et Zélis ont souhaité d'aller à la campagne : je n'ai pas cru devoir le leur refuser. Heureux Usbek ! tu as des femmes fidèles, et des esclaves vigilants : je commande en des lieux où la vertu semble s'être choisi un asile. Compte qu'il ne s'y passera rien que tes yeux ne puissent soutenir.

Il est arrivé un malheur qui me met en grande peine. Quelques marchands arméniens, nouvellement arrivés à Ispahan, avaient apporté une de tes lettres pour moi ; j'ai envoyé un esclave pour la chercher ; il a été volé à son retour, et la lettre est perdue. Écris-moi donc promptement ; car je m'imagine que, dans ce changement, tu dois avoir des choses de conséquence à me mander.

Du sérail de Fatmé, le 6 de la lune
de Rebiab, 1, 1719.

Usbek à Solim.

Au sérail d'Ispahan.

Je te mets le fer à la main. Je te confie ce que j'ai à présent dans le monde de plus cher, qui est ma vengeance. Entre dans ce nouvel emploi : mais n'y porte ni cœur, ni pitié. J'écris à mes femmes de t'obéir aveuglément : dans la confusion de tant de crimes, elles tomberont devant tes regards. Il faut que je te doive mon bonheur et mon repos.

Rends-moi mon sérail comme je l'ai laissé. Mais commence par l'expier; extermine les coupables, et fais trembler ceux qui se proposaient de le devenir. Que ne peux-tu pas espérer de ton maître pour des services si signalés? Il ne tiendra qu'à toi de te mettre au-dessus de ta condition même, et de toutes les récompenses que tu as jamais désirées.

De Paris, le 4 de la lune
de Chahban 1719.

LETTRE 154

Usbek à ses femmes.

Au sérail d'Ispahan.

Puisse cette lettre être comme la foudre qui tombe au milieu des éclairs et des tempêtes! Solim est votre premier eunuque, non pas pour vous garder, mais pour vous punir. Que tout le sérail s'abaisse devant lui. Il doit juger vos actions passées : et, pour l'avenir, il vous fera vivre sous un joug si rigoureux, que vous regretterez votre liberté, si vous ne regrettez pas votre vertu.

De Paris, le 4 de la lune
de Chahban 1719.

LETTRE 155

Usbek à Nessir.

À Ispahan.

Heureux celui qui, connaissant tout le prix d'une vie douce et tranquille, repose son cœur au milieu de sa famille, et ne connaît d'autre terre que celle qui lui a donné le jour!

Je vis dans un climat barbare, présent à tout ce qui m'importune, absent de tout ce qui m'intéresse. Une tristesse sombre me saisit ; je tombe dans un accablement affreux : il me semble que je m'anéantis ; et je ne me retrouve moi-même, que lorsqu'une sombre jalousie vient s'allumer, et enfanter dans mon âme la crainte, les soupçons, la haine et les regrets.

Tu me connais, Nessir ; tu as toujours vu dans mon cœur comme dans le tien. Je te ferais pitié, si tu savais mon état déplorable. J'attends quelquefois six mois entiers des nouvelles du sérail ; je compte tous les instants qui s'écoulent ; mon impatience me les allonge toujours : et, lorsque celui qui a été tant attendu est prêt d'arriver, il se fait dans mon cœur une révolution soudaine ; ma main tremble d'ouvrir une lettre fatale ; cette inquiétude qui me désespérait, je la trouve l'état le plus heureux où je puisse être, et je crains d'en sortir par un coup plus cruel pour moi que mille morts.

Mais, quelque raison que j'aie eue de sortir de ma patrie, quoique je doive ma vie à ma retraite, je ne puis plus, Nessir, rester dans cet affreux exil. Et ne mourrais-je pas tout de même, en proie à mes chagrins ? J'ai pressé mille fois Rica de quitter cette terre étrangère : mais il s'oppose à toutes mes résolutions ; il m'attache ici par mille prétextes : il semble qu'il ait oublié sa patrie ; ou plutôt, il semble qu'il m'ait oublié moi-même, tant il est insensible à mes déplaisirs.

Malheureux que je suis ! Je souhaite de revoir ma patrie, peut-être pour devenir plus malheureux encore ! Eh ! qu'y ferai-je ? je vais rapporter ma tête à mes ennemis. Ce n'est pas tout : j'entrerai dans le sérail ; il faut que j'y demande compte du temps funeste de mon absence ; et, si j'y trouve des coupables, que deviendrai-je ? Et si la seule idée m'ac-

cable de si loin, que sera-ce, lorsque ma présence la rendra plus vive ? que sera-ce, s'il faut que je voie, s'il faut que j'entende ce que je n'ose imaginer sans frémir ? que sera-ce enfin, s'il faut que des châtiments, que je prononcerai moi-même, soient des marques éternelles de ma confusion et de mon désespoir ?

J'irai m'enfermer dans des murs plus terribles pour moi que pour les femmes qui y sont gardées ; j'y porterai tous mes soupçons ; leurs empressements ne m'en déroberont rien ; dans mon lit, dans leurs bras, je ne jouirai que de mes inquiétudes ; dans un temps si peu propre aux réflexions, ma jalousie trouvera à en faire. Rebut indigne de la nature humaine, esclaves vils dont le cœur a été fermé pour jamais à tous les sentiments de l'amour, vous ne gémiriez plus sur votre condition, si vous connaissiez le malheur de la mienne.

De Paris, le 4 de la lune
de Chahban 1719.

LETTRE 156

Roxane à Usbek.

À Paris.

L'horreur, la nuit et l'épouvante règnent dans le sérail : un deuil affreux l'environne : un tigre y exerce à chaque instant toute sa rage. Il a mis dans les supplices deux eunuques blancs, qui n'ont avoué que leur innocence : il a vendu une partie de nos esclaves, et nous a obligées de changer entre nous celles qui nous restaient. Zachi et Zélis ont reçu dans leur chambre, dans l'obscurité de la nuit, un traitement

indigne[1] ; le sacrilège n'a pas craint de porter sur elles ses viles mains. Il nous tient enfermées chacune dans notre appartement ; et, quoique nous y soyons seules, il nous y fait vivre sous le voile. Il ne nous est plus permis de nous parler ; ce serait un crime de nous écrire : nous n'avons plus rien de libre que les pleurs.

Une troupe de nouveaux eunuques est entrée dans le sérail, où ils nous assiègent nuit et jour : notre sommeil est sans cesse interrompu par leurs méfiances feintes ou véritables. Ce qui me console, c'est que tout ceci ne durera pas longtemps, et que ces peines finiront avec ma vie : elle ne sera pas longue, cruel Usbek : je ne te donnerai pas le temps de faire cesser tous ces outrages.

Du sérail d'Ispahan, le 2 de la lune
de Maharram 1720.

LETTRE 157

Zachi à Usbek.

À Paris.

Ô ciel ! un barbare m'a outragée jusque dans la manière de me punir ! Il m'a infligé ce châtiment qui commence par alarmer la pudeur ; ce châtiment qui met dans l'humiliation extrême ; ce châtiment qui ramène, pour ainsi dire, à l'enfance.

Mon âme, d'abord anéantie sous la honte, reprenait le sentiment d'elle-même, et commençait à s'indigner, lorsque mes cris firent retentir les voûtes de mes appartements. On

1. Un traitement indigne : la fessée, dont il est question plus loin (lettre 157).

m'entendit demander grâce au plus vil de tous les humains, et tenter sa pitié, à mesure qu'il était plus inexorable.

Depuis ce temps, son âme insolente et servile s'est élevée sur la mienne. Sa présence, ses regards, ses paroles, tous les malheurs viennent m'accabler. Quand je suis seule, j'ai du moins la consolation de verser des larmes : mais, lorsqu'il s'offre à ma vue, la fureur me saisit ; je la trouve impuissante ; et je tombe dans le désespoir.

Le tigre ose me dire que tu es l'auteur de toutes ces barbaries. Il voudrait m'ôter mon amour, et profaner jusques aux sentiments de mon cœur. Quand il me prononce le nom de celui que j'aime, je ne sais plus me plaindre ; je ne puis plus que mourir.

J'ai soutenu ton absence, et j'ai conservé mon amour, par la force de mon amour. Les nuits, les jours, les moments, tout a été pour toi. J'étais superbe de mon amour même ; et le tien me faisait respecter ici. Mais à présent… Non, je ne puis plus soutenir l'humiliation où je suis descendue. Si je suis innocente, reviens pour m'aimer : reviens, si je suis coupable, pour que j'expire à tes pieds.

Du sérail d'Ispahan, le 2 de la lune
de Maharram 1720.

LETTRE 158

Zélis à Usbek.

À Paris.

À mille lieues de moi, vous me jugez coupable : à mille lieues de moi, vous me punissez.

Qu'un eunuque barbare porte sur moi ses viles mains, il

agit par votre ordre : c'est le tyran qui m'outrage, et non pas celui qui exerce la tyrannie.

Vous pouvez, à votre fantaisie, redoubler vos mauvais traitements. Mon cœur est tranquille, depuis qu'il ne peut plus vous aimer. Votre âme se dégrade, et vous devenez cruel. Soyez sûr que vous n'êtes point heureux. Adieu.

*Du sérail d'Ispahan, le 2 de la lune
de Maharram 1720.*

LETTRE 159

Solim à Usbek.

À Paris.

Je me plains, magnifique seigneur, et je te plains : jamais serviteur fidèle n'est descendu dans l'affreux désespoir où je suis. Voici tes malheurs et les miens ; je ne t'en écris qu'en tremblant.

Je jure, par tous les prophètes du ciel, que, depuis que tu m'as confié tes femmes, j'ai veillé nuit et jour sur elles ; que je n'ai jamais suspendu un moment le cours de mes inquiétudes. J'ai commencé mon ministère par les châtiments ; et je les ai suspendus, sans sortir de mon austérité naturelle.

Mais que dis-je ? Pourquoi te vanter ici une fidélité qui t'a été inutile ? Oublie tous mes services passés ; regarde-moi comme un traître ; et punis-moi de tous les crimes que je n'ai pu empêcher.

Roxane, la superbe Roxane, ô ciel ! à qui se fier désormais ? Tu soupçonnais Zélis, et tu avais pour Roxane une sécurité entière : mais sa vertu farouche était une cruelle imposture ; c'était le voile de sa perfidie. Je l'ai surprise dans les bras d'un jeune homme, qui, dès qu'il s'est vu

découvert, est venu sur moi ; il m'a donné deux coups de poignard : les eunuques, accourus au bruit, l'ont entouré : il s'est défendu longtemps, en a blessé plusieurs ; il voulait même rentrer dans la chambre, pour mourir, disait-il, aux yeux de Roxane. Mais enfin, il a cédé au nombre, et il est tombé à nos pieds.

Je ne sais si j'attendrai, sublime seigneur, tes ordres sévères. Tu as mis ta vengeance en mes mains ; je ne dois pas la faire languir.

Du sérail d'Ispahan, le 8 de la lune
de Rebiab, 1, 1720.

LETTRE 160

Solim à Usbek.

À Paris.

J'ai pris mon parti : tes malheurs vont disparaître : je vais punir.

Je sens déjà une joie secrète : mon âme et la tienne vont s'apaiser : nous allons exterminer le crime, et l'innocence va pâlir.

O vous, qui semblez n'être faites que pour ignorer tous vos sens, et être indignées de vos désirs mêmes ; éternelles victimes de la honte et de la pudeur, que ne puis-je vous faire entrer à grands flots dans ce sérail malheureux, pour vous voir étonnées de tout le sang que j'y vais répandre !

Du sérail d'Ispahan, le 8 de la lune
de Rebiab, 1, 1720.

LETTRE 161

Roxane à Usbek.

À Paris.

Oui, je t'ai trompé ; j'ai séduit tes eunuques ; je me suis jouée de ta jalousie ; et j'ai su, de ton affreux sérail, faire un lieu de délices et de plaisirs.

Je vais mourir ; le poison va couler dans mes veines : car que ferais-je ici, puisque le seul homme qui me retenait à la vie n'est plus ? Je meurs ; mais mon ombre s'envole bien accompagnée : je viens d'envoyer devant moi ces gardiens sacrilèges, qui ont répandu le plus beau sang du monde.

Comment as-tu pensé que je fusse assez crédule pour m'imaginer que je ne fusse dans le monde que pour adorer tes caprices ? que, pendant que tu te permets tout, tu eusses le droit d'affliger tous mes désirs ? Non : j'ai pu vivre dans la servitude ; mais j'ai toujours été libre : j'ai réformé tes lois sur celles de la nature ; et mon esprit s'est toujours tenu dans l'indépendance.

Tu devrais me rendre grâces encore du sacrifice que je t'ai fait ; de ce que je me suis abaissée jusqu'à te paraître fidèle ; de ce que j'ai lâchement gardé dans mon cœur ce que j'aurais dû faire paraître à toute la terre ; enfin, de ce que j'ai profané la vertu, en souffrant qu'on appelât de ce nom ma soumission à tes fantaisies.

Tu étais étonné de ne point trouver en moi les transports de l'amour : si tu m'avais bien connue, tu y aurais trouvé toute la violence de la haine.

Mais tu as eu longtemps l'avantage de croire qu'un cœur comme le mien t'était soumis : nous étions tous deux heureux ; tu me croyais trompée, et je te trompais.

Ce langage, sans doute, te paraît nouveau. Serait-il possible qu'après t'avoir accablé de douleurs, je te forçasse encore d'admirer mon courage ? Mais, c'en est fait, le poison me consume, ma force m'abandonne ; la plume me tombe des mains ; je sens affaiblir jusqu'à ma haine : je me meurs.

Du sérail d'Ispahan, le 8 de la lune
de Rebiab, 1, 1720.

Arrêt lecture 5

Le silence était trompeur… Depuis longtemps la crise couvait dans **le sérail**, et quand elle éclate Usbek se retrouve démuni. L'élément essentiel des quinze dernières lettres, qui forment un ensemble soigneusement composé, uniquement centré sur les événements qui se déroulent en Perse, est en fait le temps : les délais de transmission des courriers sont tels que les appels à une intervention urgente deviennent dérisoires, dramatiquement inutiles ; les événements suivent donc leur cours, les passions se déchaînent librement. Tout concourt à rendre inefficace l'autorité d'Usbek, jusqu'à la lettre finale, qui renverse littéralement le roman.

Une composition complexe

Des bouleversements chronologiques

La lettre 146 était datée de « Rhamazan [novembre] 1720 » ; la lettre suivante, un appel à l'aide du Premier eunuque, est de « Rhegeb [septembre] 1717 » ; comme il faut six mois à une lettre entre la Perse et la France, elle doit arriver en février 1718 ; elle est suivie de

la réponse d'Usbek, « Zilhagé [février] 1718 », qui est forcément immédiate. Cet ensemble de lettres constitue donc un retour en arrière, et détermine une rupture par rapport à la technique narrative observée jusque-là, qui consistait à entrelacer l'observation parisienne et les nouvelles du sérail. Montesquieu présente à part, comme si les lettres avaient été ainsi rassemblées par la main de leur traducteur ou éditeur, et en quelques pages, une intrigue qui s'étend en fait sur deux ans et demi (la dernière lettre étant de « Rebiab I [mai] 1720 »), et dont les premières manifestations auraient dû prendre place après la lettre 108.

Les faits dans l'ordre

Reprenons donc le fil de cette chronologie. Une première crise éclate en septembre 1717 (147) : l'autorité du Premier eunuque est ouvertement bafouée. Usbek réagit avec la plus grande vigueur (février 1718, lettre 148) ; sa lettre parvient en Perse en juillet (« Gemmadi ») 1718, mais elle est sans effet puisqu'on n'ose pas l'ouvrir, le Premier eunuque étant mort (149) ! Usbek ne l'apprend qu'en décembre 1718 (« Chalval », 150), et ne peut que réitérer ses ordres. Ceux-ci n'arrivent pas davantage à leur destinataire : par un curieux « malheur » (152), la lettre est volée… Simultanément (on peut penser que les deux lettres écrites le même jour, le 6 mai 1719, arrivent ensemble à Paris), Usbek reçoit un avertissement dramatique de l'eunuque Solim, qui lui écrit de sa propre initiative, et des nouvelles rassurantes de l'imbécile Narsit, qui remplace le Premier eunuque mais qui manifestement ne comprend rien à ce qui se passe (152). C'est à Solim qu'Usbek accorde sa confiance, donnant une troisième fois des ordres impitoyables (153 et 154), tandis qu'il avoue son désespoir à Nessir, ainsi que le désir de revenir en Perse (155) ; on est alors en octobre 1719.

Cette fois, la volonté d'Usbek est entendue, au-delà même de toutes ses espérances : en témoignent simultanément, en

mars 1720, trois de ses épouses (156-158). Le 8 mai, dans deux lettres successives, Solim alerte Usbek sur la conduite de Roxane puis annonce qu'il va la punir (159-160). Le même jour voit se jouer le dernier acte de la tragédie : le suicide de Roxane après le meurtre de son amant, et la révélation du fond de son cœur. Toutes ces lettres ne peuvent parvenir à Usbek avant décembre 1720 – mais on n'en saura rien, puisque la lettre la plus tardive (146) date précisément de novembre.

Le rôle du temps

Deux rythmes s'opposent donc :

– le temps des échanges ralentis par la distance, mais aussi par des circonstances qui sans doute ne doivent rien au hasard (147-152). Deux ans se passent ainsi, en quelques pages qui donnent à imaginer la rage impuissante d'Usbek dont les réflexions, nous l'avions noté lors de l'Arrêt 4, sont devenues plus austères ;

– le temps du dénouement, qui tient entre mars et mai 1720 ; la journée du 8 mai condensant l'annonce de la trahison de Roxane (« je l'ai surprise dans les bras d'un jeune homme », 159), la décision de Solim (« J'ai pris mon parti [...] je vais punir », 160, alors que précédemment il hésitait encore : « Je ne sais si j'attendrai, sublime seigneur, tes ordres sévères », 159), et la mort de Roxane.

Ce contraste rend plus sensible l'éloignement d'Usbek. Il est totalement exclu de l'action finale. Ainsi l'intérêt se concentre sur le sérail même : les unités de temps, de lieu et d'action chères à la tragédie sont respectées, à la fin d'un roman qui a constamment joué sur le décalage entre deux mondes et plusieurs pays.

On a donc ici réunies toutes les caractéristiques d'une crise qui couve longuement pour éclater avec une violence extrême. Mais pour qu'elle se déchaîne dans toute sa brutalité, il faut compter aussi avec les caractères en présence.

Les rapports de force

Les eunuques

Le début du roman avait déjà montré la complexité de la figure de l'eunuque (9, 64, 77). Ce type de personnage s'était quelque peu effacé depuis ; il réapparaît ici avec force, grâce à des effets de contraste entre le Premier eunuque (ou Grand eunuque), chargé de responsabilités et conscient des devoirs de sa charge, mais dépassé par les événements (147), le sot et indulgent Narsit (149 et 152), l'ambitieux et cruel Solim (151, 159, 160). C'est surtout sur ce dernier que se porte l'attention. Agit-il par désir de se faire bien voir de son maître et d'être récompensé, par fidélité envers lui ou envers le Premier eunuque dont il était le confident, par peur, par goût de l'autorité ou par haine envers les femmes et par pure perversité ? Sa dernière lettre (160) révèle un véritable « sadisme » – le mot ayant été forgé au XIXe siècle d'après les œuvres du marquis de Sade, qui écrit seulement dans le dernier tiers du XVIIIe siècle, il doit être employé ici avec précaution.

En fait, on a l'impression que le personnage de Solim permet de mettre en action tout ce qu'annonçaient déjà, neuf ans plus tôt, les confidences du Grand eunuque (9) : la « joie secrète » avec laquelle Solim veut répandre la terreur correspond à la « joie secrète » que donnait au Grand eunuque « le plaisir de [se] faire obéir », et « l'ambition » de l'un se retrouve chez le second. Plus spécifique, cependant, le goût des châtiments corporels, et notamment de la fessée, humiliante et sexuellement troublante, qu'il fait subir à Zachi (157). Le personnage est donc particulièrement obscur et inquiétant.

Les femmes

Pendant ces neuf ans, l'équilibre de la terreur, le « flux et [le] reflux d'empire et de soumission » (9) qui définit les relations à l'intérieur du sérail, a eu le temps de se modifier. L'éloignement du maître des

lieux n'y est évidemment pas étranger. La vertu que proclamait Fatmé semble n'avoir été que paroles (« quand il me serait permis de sortir de ce lieu, où je suis enfermée par la nécessité de ma condition ; quand je pourrais me dérober à la garde qui m'environne […] Usbek, je te le jure, je ne choisirais que toi », 7). Et Fatmé a justement disparu de la scène, le dénouement ne faisant intervenir que Zélis, Zachi et Roxane. Déjà Usbek doutait de cette vertu, quand il semonçait Zachi peu après son départ (20).

On peut aussi hésiter sur l'interprétation qui doit être donnée de ces personnages féminins. Le début du roman les montrait sensuelles et vaines, réduites au seul bonheur de plaire à leur maître (3, 4, 7, 64). Seule Roxane garde tout au long du roman un silence hautain, rompu seulement au bout de neuf ans par la révolte. Les plaintes et les confidences des eunuques les peignent vindicatives, méchantes, orgueilleuses. Avec le temps, elles gagnent en audace. La crise révèle leur duplicité ; mais elles sont avant tout des victimes, à la fois d'un système social injuste et de l'égoïsme d'Usbek, qui avoue son insensibilité, voire son mépris pour elles : « Ce n'est pas, Nessir, que je les aime […] mais, de ma froideur même, il sort une jalousie secrète qui me dévore » (6). Tous leurs actes doivent donc apparaître sous un autre jour : si elles cherchent à tromper Usbek, comme on le suppose plusieurs fois de Zachi (20, 147), si elles se rebellent contre les eunuques, c'est par aspiration à la dignité, pour revendiquer un droit au bonheur qui leur est refusé par Usbek, plus maître que mari.

Regards rétrospectifs

Roxane
Un personnage absent – L'essentiel est évidemment que ce dénouement jette un jour nouveau sur le personnage principal, Usbek, et donne un rôle imprévu à un personnage « fantôme »,

Illustration du
XIXᵉ siècle
pour les
Lettres persanes :
« Les femmes
d'Usbek ».
Une vision
idéalisée
du sérail ?

Roxane, qui n'était jusque-là connu qu'indirectement, par la lettre que lui avait adressée Usbek (26) et par une allusion fugitive (20), et était resté étrangement silencieux. En effet, elle est la seule des femmes d'Usbek à ne pas lui avoir adressé de plaintes après son départ : absence étonnante, d'autant plus qu'elle occupe une place de choix dans le cœur de son mari. Elle n'apparaît pas davantage ensuite, alors que les unes ou les autres prennent soin d'informer le maître du sérail de nouvelles plus ou moins importantes (l'éducation d'une fille, le mariage d'un eunuque blanc, une excursion à la campagne, une réconciliation entre deux épouses). Tout laisse penser d'abord que sa réserve tient à une vertu farouche, dont Usbek a longuement exposé les effets au moment de son mariage (26).

La révolte – Elle semble d'abord être la seule à être restée vertueuse (151). La suite montre que ce n'était que pour mieux cacher une révolte profonde, dont Usbek a été incapable de percevoir le moindre signe. Elle ne parle que deux fois : d'abord pour dire l'atmosphère de terreur que fait régner Solim (156), le sérail étant devenu une prison et un lieu de supplices, et pour annoncer que sa vie « ne sera pas longue » ; le même jour, Zachi, poursuivie de tant de soupçons, n'a de force que pour supplier Usbek de revenir, tandis que Zélis lui crie son mépris (157-158). Ensuite pour savourer sa vengeance (161), en une lettre qui mérite d'être étudiée en détail (voir ci-dessous, Commentaire composé), car chaque mot en est calculé pour frapper Usbek au cœur.

Usbek

Un personnage de roman ? – C'est évidemment le personnage qui, au moment même où il devient silencieux au point de s'effacer complètement, suscite le plus d'interrogations. En tant que personnage principal, qui confie au fil du texte ses pensées les plus intimes et se révèle soucieux avant tout de la personne humaine, il suscite la sympathie du lecteur. Persécuté dans son pays, il est une sorte de « réfugié politique », comme on le dirait aujourd'hui. Sa sagesse, son intérêt pour autrui, sa modération, en font un observateur idéal, et bien souvent on est tenté de voir en lui le double de Montesquieu. Sa mélancolie, opposée à la bonne humeur et à la causticité de Rica, renforce ce sentiment : on ne peut le soupçonner de méchanceté.

Le lecteur a donc toutes les raisons de le considérer comme un personnage profondément humain ; il a des faiblesses et ne craint pas de les montrer, notamment quand il avoue son désintérêt pour ses femmes, désintérêt qui paraît aussi relever de l'impuissance sexuelle (6). En ce sens, c'est bien un véritable personnage digne de susciter l'intérêt. Il n'a pourtant rien d'un héros au sens où on en

trouve dans les romans contemporains des *Lettres persanes* : rien de conventionnel chez lui, à une époque où la fiction se plaît à représenter des personnages héroïques qui se doivent d'être au moins princes ou marquis – à moins que, au contraire, on ait affaire à des héros dits picaresques, qui errent de ville en ville au hasard de la vie et qui finissent par connaître une belle ascension sociale.

La faille cachée – Il faut être attentif pour arriver à se représenter Usbek, car le propre du roman épistolaire est de ne pas fournir toutes les clefs, ou plutôt d'inciter à lire entre les lettres. On apprend incidemment qu'il séjourne hors de Paris (141), comme le laissent d'ailleurs entendre des séries de lettres où Rica lui donne des nouvelles de la capitale (125-128, 140-142). Pourquoi cet éloignement ? On n'en saura rien. Peut-être est-ce un moyen de remédier à la nostalgie qui l'étreint, et qu'il exprime avec tant de tristesse dans sa dernière lettre (155), adressée à son ami Nessir, et où le lecteur est tenté d'entendre une voix sincère : « Je ne puis plus, Nessir, rester dans cet affreux exil. Et ne mourrais-je pas tout de même, en proie à mes chagrins ? »

Cette douleur, quand il envisage son sérail, aide à mieux comprendre le ton sévère des lettres qu'il adresse en Perse, ou plutôt incite à penser qu'il joue là un rôle auquel il est contraint. Aussi mal à l'aise dans le rôle du despote dans son sérail que dans celui du flatteur du roi, comme nous l'apprenait la lettre 8, il ne peut qu'être brutal. Conscient du rôle équivoque des eunuques, forcé de s'en remettre à eux, philosophe épris de liberté mais mari incapable d'envisager la liberté de ses femmes, il vit profondément cette contradiction douloureuse.

Roxane-Usbek : un dialogue muet

Ce qui ressort des relations entre Roxane et Usbek, c'est une incompréhension totale. La lettre 26 en témoigne particulièrement : Usbek interprète comme la manifestation de la pudeur et de la vertu la

résistance de sa nouvelle épouse, et évoque longuement ses « chastes scrupules ». Elle ne répond pas à cette lettre passionnée (autant que peut l'être un écrit d'Usbek). Or la lettre 161 nous apprend que la résistance était répugnance, et la réserve, de la haine (« tu étais étonné de ne point trouver en moi les transports de l'amour : si tu m'avais bien connue, tu y aurais trouvé toute la violence de la haine ») ; l'évocation de ces premiers temps de son mariage ne peuvent que lui être douloureux. La consommation de ce mariage n'aura donc été ni plus ni moins qu'un viol : « Vous défendîtes jusqu'à la dernière extrémité une virginité mourante ; vous me regardâtes comme un ennemi qui vous avait fait un outrage, non pas comme un époux qui vous avait aimée » (26).

Cependant il est un lien profond entre eux, qu'ils ignorent eux-mêmes : la perspective de la mort comme soulagement à leurs maux. Chaque apparition de Roxane dans le roman est d'ailleurs liée à la mort : la nuit de noces où elle prend un poignard pour menacer l'époux qui veut profiter de ses droits (26) ; le cri de révolte contre la terreur exercée par Solim, qui s'achève par un avertissement, « ce qui me console, c'est que tout ceci ne durera pas longtemps, et que ces peines finiront avec ma vie » (156) ; et la lettre finale, ce long cri de haine qui ne prend son sens que parce que Roxane sait qu'elle est en train de mourir. Or cela avait précisément été évoqué par Usbek : « Quand je suis accablé de douleur, de misère, de mépris, pourquoi veut-on m'empêcher de mettre fin à mes peines, et me priver cruellement d'un remède qui est en mes mains ? » (76). Roxane applique ce qui chez Usbek reste sur un mode théorique.

Autre fil qui court de l'un à l'autre, celui d'une violence qui n'arrive à se formuler que tardivement : violence du désir d'Usbek, exacerbé par la résistance de sa nouvelle épouse, violence de la haine de Roxane, obligée de se taire, et qui choisit pour s'exprimer finalement le vocabulaire le plus classique de la passion. Violence qui tranche dans un roman qui fait l'apologie des régimes modérés, de

l'harmonie sociale ou des tensions fécondes. Tel est le sens du *oui* que jette Roxane en tête de sa dernière lettre : confirmation des soupçons d'Usbek, et enchaînement d'un dialogue entamé depuis longtemps, réponse de la tromperie à la tromperie, de la haine à ce qu'Usbek croyait être de l'amour, et qui n'était sans doute que du désir et du mépris.

Commentaire composé : lettre 161

Introduction
Pastiche de l'expression de la passion, comme on l'a suggéré, ou magnifique cri du cœur, quand le cœur n'est plus que haine ? En tout cas clôture du roman admirablement calculée, qui lui donne tout son sens et prouverait, si cela restait à démontrer, que les *Lettres persanes* n'existent pas sans l'intrigue orientale.

Que Roxane joue sur toutes les ressources de la rhétorique* est certain : cette lettre se fonde essentiellement sur la mise en scène de l'antithèse*, sous toutes ses formes ; c'est ce que nous étudierons d'abord. Le ton passionné en est rendu plus dramatique du fait qu'elle est écrite par une femme qui sera morte quand le destinataire la lira ; ce sera l'objet de notre second point, qui nous conduira à envisager le texte sous un autre angle : avons-nous affaire ici à une mort philosophique ?

1 – Une rhétorique de l'antithèse
L'opposition **masculin/féminin** qui structure l'ensemble du roman (voir aussi dans l'Arrêt 4 la lecture méthodique de la lettre 141) est ici soulignée avec une vivacité particulière : c'est de cette opposition que meurt Roxane. L'**antithèse** est la figure rhétorique qui en rend le mieux compte. Elle se traduit notamment par une série de symétries, d'inversions ou de jeux sur des répétitions : « affreux sérail /

lieu de délices et de plaisirs ; les transports de l'amour / toute la violence de la haine ; j'ai pu vivre dans la servitude, mais j'ai toujours été libre ; tu me croyais trompée, et je te trompais » avec un passage significatif du passif à l'actif dans ce dernier exemple.

Elle est formulée de manière particulièrement claire dans la phrase suivante : « [...] pendant que tu te permets tout, tu eusses le droit [...] ». À la liberté réelle qui est donnée à Usbek par la société (et par sa bonne conscience ?), s'oppose la liberté philosophique, qui est fondée sur la justice : elle seule donne un « droit ». L'incompréhension mutuelle qui naît de cette relation se traduit par l'opposition « vertu/soumission à tes fantaisies ».

Sont ainsi mis en scène, face à face, un « tu » et un « je », dont la **répétition** presque obsédante constitue un trait majeur de la lettre. Dans le dernier paragraphe, le *tu* (Usbek) n'apparaît plus qu'en position d'objet ou de complément (« te paraît nouveau, t'avoir accablé, je te forçasse »), avec seulement trois occurrences, alors que le « je » est omniprésent, comme sujet, objet et complément. Ce qui fait de ce dernier paragraphe un écho du premier, manifestant la rupture de la dissymétrie, et par là même du pouvoir exercé par l'homme sur la femme : Roxane est devenue le sujet de ses actes, la maîtresse de son destin.

2 – Une lettre d'outre-tombe

La couleur tragique de la lettre mérite d'être étudiée par elle-même, la rhétorique* de l'antithèse* s'intégrant à une rhétorique plus large, celle de la **passion**. L'expression en est ramassée, énergique, et fait la part belle aux figures habituelles du **langage tragique** : absence de liaison entre les termes de l'opposition, pour la rendre plus frappante (c'est la figure appelée asyndète) : « Tu étais étonné [...] si tu m'avais bien connue » ; hyperboles* (« le plus beau sang du monde ») ; interrogations oratoires (« que ferais-je ici... ? ; Comment

as-tu pu penser... ? »). Par un tel langage, Roxane s'abstrait du roman : elle n'est déjà plus de ce monde, pour lequel elle n'a que haine (« car que ferais-je ici, puisque le seul homme qui me retenait à la vie n'est plus ? »).

Ce qui donne son énergie particulière à ce texte, c'est son **moment** même : quand Roxane a décidé de mourir. Le passage du futur immédiat au présent permet d'en mesurer la durée : « Je vais mourir ; le poison va couler / je meurs / le poison me consume ; je me meurs. » On notera que le verbe intermédiaire « je meurs », dès le deuxième paragraphe, relève d'une anticipation qui dramatise encore davantage l'action. Le temps de l'écriture se confond donc avec celui de l'agonie, entre le moment où elle vient d'avaler le poison (« le poison va couler dans mes veines... ») et celui où il produit son effet (« je sens affaiblir jusqu'à ma haine : je me meurs »). Tandis que la mort se répand en elle, Roxane, de sa plume, instille le poison de la vérité en Usbek. Le temps de la lecture ne peut être que celui d'une mise à mort, métaphorique ou réelle, peu importe, de celui-ci. Ce qui rend la parole de Roxane si forte, malgré son appareil rhétorique si chargé, voire artificiel, c'est cette situation de « parole ultime », que rien ne pourra jamais corriger ou infléchir, à laquelle nulle réponse ne pourra être donnée. Elle retrouve ainsi une situation familière au roman, qui consiste à faire parler (longuement) un personnage sur son lit de mort ; pour le roman classique, on pense notamment à la dernière entrevue entre Madame de Chartres et sa fille, dans *La Princesse de Clèves*. La parole ultime a d'ailleurs d'autant plus de force que, dans le contexte chrétien des XVIIe et XVIIIe siècles, elle est supposée être dénuée de tout artifice, de tout mensonge (car sinon le mourant se rend coupable d'un péché qui ne pourra être racheté). Roxane doit-elle être replacée dans un tel contexte ? La réponse n'est pas évidente.

Le roman épistolaire exploite particulièrement ce procédé, car il joue sur le délai entre écriture et lecture ; ce procédé peut être

résumé ainsi : « Quand tu liras cette lettre, je ne serai plus », et il est le plus souvent réservé à des femmes. C'est ce que l'on retrouvera chez Rousseau, avec *La Nouvelle Héloïse* (1761) où la lettre de Julie prend la forme d'un testament et surtout d'un aveu à Saint-Preux, qu'elle n'a jamais cessé d'aimer secrètement ; ou encore chez Crébillon fils, où la passion de la Marquise s'est nourrie de ses propres lettres, pour n'être plus que discours dans le vide ; dans sa dernière lettre, elle n'est donc plus qu'une voix (*Lettres de la Marquise de M. au comte de R.*, 1732). On peut encore citer une œuvre moins connue, mais célèbre au XVIIIe siècle, *Les Malheurs de l'inconstance* de Dorat (1772), où l'on voit la marquise de Syrcé écrire sur ce mode à son mari (« Ne me pleurez point… je meurs coupable »), tandis que son amant, sans le savoir, fait de même en adressant sa lettre à un ami (« Mon heure est venue… Adieu »)… mais avec un résultat moins tragique, puisqu'il survit (« Pour comble de malheur, je vis encore »).

3 – Une mort philosophique ?
Mort rhétorique*, mort romanesque… Roxane meurt de désespoir, et peut-être aussi pour des **idées**. Son suicide est son ultime moyen de protestation, l'affirmation de sa liberté, conforme à ce qu'Usbek lui-même proclame (76). Que **l'héroïsme du suicide** soit réservé à une femme, alors que le héros du roman en reste aux déclarations et au désespoir remâché (155), est plus surprenant qu'on ne pense au XVIIIe siècle. L'image de Roxane, nous l'avons vu plus haut à propos de l'étude de ce personnage, est liée à la mort. Le fait qu'elle apparaisse si peu dans le roman renforce cette identification. Mais quel en est le sens exact ?

L'emploi d'un vocabulaire emprunté au registre du **sacré** (« gardiens sacrilèges, sacrifice, profané la vertu ») ne relève pas seulement de l'hyperbole*, mais du détournement du langage employé par Usbek lui-même, qui considère le sérail comme un lieu sacré et inviolable (26, 34). Il relève de **l'ironie***, sensible un peu partout

dans la lettre : « mon ombre s'envole bien accompagnée », « tu devrais me rendre grâces encore », « nous étions tous deux heureux », et qui consiste ici à présenter la vérité par antiphrase*, c'est-à-dire pour faire entendre le contraire de ce qu'on dit. Ce détachement par rapport au monde du sérail dominé par des hommes n'a donc pas seulement valeur romanesque : il est encore un témoignage de la liberté d'esprit de Roxane, qui retourne contre Usbek ses propres armes (« tu me croyais trompée, et je te trompais »).

Pour quelles idées se bat-elle ? Pour le **droit de son propre désir**, bafoué par Usbek, autrement dit parce qu'elle a aimé un homme qui a été tué au nom des droits du mariage. Mais sans doute aussi pour beaucoup d'autres raisons, qui ne se laissent pas définir facilement : les « lois de la nature » auxquelles elle fait allusion sont-elles seulement l'affirmation d'une liberté qui consisterait à faire « ce que l'on veut », pour reprendre une définition que Montesquieu refuse justement de reprendre à son compte ? La « nature » féminine ne devrait-elle être définie que par l'affirmation des droits du corps ? Ce serait une définition un peu sommaire.

Ses droits sont d'abord celui d'être **vraie** et sincère : Usbek l'avait contrainte à la dissimulation (« […] de ce que je me suis abaissée […] fantaisies »), donc à la dégradation morale et à la honte d'elle-même. Cette lettre d'aveu rachète cette dégradation et lui permet de retrouver son unité, d'être elle-même. Mais aussi elle peut désormais **agir**, tout simplement, alors que les femmes du sérail sont vouées à être belles, attendre et obéir. Elle n'a que la désobéissance pour agir, ainsi que le meurtre (« je viens d'envoyer devant moi ces gardiens sacrilèges… ») et la vengeance.

Conclusion

Roxane est donc loin d'être une autre Anaïs (voir lettre 141) – ou plutôt elle présente sur le mode tragique ce que l'histoire d'Anaïs évoquait sur un ton libertin et plaisant. La lettre 161, si particulière,

offre cependant l'écho de lettres antérieures et en constitue en quelque sorte le point d'orgue. Elle ne peut être suivie que du silence de la mort.

Le lecteur ne peut s'empêcher d'imaginer un au-delà de cette lettre, et ce contre l'aveu même de Montesquieu : « Elles ne sont susceptibles d'aucune suite » (« Quelques réflexions sur les *Lettres persanes* »). Ou d'échafauder des hypothèses parfaitement vaines : pour écrire cette lettre à Usbek, ne faut-il pas l'avoir beaucoup aimé ? S'il importe avant tout de le faire souffrir, est-ce la vérité qui lui est dévoilée, ou une reconstruction complète du réel ? Certes, un homme a été tué, qui a toutes chances d'avoir été son amant, et l'autorité du mari a bien été bafouée ; mais le plus important n'est-il pas, par la magie de l'écriture, d'avoir retourné le passé comme un gant, et fait d'Usbek, en quelques lignes, un despote comme il ne cesse d'en dénoncer ? Les réponses importent moins ici que les questions. Ainsi Montesquieu aura prouvé que les *Lettres persanes* sont un roman, c'est-à-dire une histoire qui n'est jamais terminée, tant qu'elle a des lecteurs.

à vous...

1 – Observation/analyse – Comparez les trois lettres successives à Usbek (156, 157, 158). Quels en sont les points communs ? Et comment les trois femmes se différencient-elles ?

2 – Observation/synthèse – Dressez un portrait de Roxane d'après les évocations indirectes qui en sont faites (par Usbek ou les eunuques : voir ci-dessus) ; comparez celui-ci à celui que vous auriez fait si vous ne disposiez que de la lettre 161.

3 – Observation/comparaison – Dans l'édition de 1721, les lettres 157, 158 et 160 n'existaient pas (elles n'ont été insérées qu'en 1754). Quelles différences ont été ainsi introduites ?

4 – Dissertation – Pensez-vous, comme l'a écrit un critique contemporain (J. Goldzink), que Roxane ne peut se soustraire au « discours féminin des *Lettres persanes*, totalement accaparé par la question du désir », discours qui réinterprète tous « les concepts de la philosophie (nature, liberté, vertu, vérité) » en fonction du désir ?

Bilans

Pour faire un bilan des *Lettres persanes*, peut-être faut-il revenir au début… c'est-à-dire aux «Quelques réflexions sur les *Lettres persanes*» que Montesquieu ajoute lui-même à son œuvre, en 1754. Elles nous aideront à définir ce qu'il faut retenir – sachant que, là comme ailleurs, Montesquieu ne s'avance pas toujours à découvert, et que, comme le dit *L'esprit des lois*, «il ne s'agit pas de faire lire, mais de faire penser».

Une audace calculée

«Rien n'a plu davantage dans les *Lettres persanes*, que d'y trouver, sans y penser, une espèce de roman.» Nous avons vu combien cette remarque était justifiée. Il faut reconnaître cependant que l'auteur des «Quelques réflexions» cherche moins à tirer de son ouvrage une leçon définitive qu'à le soustraire aux attaques qui se déchaînent contre lui depuis qu'il a publié *L'esprit des lois* en 1748, ce dont témoigne la suite : «Il y a quelques traits que bien des gens ont trouvés trop hardis.» Nous n'en avons pas jugé autrement, en effet.

Mais finalement, les *Lettres persanes* ont-elles eu du succès *malgré* ces traits «trop hardis» ou *à cause* d'eux ? Et Montesquieu lui-même a-t-il réellement eu à souffrir de la réputation qu'ils lui valaient, ou n'en a-t-il retiré que des bénéfices ?

La consécration parisienne

Ses impertinences auraient pu avoir des conséquences graves : en 1727, son élection à l'Académie française (qu'il avait sérieusement égratignée dans la lettre 73) ne se fait pas sans mal, car Montesquieu refuse de désavouer son livre. L'avocat Marais raconte ainsi l'affaire à son correspondant provincial, Bouhier :

« Le pauvre n'a pu désavouer ses enfants, quoiqu'anonymes ; ils lui tendaient leurs petits bras persans, et il leur a sacrifié l'Académie française. **»**

Ce n'en était pas moins une affaire qui agitait jusqu'au Premier ministre, Fleury, homme d'État et aussi digne cardinal qui avait été précepteur de Louis XV ; celui-ci déclarait n'avoir pas lu le livre et en avait entendu parler par des personnes dignes de foi, qui lui assuraient que l'ouvrage était dangereux, et que le roi (qui a toute autorité sur l'Académie) n'accepterait jamais que son choix se porte sur Montesquieu.

Montesquieu alla voir Fleury et lui suggéra de lire l'ouvrage – ce qu'il fit. Le Premier ministre reconnut que le cas n'était pas pendable et autorisa l'élection. Ainsi Montesquieu obtint ce qui est au XVIII{e} siècle une véritable consécration, l'élection à une prestigieuse Académie où se retrouvent les plus grands esprits du temps : Marivaux en 1742, Voltaire en 1746, puis D'Alembert et d'autres moins connus (Duclos, Marmontel) qui illustreront le parti des philosophes. Remarquons qu'en cette affaire, loin d'être anecdotique, Montesquieu ne s'est nullement compromis ou abaissé : il a demandé à être jugé sur son œuvre, et a refusé de la renier ou de se rétracter pour satisfaire son ambition.

La véritable portée des attaques

Montesquieu révolutionnaire ? – Faut-il toujours croire Paul Valéry ?

Celui-ci écrit, en effet, dans une préface aux *Lettres persanes* (recueillie dans *Variété*, I, 1924) :

« Entrer chez les gens pour déconcerter leurs idées, leur faire la surprise d'être surpris de ce qu'ils font, de ce qu'ils pensent, et qu'ils n'ont jamais conçu différent, c'est, au moyen de l'ingénuité feinte ou réelle, donner à ressentir toute la relativité d'une civilisation, d'une confiance habituelle dans l'Ordre établi. C'est aussi prophétiser le retour à quelque désordre ; et même faire un peu plus que le prédire. **»**

C'est dire que le dessein de Montesquieu aurait été de subvertir l'ordre établi, et lui attribuer un rôle non négligeable dans le désordre général qui s'instaure à la fin du siècle – si du moins on peut appeler ainsi la Révolution française.

Or nulle idée n'est plus étrangère à Montesquieu que celle du désordre ou de la révolution ; de manière générale, les philosophes du XVIIIe siècle sont de farouches ennemis d'un radical bouleversement social. Dans le jugement de Valéry, il faut voir la conséquence d'une double erreur de perspective : d'abord la survivance d'un point de vue hérité du XIXe siècle, qui attribue aux philosophes une responsabilité directe dans le traumatisme qu'a représenté la Révolution française, renouvelé dans les consciences par les journées sanglantes de 1848. Sainte-Beuve considère par exemple que si Montesquieu n'a pas été conscient des conséquences qui pouvaient être tirées de ses œuvres, il est au moins coupable d'imprudence.

Ce qui fausse également le jugement, c'est une **illusion rétrospective** qui consiste à voir en une œuvre la cause d'événements qui sont arrivés après. C'est ce qui amène par exemple à considérer que *Le Mariage de Figaro* de Beaumarchais a contribué à faire prendre la Bastille en 1789 : la pièce, qui dénonce les privilèges de la noblesse et les multiples abus de la société française, a d'abord été interdite par Louis XVI vers 1784, puis jouée triomphalement.

Cet ouvrage violemment critiqué, qui semble ne rien épargner d'un système social moribond, aurait aidé à formuler et à répandre des attaques définitives contre ce qui devait devenir l'« Ancien Régime ». Mais Beaumarchais n'avait rien écrit là de fondamentalement original, et par bien des aspects sa pièce peut être considérée comme fidèle à l'ordre établi. Sans doute l'interdiction royale a-t-elle contribué à faire son succès, et à attirer l'attention sur elle. Et sans doute aussi, s'il ne s'était rien passé de grave en 1789, la critique n'aurait jamais eu l'idée de considérer le très comique *Mariage de Figaro* comme une «pièce révolutionnaire». Faut-il donc attribuer un tel pouvoir à un ouvrage paru près de soixante-dix ans auparavant ?

Critiquer, mais pour quoi faire ? – En 1721, on en est très loin, et, de toute manière, Montesquieu a-t-il eu dessein d'écrire un ouvrage destructeur ? «Je n'ai pas naturellement l'esprit désapprobateur», dit la préface de *L'esprit des lois*. Aurait-il donc tant changé entre les deux ouvrages ?

En fait, il ne s'agit pas de proposer des réformes (nul programme dans les *Lettres persanes*), ni même de dénoncer simplement des abus. Il s'agit de faire voir, et de faire réfléchir. Faut-il condamner le luxe, quand les paysans sont si pauvres ? Montesquieu montre au contraire que le luxe du prince et des grands favorise le travail des sujets ; tout se tient, en effet, et «pour qu'un prince soit puissant, il faut que les sujets vivent dans les délices» (106) : proposition paradoxale*, qui incite à ne jamais regarder un phénomène sans en chercher la cause et les conséquences. À plus forte raison quand il s'agit de lois qui, au premier abord, paraissent absurdes ou néfastes : il ne faut y toucher que «d'une main tremblante». Certes, les *Lettres persanes* ont ouvert en fanfare une époque où la critique se fait de plus en plus acerbe contre le pouvoir en place, et elles ont en quelque sorte montré le chemin. Mais elles ont une ambition plus haute : faire éclater les absurdités au grand jour, les révéler à ceux qui ne les voient pas parce qu'ils y sont habitués – ou parce qu'ils y trouvent leur intérêt, et ne veulent pas les voir.

Un esprit nouveau : l'ironie

L'esprit des Lumières

L'ironie* est plus qu'un moyen dans les *Lettres persanes* : c'est en fait la définition d'un esprit nouveau, et c'est en cela que l'ouvrage occupe une place considérable au siècle des Lumières et dans l'histoire littéraire. Rappelons la définition la plus simple de l'ironie : faire comprendre autre chose que ce qui est dit explicitement. Ainsi, quand Usbek évoque les « libéralités immenses que les princes versent sur leurs courtisans » (124), « l'ordonnance » qu'il faudrait rendre pour favoriser celles-ci énumère exactement le contraire de ce qu'il faut faire dans un État bien ordonné : récompenser le travail, faciliter l'activité économique, supprimer tout ce qui est inutile comme les pensions accordées aux courtisans sans mérite véritable.

C'est exactement le même procédé qu'emploie fréquemment Voltaire, et dont le pamphlet *De l'horrible danger de la lecture* (1765) offre un parfait exemple : un religieux turc interdit l'usage de l'imprimerie dans son pays car celle-ci favorise le développement des connaissances, donc le bonheur et la prospérité, et fait régresser l'autorité de la religion sur les esprits… Dans les deux cas, il est démontré que les princes font le contraire de ce que la raison et l'humanité devraient leur dicter. L'auteur donne la parole aux grands de ce monde pour défendre des arguments caricaturaux ; ainsi une des principales justifications de l'octroi d'une pension aux courtisans serait que « nous les avons toujours vus sur notre passage immobiles comme des bornes »…

La portée et le sens de l'ironie

L'usage de l'ironie entraîne des effets supplémentaires ; l'autorité qui énonce pompeusement ces contrevérités ou ces arguments pervers est ridiculisée : « Ordonnons que toutes personnes qui s'exercent à des travaux vils et mécaniques [= ceux qui travaillent], les-

quelles n'ont jamais été au lever de notre majesté [= n'ont jamais été à la cour se rendre inutiles], n'achètent désormais d'habit […] » (124). Cela nous permet de compléter ce que nous disions plus haut. En effet, en reprenant le style même des ordonnances royales (« Ordonnons que… »), Montesquieu discrédite l'autorité du roi, qui est représenté comme un despote absurde, tout comme dans la lettre où il fait éclater les contradictions de Louis XIV (37).

L'ambiguïté de l'ironie* est là : elle est assez sérieuse pour atteindre ceux qu'elle vise, mais elle reste dans le registre du plaisant, voire du comique. On ne sait donc jamais jusqu'où va la critique. Dans le pamphlet de Voltaire, c'est toute autorité religieuse qui est visée, quand celle-ci s'exerce dans des domaines qui ne sont pas de son ressort, et surtout quand elle s'oppose à la liberté de pensée ; dans la lettre 124, sont dénoncés l'excès de pouvoir, le détournement de l'autorité monarchique mise au service d'intérêts particuliers, et la cupidité des grands seigneurs.

Un procédé parfois risqué

Le danger est que l'ironie peut quelquefois être mal comprise quand elle est prise au premier degré, comme si l'auteur (ou l'énonciateur) parlait sérieusement. Ainsi en est-il d'un texte célèbre de Montesquieu sur l'esclavage, tiré de *L'esprit des lois* (XV, 5), que certains commentateurs lisent aujourd'hui comme s'il s'agissait d'une justification de l'esclavage : « [Les noirs] ont le nez si écrasé qu'il est impossible de les plaindre. » Belle raison en effet pour acheter les Africains à des trafiquants, les tenir en esclavage, les transporter dans des conditions inhumaines jusqu'aux colonies des Antilles, et les soumettre au régime épouvantable du travail forcé ! Dans cette phrase, l'ironie n'a guère besoin d'être plus explicitée. On oublie vite que Montesquieu est particulièrement habile à adopter le ton de ceux qu'il dénonce – alors qu'un roman épistolaire comme les *Lettres persanes* l'a parfaitement habitué à prendre des voix successives.

Ainsi, quand il écrit : « Le sucre serait trop cher, si l'on ne faisait travailler la plante qui le produit par des esclaves », il ne dit pas autre chose que ce que Voltaire mettra dans la bouche du malheureux nègre de Surinam, l'esclave mutilé de *Candide* (1759) : « C'est à ce prix que vous mangez du sucre en Europe » (chap. 19). La différence entre l'énoncé ironique (de Montesquieu) et l'énoncé sérieux (de Voltaire), c'est que le second joue sur le pathétique de la situation pour que le lecteur (consommateur de sucre, donc profiteur de la situation) se sente coupable ; tandis que le premier isole et dénonce un argument économique qu'un armateur ou un commerçant français (comme il y en a beaucoup à Bordeaux, dans l'entourage de Montesquieu) est tout à fait capable de formuler en ces termes précis. Le lecteur ne pourra plus entendre cet argument sans le réinsérer dans le contexte du chapitre « De l'esclavage des nègres », en lui donnant le sens que lui confère Montesquieu : au nom de l'intérêt commercial, certains sont capables de bafouer les droits imprescriptibles de l'humanité.

Une clé de lecture

Ce procédé n'est pas réservé aux sujets les plus graves. Sans doute avez-vous eu plusieurs fois l'occasion de noter que l'ironie* est le moyen d'expression favori de Rica, personnage *ricanant* et railleur. Ainsi quand les femmes trichent sur leur âge (52), elles ne paraissent pas plus jeunes et séduisantes : elles se révèlent coquettes, vaines, et surtout obsédées par la perte de leur beauté et le passage du temps. Ce qu'on retient des personnages, leur vérité profonde, c'est précisément ce qu'ils s'efforcent de dissimuler. Le regard de l'observateur a le don de les démasquer.

De ce fait, ce sont les *Lettres persanes* dans leur ensemble qui se placent sous le signe de l'ironie, grâce au déguisement persan. Le procédé caractéristique de l'ironie repose sur la distanciation entre l'énonciateur et l'énoncé : quand Rica raconte sa conversation avec

un capucin désireux d'envoyer une mission en Perse (49), c'est pour souligner l'arrogance et l'inconséquence d'une telle attitude. Seule sa position de Persan, ignorant des usages, lui permet de poser les questions qui font apparaître ces défauts : «Vous voulez donc aller en Perse ? […] Vous les connaissez, apparemment, ces religieux ? ». Tout tableau de la société devient l'occasion d'opposer la liberté d'esprit du Persan et le manque de recul qui caractérise l'appartenance à une société. Ce que souhaite Montesquieu, c'est que nous prenions ce recul, en évitant de considérer nos habitudes comme la seule attitude possible, ou nos préjugés comme l'exercice de la raison. Nous devons garder la **faculté d'étonnement** qui est celle du voyageur persan.

Les personnages

Une lecture rapide nous fait voir des Persans, hommes et femmes, et des Parisiens, qui paraissent d'abord indifférenciés. S'ils manifestent bientôt des attitudes et des expressions particulières (nous avons eu plusieurs fois l'occasion de noter une répartition des rôles entre Rica et le sérieux Usbek), s'ils ont donc une *fonction* différente dans le roman, leur créateur les a aussi dotés d'une personnalité marquée.

La fonction des noms

Certes, il ne s'agit pas de personnages aussi fouillés que ceux de Balzac et de Zola (Montesquieu n'a évidemment jamais eu une telle intention) ; mais ils existent dans notre esprit, et d'abord grâce à leur seul nom, dont Jean Starobinski a donné une analyse tout à fait éclairante :

« Rica est le cadet ; c'est le rieur, parfois le ricaneur. Son nom seul, pour le lecteur français, dit sa gaieté, sa liberté. […] Et, comme il n'a

point d'épouses, point de harem à administrer au loin, il peut appartenir tout entier au monde nouveau qui l'accueille avec une curiosité intermittente (lettre 30), mais dont il adopte assez vite les manières, le badinage et le persiflage. Rien ne l'empêche de se laisser captiver par l'instant présent, d'y goûter la surprise, et de la retracer d'une manière qui en restitue le plaisir. Il ne disserte guère : il relate ; il peint vivement ses sensations. […]

Rica n'est lui-même que le complément d'Usbek, qui tient, lui, le premier rôle. Rien qu'au son des deux voyelles du nom d'Usbek – voyelles qui n'appartiennent pas au nom de Rica – nous savons, par le jeu du contraste, qu'Usbek est l'homme sombre et méditatif. Quant à la lettre *k* par où s'achève son nom, elle augure mal de la fin de son histoire : elle se laisse lire comme l'emblème de la cruauté punitive où le portera la fureur d'être trompé. […]

Le jeu des différences et des oppositions, dans l'invention des noms persans, trouve à s'appliquer de façon plus complète. La voyelle *o*, qui manque à Usbek comme à Rica, appartient en propre à la fière Roxane, et à l'eunuque qui fait office de bourreau : Solim. Les autres femmes d'Usbek, moins héroïques, sont dessinées par la sinuosité de la lettre *Z*, que la fiction du rococo associe à tous les exotismes : l'initiale de leurs noms soyeux prête un corps à l'inquiétude sensuelle et à la souplesse de l'obéissance apparente. Zachi, Zéphis, Zélis sont interchangeables et presque confondues dans l'ardeur de leurs appels et de leurs reproches à l'absent ; l'esclave Zélide, plus gracile et légère, signe de son nom ses liens, parfois trop étroits, avec les maîtresses qui se disputent ses services. Un peu à l'écart, Fatmé se laisse deviner plus lourde et plus brûlante… Tous les noms – masculins et féminins – que nous venons de citer, sont pesés à la balance stricte du dissyllabe. Aux vénérables dervis (Méhémet-Ali, Hagi Ibbi) reviendront les noms doubles, porteurs de dignité. **≫**

Préface de Jean Starobinski, *Lettres persanes*,
de Montesquieu, « Folio », n° 475.

L'anonymat

Les Occidentaux, des êtres génériques – À ces personnages défi-
nis par la seule sonorité de leur nom, et qui tous, comme le fait
remarquer encore J. Starobinski, appartiennent au monde oriental,
s'oppose la grande masse des anonymes de la société occidentale
qui sont l'objet des réflexions ou des observations de nos Persans –
sans même parler de l'auteur lui-même, qui ne donne pas son nom
pour des raisons évidentes de prudence, même si celui-ci ne devait
pas rester secret très longtemps. Tous ces personnages sont réduits
à leur seul caractère, comme ceux que pouvait dessiner La Bruyère
dans l'ouvrage qui porte ce titre : le savant (ce n'est pas encore une
fonction sociale), le bel esprit, la vieille coquette, le « décisionnaire »
et le « diseur de riens » (ces intitulés sont de Montesquieu lui-même,
à propos des lettres 72 et 82). Ce sont aussi des êtres qui sont déter-
minés par leur place dans la société, comme la danseuse de l'Opéra,
le fermier général ou le magistrat, ou dans une institution, comme
l'Académie française. Ou bien encore des personnes seulement
définies par leur nationalité : un Espagnol, une Moscovite… comme
il y a « des Parisiens », ou « un gentilhomme assez bien mis », ou
encore « un Européen assez sensé ». Autant de personnages réduits
à « des gestes et des discours typiques, qui le caractérisent comme
le représentant d'une catégorie ».

Des titres mais pas de noms – Quelques cas particuliers se pré-
sentent toutefois : certains personnages, le roi, le pape, qui ne sont
pas désignés par leur nom, le sont fort clairement par leur titre. Sans
doute le Persan ne doit-il pas paraître en savoir trop… Mais il y a
plus intéressant, car cela nous conduit au fonctionnement même du
langage des Persans. En effet, il est parfois question de personnages
fort connus des Européens, comme ce « vieux poète grec »
(Homère), désigné par une périphrase. Il en est de même pour des
objets inconnus des Orientaux (le chapelet est désigné comme de
« petits grains de buis ») ou pour des institutions particulières,

comme l'Académie française définie comme « une espèce de tribunal ». Comme l'a fait remarquer J. Starobinski, cette feinte ignorance contraint à *redéfinir* « un être, un objet ou une conduite » : « d'une part, l'on a pu désigner ce qu'il eût été dangereux de nommer ouvertement ; d'autre part, l'on a désacralisé les objets et les êtres jusque-là sacrés ». Les êtres et les choses les plus familiers sont ainsi arrachés à leur contexte ordinaire, et rendus *étranges* comme ils peuvent l'être à des étrangers.

Des personnages énigmatiques – Il est encore une autre catégorie de personnages, ceux que Montesquieu veut garder anonymes alors même qu'ils sont censés avoir une existence individuelle : tous ceux dont le nom est remplacé par trois étoiles (lettres 84, 108, 109, 110, 111, 125, 130, 132, etc.) et auxquels s'adressent une ou plusieurs lettres. Pourquoi ce mystère ? D'autant que celui-ci est quasiment exhibé, puisque les étoiles figurent en tête de la lettre. Lassitude du romancier jugeant inutile de parachever la fiction ? Ou au contraire désir de se conformer aux règles du genre romanesque, selon lesquelles certains correspondants doivent rester cachés ? Libre à vous d'imaginer une réponse…

Les échanges de lettres

Il est intéressant de répertorier les échanges entre les divers correspondants selon un tableau à double entrée, qui permet de saisir à la fois le scripteur et le destinataire ainsi que les flux majeurs d'échange.

Le tableau de correspondance se trouve aux pages 368-369.

En vue d'une interprétation

Ce tableau donne une idée précise de la multiplicité des échanges et permet d'en mesurer l'importance et la fréquence. La prépondérance d'Usbek se lit dans le nombre des lettres qu'il écrit (77 lettres) ou reçoit (45), alors que Rica en écrit 47, mais n'en reçoit que 2 : serait-il moins disposé à écouter les autres, à apprendre d'eux, que son compagnon de voyage ? À moins que Montesquieu ne lui prête vie que parce que c'est un observateur impitoyable à la plume acérée et à l'ironie* redoutable. Et, comme le dit le début du roman (lettre 5), il n'a pas de femmes ; sa mère est inconsolable, mais elle ne lui écrit pas… Certains personnages, par contre, n'existent que par une lettre reçue, ou une lettre qu'ils écrivent ; d'autres sont des correspondants réguliers, dont on peut suivre la présence au fil du texte.

Vous pouvez vous-même faire parler davantage ce tableau, en distinguant personnages masculins et personnages féminins, le monde du sérail et les voyageurs (qui écrit le plus ? qui reçoit le plus de lettres, et de qui ?) – et en combinant vos observations avec une étude chronologique : quand les lettres sont-elles les plus fréquentes ? de quelle partie du roman Usbek est-il presque absent, et qui le remplace comme scripteur principal ? Attention, il faut prendre garde aux impératifs du roman : il n'est guère vraisemblable par exemple qu'une femme écrive à une autre femme. Et il est significatif que les femmes n'existent que par rapport à Usbek, le seul qui leur écrive ou à qui elles envoient des lettres.

Et surtout, ces données quantitatives doivent toujours être complétées par une observation plus fine : ce n'est pas forcément parce que Usbek écrit une seule fois à Roxane qu'elle n'est pas présente à ses pensées. Quant à Nessir, il n'écrit jamais – mais c'est quand il se confie à lui qu'Usbek se livre le plus, dans trois lettres.

Le nombre de lettres échangées est donc un élément important, mais il est loin d'être le seul qui mérite d'être considéré.

ÉMETTEURS → DESTINATAIRES ↓	ANONYME	BEN JOSUÉ	FEMMES D'USBEK	GEMCHID	GRAND EUNUQUE	HASSEIN	IBBEN	IBBI	JARON	MÉHÉMET ALI	MIRZA	NARSIT
FATMÉ												
GRAND EUNUQUE								9	15			
HAGI IBBI		39										
IBBEN												
JARON					22							
MÉHÉMET ALI												
MIRZA												
NARGUM												
NARSIT												
PHARAN												
RHÉDI												
RICA	28, 32, 50, 66, 73, 84, 86, 87, 109, 110, 125, 130, 132, 133, 134, 135, 136, 137						24, 29, 30, 38, 55, 72, 82, 107, 127, 138, 139					
ROXANE												
RUSTAN												
SOLIM												
USBEK	101, 108, 111, 145		65, 154	35	148, 2	97	23, 25, 34, 37, 40, 56, 60, 76, 89, 90, 98, 102, 103, 104			16, 17, 123	11, 12, 13, 14, 85	150
ZACHI												
ZÉLIS												
ZEPHIS												

NATHANAËL LÉVI	NESSIR	PHARAN	PREMIER EUNUQUE BLANC	RHÉDI	RICA	ROXANE	RUSTAN	SOLIM	USBEK	LE SANTON FRÈRE D'USBEK	ZACHI	ZÉLIS	ZEPHIS
									7				
									41, 64, 79, 96, 147				
									67, 77				
									18				
									10				
									51, 81				
									149, 152				
									42				
					131				31, 105, 112				
143				58, 99, 100					45, 49, 52, 54, 59, 63, 68, 78, 126, 128, 140, 141, 142, 144				
									156, 161				
									5				
									151, 159, 160				
	6, 27, 155	43	21	33, 36, 44, 46, 48, 57, 61, 69, 75, 80, 83, 88, 92, 94, 95, 106, 113, 114, 115, 116, 117, 118, 119, 120, 121, 122, 124, 129, 146	74	26	1, 8, 19, 91	153			93	20	71
									3, 47, 157				
									53, 62, 70, 158				
									4				

Les lieux

Paris, microcosme de l'Occident

Cadre ou décor – Tous ces personnages ne sont pas de purs esprits évoluant dans le vide : ils décrivent ce qu'ils ont sous les yeux. Une interprétation ancienne, complètement abandonnée aujourd'hui, identifiait Montesquieu et Usbek, Ispahan et Bordeaux, et faisait de l'arrivée à Paris du jeune provincial le modèle de l'étonnement des Persans. Sans aller jusque-là, on imagine facilement que le Paris évoqué dans les *Lettres persanes* soit celui qui est familier à Montesquieu, et où l'on peut suivre ses cheminements : les Tuileries, alors considérées par les guides touristiques de l'époque comme l'une des plus belles promenades du monde, Notre-Dame, qu'ils décrivent comme une église magnifique alors que l'époque a peu de goût pour les bâtiments « gothiques » (le terme est à l'origine péjoratif), les Quinze-vingts, en pleine décrépitude, les cafés qui s'ouvrent un peu partout tant ils sont à la mode, la Comédie-Française, le Marais, où l'auteur habite en 1721...

Paris sujet de roman ? – Paris est alors, avec Londres et Naples, une des trois plus grandes villes du monde – du moins du monde occidental (« Paris est aussi grand qu'Ispahan ») : plus de 500 000 habitants, quand Bordeaux en compte environ 40 000. Le Paris des *Lettres persanes,* il est vrai, n'est pas encore un lieu mythique, comme chez Zola ou Balzac (*Ferragus*), ou la ville fascinante qui entraînera Louis-Sébastien Mercier à composer des milliers de pages (*Tableau de Paris*, 1781-1788), et dont Rétif de La Bretonne hantera les rues (*Les Nuits de Paris*, 1788-1794). Ce n'est pas tout à fait le Paris que l'on trouve dans tant de romans d'apprentissage, comme dans *La Vie de Marianne* de Marivaux (1731) où l'héroïne découvre un monde qui lui semble enfin accordé à son désir de vivre :

Les embarras de Paris (XVIIe siècle) : vols, violences, accidents, incidents en tout genre sont le quotidien des Parisiens. Usbek en rend-il compte dans ses lettres ?

« Nous voilà à Paris ; il fallait presque le traverser tout entier pour arriver chez le parent dont j'ai parlé.

Je ne saurais vous dire ce que je sentis en voyant cette grande ville, et son fracas, et son peuple, et ses rues. C'était pour moi l'empire de la lune : je n'étais plus à moi, je ne me ressouvenais plus de rien ; j'allais, j'ouvrais les yeux, j'étais étonnée, et voilà tout.

Je me retrouvai pourtant dans la longueur du chemin, et alors je jouis de toute ma surprise : je sentis mes mouvements, je fus charmée de me trouver là, je respirai un air qui réjouit mes esprits. Il y avait une douce sympathie entre mon imagination et les objets que je voyais, et je devinais qu'on pouvait tirer de cette multitude de choses différentes je ne sais combien d'agréments que je ne

connaissais pas encore ; enfin il me semblait que les plaisirs habitaient au milieu de tout cela. **»**

Marivaux, *La Vie de Marianne*,
première partie, « Folio classique » n° 2956.

Ce que Marianne pressent sans arriver à l'exprimer, c'est que Paris est le lieu où sa personnalité va se développer. Elle qui a toujours vécu dans un village de campagne où un bon curé l'a hébergée et élevée, découvre « un autre monde », comme les Persans. Mais Marivaux veut surtout insister sur l'accord entre la sensibilité de Marianne et la ville où tout est plus vif, plus vivant. Et de fait, c'est un lieu exaltant, où se trouve concentré l'essentiel de ce que peut offrir l'Europe, en matière d'art de vivre et de penser, à une époque où toute l'Europe cultivée parle français. Paris ou la quintessence du monde occidental.

Sans doute est-ce pour cela même que Rousseau, dans les *Confessions* (1767-1770), présente ainsi son arrivée dans la capitale :

« Combien l'abord de Paris démentit l'idée que j'en avais ! Je m'étais figuré une ville aussi belle que grande, de l'aspect le plus imposant, où l'on ne voyait que de superbes rues, des palais de marbre et d'or. En entrant par le faubourg Saint-Marceau, je ne vis que de petites rues sales et puantes, de vilaines maisons noires, l'air de la malpropreté, de la pauvreté, des mendiants, des charretiers, des ravaudeuses, des crieuses de tisane et de vieux chapeaux. Tout cela me frappa d'abord à tel point que tout ce que j'ai vu depuis à Paris de magnificence réelle n'a pu détruire cette première impression, et qu'il m'en est toujours resté un secret dégoût pour l'habitation de cette capitale. **»**

Jean-Jacques Rousseau,
Les Confessions, « Folio classique » n° 376.

Rousseau dénonce la civilisation comme ayant abaissé l'homme et détruit en lui le germe du bien : Paris est pour lui la ville corruptrice par excellence. Et ce parti pris explique évidemment que Rousseau ne retienne que les aspects les plus répugnants de la ville.

Patrick Süskind, dans son roman *Le Parfum* (publié en allemand en 1985), choisit une autre approche : son héros, le jeune Grenouille, est doué d'une extraordinaire sensibilité olfactive, qui lui fait percevoir la réalité comme un ensemble de parfums mêlés. Paris est pour lui « la plus grande réserve d'odeurs du monde ».

« C'était comme un pays de cocagne. À eux seuls, déjà, les quartiers voisins de Saint-Jacques-de-la-Boucherie et de Saint-Eustache étaient un pays de cocagne. Dans les rues adjacentes de la rue Saint-Denis et de la rue Saint-Martin, les gens vivaient tellement serrés les uns contre les autres, les maisons étaient si étroitement pressées sur cinq, six étages qu'on ne voyait pas le ciel et qu'en bas, au ras du sol, l'air stagnait comme dans des égouts humides et était saturé d'odeurs. Il s'y mêlait des odeurs d'hommes et de bêtes, des vapeurs de nourriture et de maladie, des relents d'eau et de pierre et de cendre et de cuir, de savon et de pain frais et d'œufs cuits dans le vinaigre, de nouilles et de cuivre jaune bien astiqué, de sauge et de bière et de larmes, de graisse, de paille humide et de paille sèche […]. Les gens qui vivaient là ne sentaient plus rien de particulier dans cette bouillie […]. [Il allait] dans le faubourg Saint-Germain, où demeuraient les gens riches. À travers les grilles de fer des entrées cochères, cela sentait le cuir des carrosses et la poudre des perruques des pages, et par-dessus leurs grands murs, les jardins exhalaient le parfum des buis et des rosiers, et des troènes fraîchement taillés. **»**

Patrick Süskind, *Le Parfum*, chap. 7,
traduction française de B. Lortholary,
Librairie Arthème Fayard, 1986.

La vie quotidienne dans son aspect le plus concret ne se trouve guère en fait dans les *Lettres persanes* : Montesquieu ne cherche pas à écrire ce que l'on appellera plus tard un « roman réaliste ». Il ne se soucie pas de reconstituer l'atmosphère des rues de Paris, il ne cède pas non plus à la simple tentation du pittoresque (les fameux « cris de Paris » par lesquels se font connaître porteurs d'eau, revendeurs de toutes sortes…) ou au lieu commun habituel des « embarras » de la grande ville, qui existait depuis la Rome antique ; au contraire, on y circule trop bien et trop vite (24).

En définitive, Paris est partout et nulle part dans le roman, présent et invisible ; la ville gouverne parfois, mais rarement, l'observation des Persans (ces immeubles aux cloisons si minces que l'on entend les voisins parler…) mais ne s'impose pas au regard. Car ce qui fait vraiment Paris, ce sont les Parisiens, indistincts et divers, où tourbillonnent danseuses d'opéra, vrais et faux ambassadeurs, alchimistes et compilateurs – si bien qu'Usbek préfère se retirer à la campagne…

L'ailleurs ou le retour à soi

De Paris on est en fait sans cesse renvoyé à d'autres lieux – à Ispahan, bien sûr, mais la référence au lieu natal a tôt fait de s'effacer. Il est aussi question de Venise, dont la curieuse situation sur l'eau est toujours sujet d'étonnement – encore est-ce le seul endroit qui soit évoqué de manière concrète. Il est fait allusion à la Moscovie, à l'Espagne ou à l'Angleterre, ou aux États de l'Europe en général (102), mais c'est plutôt pour en évoquer les mœurs particulières et surtout à cause de leur régime politique. Et toujours l'on revient à la ville phare. Les Parisiens n'auraient-ils pas raison de se croire le centre du monde ?

Le lecteur est ainsi amené à se demander si, quand Montesquieu parle de tel ou tel État, c'est par intérêt pour celui-ci, ou pour revenir par le biais des comparaisons, implicites ou explicites, à cette

France qui étonne les Persans… et les Français eux-mêmes. Certes, le regard n'est jamais complaisant. Il n'en reste pas moins une fascination certaine pour l'infinie variété des inventions humaines, condensées ou concentrées sur les bords de la Seine. La France de la Régence voulait se connaître mieux. Le succès des *Lettres persanes*, par-delà les frontières et les époques, l'a révélée dans ses faux-semblants et ses élans de sincérité, complexe et nuancée, grâce au miroir que lui tendait le romancier.

De cela, Paul Valéry avait eu claire conscience. C'est à lui que nous laisserons la parole pour finir (*Variété*, I).

« Telle quelle, cette société se connaissait soi-même aussi bien, et peut-être mieux, que jamais société ne s'est connue.

Les miroirs ne lui manquaient pas. Elle s'y regardait aussi souvent, aussi tendrement et cruellement que toute personne périssable. Les Montesquieu, les Diderot, les Voltaire et une infinité de moindres témoins lui représentaient son visage et ses attitudes. Elle s'y voyait encore plus libre, plus hardie, plus sensuelle que sans doute elle n'était ; et parfois, bien plus malheureuse.

Mais malheureuse même, et même moribonde, une société ne peut se regarder sans rire. Comment supporter de se voir ? **»**

Annexes

De vous à nous

Arrêt sur lecture 1 (p. 79)

1 – Repérages – Usbek quitte Ispahan le 19 mars 1711 (d'après la lettre 1). Le surlendemain, Zachi lui écrit, bientôt suivie par Zéphis (3 et 4). Usbek ne répond guère ; il le fait surtout pour faire des reproches à Zachi (20). Il écrit relativement peu, sinon pour évoquer une question d'ordre philosophique, avec l'histoire des Troglodytes (11-14), et pour demander avec insistance des éclaircissements d'ordre religieux (16-17, à 9 jours de distance). Sur les motifs de son silence, voir lettre 6.

2 – Images d'Usbek – Usbek veut donner l'image d'un homme droit et sage, victime du pouvoir politique, rigoureux et juste envers ses femmes, donc sévère quand elles le méritent. Ses femmes s'adressent à lui comme à leur seigneur et maître, digne d'inspirer l'amour ; mais, d'après Zachi (3), il sait surtout jouer complaisamment son rôle et faire des femmes le jouet de ses plaisirs, tout comme il sait jouer des frustrations des eunuques. D'après son ami Rustan (5), il joue un rôle important à Ispahan, et reste mystérieux. Son mystère n'est expliqué qu'à Nessir (6) : il se dit profondément malheureux, déchiré intérieurement ; c'est en quelque sorte cette lettre qui répond à celle de Rustan, alors qu'à ce même Rustan il ne donne que des raisons politiques à son départ (8).

3 – Images de femmes – Sur les noms de ces femmes, voir Bilans (p. 364). Fatmé (7), qui évoque le trouble physique dans lequel la jette le souvenir d'Usbek, compte sur cette suggestion érotique pour le ramener. Zachi (3) préfère rappeler son triomphe passé, son union avec Usbek, pour mieux dire elle aussi son trouble – or c'est elle qui se distingue par une conduite équivoque avec un eunuque blanc ou avec l'esclave Zélide (20) ; ses protestations d'amour sont-elles sincères ? Et ne cherche-t-elle pas davantage des satisfactions physiques qu'une véritable entente avec Usbek ? Zéphis (4), elle, se garde bien de toute allusion érotique : elle se défend avec indignation

des attaques de l'eunuque, et se prétend vertueuse au point de ne pouvoir comprendre de quoi il s'agit, c'est-à-dire les relations homosexuelles.

Seule Roxane reste silencieuse : Usbek fait allusion à sa pudeur, à sa vertu (20). Pour les raisons de ce silence, voir 26, 156 et surtout 161.

Les femmes semblent aux eunuques un objet de domination, des sortes de fauves qu'il faut dompter. Dissimulées, assoiffées de revanche et du pouvoir éphémère et fragile que leur donne leur beauté, elles sont méprisables, engagées dans une lutte à mort avec leurs gardiens. Pour Usbek, ce sont surtout des êtres sans intérêt, qu'il faut traiter avec rigueur, comme des mineures dont on ne pourrait attendre au mieux que de l'obéissance. Dans les deux cas, elles ne sont pas vraiment considérées comme des êtres humains.

Les femmes d'Usbek semblent mettre en scène ce que dépeint le Premier eunuque : prêtes à tout pour conquérir le cœur de leur maître et affermir leur pouvoir contre leurs gardiens. Et sans doute fausses, hypocrites, également, puisque Zachi est accusée alors qu'elle se prétend follement amoureuse d'Usbek.

Le texte complémentaire doit attirer l'attention sur la méthode de Montesquieu ; il ne s'agit pas pour lui de justifier la polygamie en elle-même ou de dénoncer le rôle des femmes dans la vie publique, mais de montrer que système politique et règles sociales se tiennent ; dans un système qui ne laisse pas de liberté au citoyen, les femmes doivent être enfermées. Quand un régime est fondé sur des abus, tout obéit à la même logique absurde.

4 – Dissertation – L'intrigue permet de faire apparaître les différentes facettes d'un personnage, Usbek, et les différents rôles que jouent les femmes, envers les eunuques, entre elles et face à leur époux. L'étude de ces personnages relève moins de la psychologie (les femmes sont trop peu évoquées pour avoir une profondeur réelle) que de la question des rapports de pouvoir et du respect dû à autrui. La souplesse du roman épistolaire permet aussi d'aborder des questions variées, sans rien d'abstrait (les Troglodytes).

Arrêt sur lecture 2 (p. 177)

1 – Observation – L'entrée en matière est presque toujours très vague (« un jour, dans une compagnie… ») et suppose une vie sociale des deux Persans, introduits dans des cercles ou des salons, mais sans aucune continuité d'une lettre à une autre. Pas de recherche du pittoresque dans ces introductions. Un seul cas à part, celui de la lettre 54 : une conversation surprise à travers

une cloison trop mince, invention fort peu plausible du romancier. En fait, cette présentation vise à faire disparaître l'observateur au profit du spectacle qu'il décrit.

Des éléments de réponse sont également dans l'Arrêt 2 : « Paris, centre du monde ? ».

2 – Explication lettre 56 – Montesquieu rejoint ici la critique traditionnelle et celle des moralistes, qui condamnent les jeux de hasard (voir dans l'Arrêt 2, « Une coquille vide »), et complète la satire des femmes, notamment des femmes âgées. Mais sa position est complexe, car l'observateur et juge oriental est loin d'être impartial : son attitude semble procéder de la raison, et oppose l'Europe, agitée de passions frénétiques (amour et jeu), à l'Orient serein et tempéré – or nous savons d'ores et déjà qu'il n'en est rien.

L'explication doit être orientée notamment par l'analyse de la personnalité du scripteur, Usbek.

3 – Exposé : la contradiction – Éléments de réponse dans le commentaire de la lettre 37.

4 – Dissertation – L'exercice doit être fondé sur le relevé des mentions explicites de la Perse et de l'Orient, depuis « Paris est aussi grand qu'Ispahan » (24) qui montre bien que le pays d'origine reste le point essentiel de référence, jusqu'à l'exaltation de la liberté française par Rica (63) au détriment de la dissimulation et de la tristesse orientales. Une part importante doit être faite aux lettres qui ont pour sujet même cette comparaison (34, 38), celles qui en font mention (56), sans oublier celles où la différence des points de vue guide l'ensemble de l'analyse (55).

5 – À la manière de… – Ne pas oublier que ce sont les spectateurs qui sont décrits, pas les joueurs.

Arrêt sur lecture 3 (p. 224)

1 – Réflexion (lettre 73) – Distinguer l'<u>inutilité</u> de l'institution (1er paragraphe), et notamment l'absence d'intérêt de son dictionnaire (2e paragraphe), ainsi que la cupidité des académiciens (5e paragraphe), reproches graves pour une des institutions les plus respectées du royaume, et le tableau <u>caricatural</u> qui en est fait (4e paragraphe), fondé sur la métaphore filée* du « corps à quarante têtes », et sur l'accusation de « babil ». Mais les deux aspects sont complémentaires, car si ne s'y ajoutait pas le ridicule, l'évocation serait grinçante, et l'inutilité ne serait pas assez prouvée.

2 – Étude comparative des lettres 51 et 78 – Aux directions suggérées

nous ajouterons seulement qu'il faut distinguer l'aspect quasi officiel du « rapport » que fait Nargum, envoyé du roi de Perse, qui traite de sujets importants (les réformes décisives introduites par Pierre Ier) à côté d'évocations satiriques, et l'aspect beaucoup plus satirique (et plus complet) du tableau de l'Espagne.

3 – Dissertation – Se méfier de la phrase initiale, qui n'est pas une revendication en faveur de l'égalité au sens moderne du terme : Montesquieu souhaite que les hommes soient distingués par leur vrai mérite (dont la naissance fait partie : un comte ou un duc ne doit pas être confondu avec son valet, mais il doit aussi mériter de ne pas l'être), non par les avantages que donnent la mode ou le goût de l'apparence, ou de manière générale les fausses valeurs qui règnent dans la société. L'égalité est celle des citoyens (voir 122).

Insister sur l'ironie* de la démonstration de Montesquieu, qui procède par antiphrase* ou par métaphore* (la faveur « grande divinité des Français »). On peut s'interroger aussi sur l'accord au singulier du verbe initial, courant au XVIIe siècle ; et surtout le sujet est postposé (placé après le verbe). D'autant que la liberté n'est pas réellement envisagée ensuite. C'est donc une déclaration d'autant plus ironique qu'elle est sonore et jetée en tête de la lettre.

Sont visés par Montesquieu non seulement la vanité des courtisans, mais aussi l'ensemble d'un système qui fait dépendre la grandeur des sujets de la seule faveur du roi, non de mérites prouvés.

4 – À la manière de… – Il est important de garder l'aspect « antique » (cf. dans le texte « stades », « apophtegmes tirés des anciens »), l'inscription funéraire (ou épitaphe) étant un genre spécifiquement antique.

Arrêt sur lecture 4 (p. 324)

2 – Résumé/argumentation (122) – La thèse est énoncée dans la première phrase, suivie d'exemples qui complètent la formulation de ce paradoxe* : ce n'est pas la fertilité d'un pays qui assure l'accroissement de la population, mais son régime politique.

La thèse est ensuite développée de manière positive (paragraphes 2-4), puis négativement : « Il n'en est pas de même des pays soumis au pouvoir arbitraire » (paragraphes 5-8) ; ces pays se caractérisent par l'extrême inégalité des fortunes, avec une restriction : les paysans auront toujours beaucoup

d'enfants. Mais ceux-ci ne feront qu'accroître la misère générale, et beaucoup meurent en bas âge.

La conclusion est énoncée au 9e paragraphe, mais insiste surtout sur les conséquences de la pauvreté, avec un développement exclusivement consacré à la France.

3 – Argumentation personnelle (142) – Ce savant est un homme sérieux, désintéressé, passionné par le désir d'accroître ses connaissances. Mais c'est aussi un homme crédule (« un petit miroir […] autrefois à l'usage de Virgile »), coupé du monde et de la réalité, vaniteux, plus soucieux d'étudier des détails que de grands problèmes, comme tous ces littérateurs inutiles que les *Lettres persanes* ne cessent de critiquer. C'est un érudit au sens où le XVIIIe siècle critique cette forme d'esprit, jugée trop étroite, mais c'est aussi un « amateur » trop superficiel, qui saute de sujet en sujet et accumule des « curiosités » au lieu d'étendre ses connaissances de manière systématique et raisonnée.

4 – Lecture méthodique des lettres 107-111 – L'axe commun est une réflexion sur le pouvoir, le rôle des institutions et l'influence cachée d'une puissance extérieure à toute institution : les femmes.

D'où les axes de lecture suivants :

– Vanité des puissances institutionnelles et importance que prennent en France les questions de langage.

– Le vrai pouvoir : celui de la parole, des relations, de la légèreté d'esprit, caractéristique des femmes.

– Tout vient d'une paresse d'esprit, de la facilité à se laisser impressionner par le jugement d'autrui.

Attention à l'anachronisme qui consisterait à faire des journaux un « quatrième pouvoir » : les journaux visés, très dépendants du pouvoir, ne donnent que des comptes rendus d'ouvrages récents, et n'expriment pas des opinions politiques (sinon avec la plus grande prudence).

Arrêt sur lecture 5 (p. 354)

1 – Observation/analyse – Les trois lettres portent sur le même sujet, témoignent de la même horreur, emploient parfois le même vocabulaire (« tigre »). Roxane, qui n'a pas fait l'objet du châtiment, réagit avec dignité, en faisant appel à des notions abstraites (la liberté, les outrages), et en laissant entendre son prochain suicide ; sa lettre, qui décrit la situation dans l'ensemble du sérail, respire la haine. Zachi emploie un vocabulaire plus

concret, plus violent, et rappelle l'amour, qui constituait déjà le thème de sa première lettre (3). Zélis ne montre que mépris ; elle surmonte sa douleur et semble oublier sa propre personne pour mieux accabler Usbek. Le vocabulaire est celui de l'analyse. Des trois, sa lettre est la plus sobre, la plus retenue.

2 – Observation/synthèse – Roxane semble être l'incarnation de la vertu (20, 26), la seule qui au milieu des troubles semble rester fidèle à Usbek (151). Elle pourrait apparaître comme l'image parfaite de la femme enfermée dans le sérail, la justification même de l'enfermement des femmes.

En fait, elle est arrivée à tromper ses gardiens, et de toutes c'est peut-être la plus coupable (159, 161). La lettre ultime lui permet d'apparaître comme un personnage tragique, presque démesuré, capable de dissimuler ses sentiments et de poursuivre sa vengeance.

3 – Observation/comparaison – Ces trois lettres insistent sur la violence répandue dans le sérail, sur la souffrance de toutes les femmes (et pas seulement de Roxane), en développant notamment, avec une certaine complaisance, le thème de la fessée. La figure de Zélis redouble quelque peu celle de Roxane (voir ci-dessus, 1), alors que Zachi reste fidèle à son personnage. Solim apparaît comme un véritable fanatique de la vertu, ou plutôt de la punition et de la vengeance. L'affrontement est ainsi porté à son paroxysme.

4 – Dissertation – On peut en un premier temps relever tout ce qui relève du champ lexical du corps, du désir, étudier la manière dont Roxane nous est connue, et surtout s'interroger sur la phrase « j'ai réformé tes lois sur celles de la nature », la *nature* laissant le champ libre aux interprétations, en replaçant cela dans ce que nous avons vu de la présence féminine dans le roman (voir notamment Arrêt n° 1).

Et ensuite se demander si la revendication énoncée ici (ainsi que dans la lettre 156) ne prend pas cette forme uniquement parce que c'est à Usbek qu'elle s'adresse ; l'indépendance d'esprit qu'elle revendique est en fait d'une autre nature que celle des exigences physiques. Le plaisir de tromper n'est-il pas d'abord un plaisir intellectuel ? La haine et le courage, passions ou vertus généralement réservées aux hommes, peuvent parfaitement être vécus au féminin. Et toutes les notions qu'évoque Roxane ont été traitées auparavant par Usbek.

Glossaire

Antiphrase : figure qui consiste à laisser entendre l'inverse de ce qu'on dit (procédé habituel de l'ironie : voir ce mot).

Antithèse : association de deux termes (ou deux idées) contradictoires.

Auteur : personne réelle qui écrit une œuvre littéraire (ici, Montesquieu), à distinguer du narrateur.

Caricature : dessin qui accentue les traits caractéristiques ou ridicules d'un personnage ; se dit par extension de portraits littéraires.

Connotation : sens secondaire d'un mot.

Destinataire : celui qui reçoit la lettre.

Hyperbole : figure qui consiste à employer des termes exagérés.

Incipit : début d'une lettre ou d'une œuvre.

Intrigue : enchaînement des événements du roman.

Ironie : figure de rhétorique consistant à dire autre chose que ce que l'on dit explicitement. Par extension et généralisation, caractérise un ton de moquerie.

Lexique : vocabulaire.

Métaphore : comparaison sans outil de comparaison (comme, ainsi que…).

Métaphore filée : métaphore poursuivie dans plusieurs phrases, et reprenant plusieurs aspects de l'analogie.

Mise en abyme : procédé qui consiste à représenter la totalité de l'œuvre dans un fragment de celle-ci.

Narrateur : dans une œuvre littéraire, personnage fictif qui est censé raconter l'histoire (à bien différencier de l'auteur).

Paradoxe : opinion différente de l'opinion dominante.

Pathétique : propre à susciter l'émotion.

Rhétorique : ensemble des figures de langage.

Roman épistolaire : roman par lettres.

Rococo : style emblématique du XVIIIe siècle, caractérisé par la souplesse des formes et l'exubérance de l'ornementation (arts décoratifs notamment).

Scripteur : celui qui écrit (un texte quelconque ou, ici, une lettre). À bien différencier de l'auteur et du narrateur.

Théologie : étude des questions religieuses.

Bibliographie essentielle

Ouvrages généraux sur le xviiie siècle et le roman

Henri Coulet, *Le Roman jusqu'à la Révolution*, Armand Colin, 1991.
Michel Delon et Pierre Malandain, *Littérature du xviiie siècle*, PUF, 1996.
Jean Ehrard, *Le Dix-Huitième Siècle, 1720-1750*, Arthaud, 1974 (sur Montesquieu, p. 143-166).
Laurent Versini, *Le Roman épistolaire*, PUF, 1998.

Ouvrages généraux sur Montesquieu

Georges Benrekassa, *Montesquieu, la liberté et l'histoire*, Le Livre de poche, Biblio-Essais, 1987.
Jean Ehrard, *L'Esprit des mots, Montesquieu en lui-même et parmi les siens*, Genève, Droz, 1998.
Robert Shackleton, *Montesquieu, une biographie critique*, Presses Universitaires de Grenoble, 1977.
Jean Starobinski, *Montesquieu par lui-même*, Le Seuil, 1953, nombreuses rééditions.
Revue Montesquieu, Société Montesquieu et Université de Grenoble 3 (un numéro annuel depuis 1997).

Ouvrages généraux sur les **Lettres persanes**

Jean Goldzink, *Charles-Louis de Montesquieu, «Lettres persanes»*, PUF (Études littéraires), 1989.
Michel Delon, «Un monde d'eunuques», *Europe*, n° 574, février 1977.
Annie Becq commente *Lettres persanes* de Montesquieu, Foliothèque, n°77, 1999.

Sur l'aspect proprement romanesque
Roger Laufer, «La réussite romanesque et la signification des *Lettres persanes*», *Revue d'histoire littéraire de la France*, avril-juin 1961, repris dans : Roger Laufer, *Style rococo, style des Lumières*, Corti, 1963.
Pierre Testud, «Les *Lettres persanes*, roman épistolaire», *Revue d'histoire littéraire de la France*, oct.-déc. 1966.

Sur l'interprétation politique

Georges Benrekassa, « Le parcours idéologique des *Lettres persanes* : figures de la socialité et discours politique », *Europe*, n° 574, février 1977, repris dans Georges Benrekassa, *Le Concentrique et l'Excentrique*, Payot, 1980.

Jean-Patrice Courtois, « Comment Roxane devient philosophe », *La Lecture littéraire*, n° 3 (*L'Illisible*), 1999.

Jean Ehrard, « La signification politique des *Lettres persanes* », *Archives des lettres modernes*, Minard, 1970, repris dans J. Ehrard, *L'Invention littéraire au XVIIIe siècle : fictions, idées, sociétés*, PUF, 1997, sous le titre « Un roman politique : les *Lettres persanes* ».

Jean-Marie Goulemot, « Questions sur la signification politique des *Lettres persanes* », *Approches des Lumières, Mélanges offerts à Jean Fabre*, Paris, Klincksieck, 1974.

Céline Spector, *Montesquieu. Les «Lettres persanes»*, PUF (Philosophie), 1997.

Jean Starobinski, préface à l'édition « Folio » des *Lettres persanes*, Gallimard, 1973.

TABLE DES MATIÈRES

Arrêt sur lecture 1 : Le voyage, la construction des personnages 67

Arrêt sur lecture 2 : La société parisienne, tableaux et portraits

Dans la même collection

Collège

Lycée